Google 無料サービス早わかりガイド (令和3年最新版)

C O N T E N T S

INTRODUCTION

004 Googleって何ですか?

006 仕事する、出掛ける、くつろぐ、全部Googleで!

008 Googleのサービスを満喫するために必要なモノ

010 Googleアカウント取得しよう!

013 パスワードが盗まれたときに備える2段階認証プロセス

014 2段階認証プロセスの設定を行おう

015 Google認証システムで2段階認証プロセスの設定を行う

016 iPhone、iPadにGoogleサービスを連携させるには

018 パソコンのGoogle各種サービスへの入り方

SECTION 1

GoogleChromeでWEBサイトを閲覧しよう

020 Google Chromeの素晴らしさ!

021 パソコンにChromeをインストール
スマートフォンにChromeをインストール

022 一目で分かるGoogle Chromeの基本画面

024 Chromeの基本操作を覚えよう

025 ブックマークを登録して、整理しよう

026 Chromeのブックマークや履歴を同期しよう

027 ホームのページを好みのサイトに変更する
海外のサイトを自動で翻訳する

028 過去に見たサイトにアクセスするには
閲覧履歴を削除しておこう

029 「シークレットウィンドウ」でこっそり見る
画面表示を拡大・縮小して見やすくしよう

030 便利なPDF形式で閲覧中のサイトを保存する

SECTION 2

Google検索で何でも探せる!

032 Google検索の素晴らしさ!

033 一目で分かるGoogle検索の基本画面(パソコン編)

034 一目で分かるGoogle検索の基本画面(スマートフォン編)

035 より正確に目的の情報にアクセスするには?

036 「検索オプション」を使って手軽に演算子検索を行う
スマホ版Chromeで検索オプションを利用する

037 検索履歴を整理すれば、精度が上がる
Googleが表示してくれるワードを使おう

038 検索するファイル形式を指定する
期間を指定して検索する

039 「すべて」「画像」「動画」「地図」「ショッピング」
「もっと見る」の使い方

040 「画像検索」を使いこなしましょう

041 細かい設定でもっと好みの画像を探す
類似した画像を検索する

042 服や雑貨など、色を決めて画像を検索する
許諾なしで使える画像を検索する

043 検索キーワードの候補を個別に削除する
動画検索を使いこなそう

044 サイト内の語句を検索する
Googleで行ったアクティビティを管理、削除する

045 急いでます! 目的地への最速経路を検索する
音声で検索キーワードを入力する

046 ほかにもまだある便利な検索テクニック
郵便番号を調べる/荷物配達状況を調べる/電卓として利用する/数値をさまざまな単位に変換する/食品のカロリーを調べる/海外の通貨を日本円に換算する/今日の天気を調べる/著名人の出身地を調べる/日の出・日の入りの時刻を調べる/指定した株価を調べる/航空便のフライト予定を調べる/出先のカフェや飲食店を調べる/海外の都市の現在時刻を調べる/上映中の映画情報を調べる/今、撮影した写真で情報を得る/あるエリアの交通渋滞を調べる

SECTION 3
Googleマップでどこでも行ける!

050 Googleマップの素晴らしさ!

051 一目でわかるGoogleマップの基本画面(パソコン編)

052 一目でわかるGoogleマップの基本画面(スマートフォン編)

053 地図を拡大・縮小しよう
「マイプレイス」に自宅や職場を地図に登録しておく

054 施設名だけで地図を表示する
目的地や今いる場所をメールでサッと送る

055 現在地の地図を素早く表示する
マップで調べた場所をブックマークしておく

056 自分用のマップを作成して活用する
インドアマップで建物内の様子もチェック!

057 「経路検索」でスマホが携帯ナビに!

058 乗り換え案内サービスを利用する(パソコン編)
乗り換え案内サービスを利用する(スマートフォン編)

059 Google Mapsをカーナビとして使う
カーナビに利用するルートをマイマップに保存する

060 ドライブ前に行き先をリスト化!外出先でチェックする
前に訪れたことのある場所へのルートを表示する

061 表示方法を切り替えて、交通状況や地形を把握する
地図の表示方法を切り替える

062 ロングタップすれば施設の名前まで分かる
指定した地点付近を写真で見る

063 タクシーの料金を調べ配車も依頼する
現在地周辺の飲食店や観光スポットを探す

064 一目でわかるGoogleストリートビューの基本画面

065 一目でわかるGoogle Earthの基本画面

066 Google Earthで観光名所をブックマークする
スマートフォンでGoogle Earthを使う

SECTION 4
Gmailでスマホもタブレットも一元管理

068 Gmailの素晴らしさ!

069 一目でわかるGmailの基本画面(パソコン編)

070 一目でわかるGmailの基本画面(スマートフォン編)

071 Gmailの基本操作をマスターする(送信編)

072 Gmailの基本操作をマスターする(受信編)

073 送信メールに写真などを添付する
受信したメールに返信する

074 一斉メールならアドレス登録かラベルのグループ化で送る

075 全部のメールをGmailだけで一元管理する

076 読みたいメールを検索ですぐに見つける
スレッド表示が嫌なら変更しよう

077 名前や住所を「署名」で表示しよう
不要なメールを削除する

078 迷惑メールを受信しないようにブロックする
広告やSNSのメールをタブで分けておく

079 メールをまとめて既読にする
Gmailから送っても会社のアドレスが表示されるようにする

080 送り間違い!メールの送信を取り消す!
プロバイダメールを手動で素早く受信する

081 自動判断してくれる「重要」マークを活用する
読み終えたら「アーカイブ」へ移動しておく

082 「フィルタ」機能で自動的にメールを振り分ける

SECTION 5
Googleドライブで仕事を共有作業する

084 Googleドライブの素晴らしさ!
085 「同期」と「共有」の違いを理解しよう
086 スマートフォンでGoogleドライブを利用する
087 一目でわかるGoogleドライブの基本画面(パソコン編)
088 一目でわかるGoogleドライブの基本画面(スマホ・タブレット編)
089 「ドキュメント」「スライド」「スプレッドシート」「フォーム」「図形描画」を作成できる
090 Googleドキュメントで書類を作成する
091 Googleスプレッドシートで表計算を行う
092 Googleドライブにファイルをアップロード/ダウンロードする
オフィスファイルを編集可能にする
093 フォルダでファイルを整理する
ファイルの特定箇所にコメントを付ける
094 ファイルが増えてきたらファイルを検索して開こう
Googleドライブをオフラインで使う
095 アップロードしたファイルを共有する
096 誰でもアクセスして閲覧できる共有リンク機能を使おう
メンバーのみアクセスできる共有フォルダを作成する
097 共有して作業しているときは「変更履歴」を参照すると便利
「変更履歴」からファイルを復元する
098 Googleドライブとパソコンを自動で同期するように設定する
099 PC内の指定したフォルダをGoogleドライブにバックアップする
紙の資料をスマホでPDFにする
100 Gmailの添付ファイルをドライブに保存する
有料で15GB以上に容量を増やす

SECTION 6
Googleカレンダーで楽しくスケジュール管理

102 Googleカレンダーの素晴らしさ!
103 一目で分かるGoogleカレンダーの基本画面
104 予定を登録してみよう
105 仕事やプライベートで複数のカレンダーを使い分ける
106 忘れないように予定を事前に通知する
107 予定を色分けして見やすくしよう
特定の予定を検索する
108 友人、同僚や家族とカレンダーを共有する
カレンダーからそのまま地図を表示する
109 Gmailから予定を作成する
オフラインでGoogleカレンダーを利用する
110 表示は「日/週/月/カスタム/リスト」に変更可能
「20:00時に東京駅」で時刻も入力できる
111 毎週、毎月の定期的な予定を登録する
予定の日時をドラッグ&ドロップで変更する
112 今日やるべきことをToDoリストに登録して管理しよう
今日やるべきことをリマインダー機能で通知する

SECTION 7
Google MeetでWeb会議をしよう!

114 Google Meetの素晴らしさ!
116 Google Meetで会議を開く
118 一目でわかるGoogle Meetの基本画面
119 基本操作と終了方法
120 Googleカレンダーを利用してファイルを共有しよう
121 チャット機能を使おう
122 画面共有機能を使おう
124 字幕機能を使おう
125 その他の設定を利用する

SECTION 8
最新のサービスを利用しよう!

128 Google Payの素晴らしさ!
130 気になることはGoogle Keepにメモしよう
134 Googleサイトを使って社内ポータルサイトを作成する
136 Googleニュースでニュースを集める
138 Googleフォトの素晴らしさ
142 Google翻訳の素晴らしさ

Googleはパソコンやスマートフォンで、インターネットの検索、動画配信、地図、カレンダーなどのサービスを無料で提供している会社です。スマートフォンのXPERIA(ソニー)やAQUOS(シャープ)、Galaxy(サムスン)などのOSであるAndroidを提供しているのもGoogleです。iPhone(iOS)でもGoogleのサービスを快適に使えます。

Googleのサービスはここが便利!

Googleのサービスはそれぞれのサービスが無料とは思えないような高機能性を備えています。またほぼすべてのサービスを、パソコン・スマホ・タブレットといろいろな端末機器でも同一のシームレスなサービスを受けられます。

それぞれのサービスが高機能!

インターネット(Chrome)

地図(マップ)

メール(Gmail)

オフィス機能(ドライブ)

など

いろいろな端末で同じようにサービスを利用できる

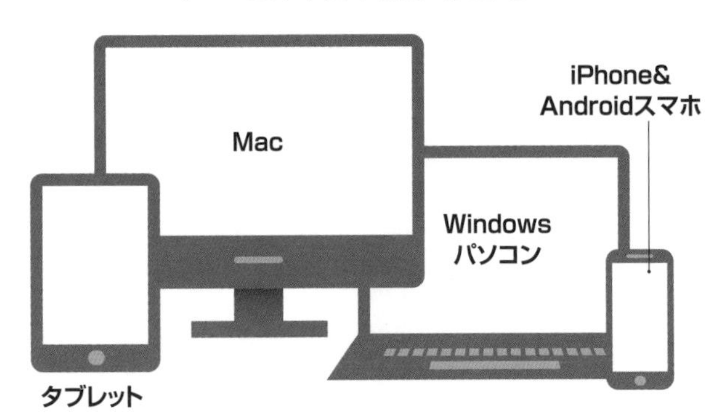

Googleは巨大企業

GAFA(ガーファ)というワードを見たり聞いたりしたことがある人は多いと思います。GAFAはGoogle、Amazon、Facebook、Appleの4つの主要IT企業の総称です。英語圏では「The Big Four」(四大企業)、「Gang of Four」(四天王)、「Four Horsemen」(四騎士)などと称されています。アメリカの経済誌『フォーブス』が毎年3月に発表する世界の個人資産番付ではAmazonのCEOであるジェフ・ベゾスが第一位となっています。

Googleな主なサービス

ブラウザ

Google Chrome

ブラウザはインターネットの閲覧ルール。ChromeがGoogle無料サービスへの入り口ともなります。もちろんブラウザとしても超優秀です。

検索

Google 検索

見たい写真や動画、宅配便の状況、食品のカロリーなど何でもすぐに調べられる強力な検索ソフトです。

地図

Google マップ

迷わないのは当たり前です。経路検索で最短・最速でたどり着き、ストリートビューで世界中の街を歩くこともできます。

地球儀

Google Earth

世界中の衛星写真を、まるで地球儀を回しているかのように閲覧することができます。画面を傾けると立体的な表示にもできます。

メール

Gmail

会社メールも個人メールもGmailで一元管理できます。PC、スマホ、タブレットどこからでも連携管理でき、非常に便利です。

文書作成

Google ドキュメント

クラウド上で操作できる文書作成アプリです。文書はGoogleドライブに保存され、どの端末からでも編集・閲覧ができます。共同編集も可能です。

表作成

Google スプレッドシート

クラウド上で操作できる表計算アプリです。出来上がった表はGoogleドライブに保存され、どの端末からでも編集・閲覧ができます。共同編集も可能です

プレゼンテーション

Google スライド

クラウド上で操作できるプレゼンテーションアプリです。スライドはGoogleドライブに保存され、どの端末からでも編集・閲覧ができます。共同編集も可能です。

クラウド

Google ドライブ

協同作業をする際に常に全員が最新ファイルを編集できます。誰かが編集すれば自動で保存でき、どの端末でもアクセスできます。

スケジュール

Google カレンダー

3つ表示形式を素早く変更でき、Gmailからの予定、ホテル、コンサート、レストランの予約などが自動的にカレンダーに追加可能です。

動画

ユーチューブ

世界のおもしろ動画、話題のユーチューバー、好きなアーティストのライブ映像も思う存分楽しめます。

コンテンツ

Google Play

アプリ、音楽の定額聞き放題サービス、自分のCDもライブラリーにアップして聴くことができます。

写真

Google フォト

写真用のクラウドサービスです。ほぼ容量無制限で使用できます。時系列に並び替えたり、整理・検索も楽々です。

ビデオ会議

Google Meet

パソコンからもスマホからもタブレットからもビデオ会議に参加できます。Gmail、Googleカレンダーとも連携が取れています。

メモとリスト

Google Keep

思いついたらすぐにメモでき、同僚や友だちとアイデアを共有できます。外出先で音声メモで記録すれば自動的に文字に変換されます。

仕事する　出掛ける　くつろぐ
全部Googleで!

Googleのサービスは朝起きてから夜寝るまでの間、ずっと頼りにできる存在です。朝起きて、スケジュールの確認、会社で仕事をすること、遊びにいくことは、Googleのサービス抜きでは考えられません。パソコンで緻密に仕事をして、スマホで外出先でもデータを取り出せます。仕事後のプライベートな時間でもGoogleサービスは大いに役立ちます。

仕事する

Gmailで会社のメールもプライベートのメールも一気にチェックしておきます。Googleカレンダーで今日のスケジュールもチェック! Googleドキュメント、スプレッドシートでチームの仕事を自動で同期&連携ができます。そしてWeb会議ツールのGoogle Meetでテレワークも楽々です。

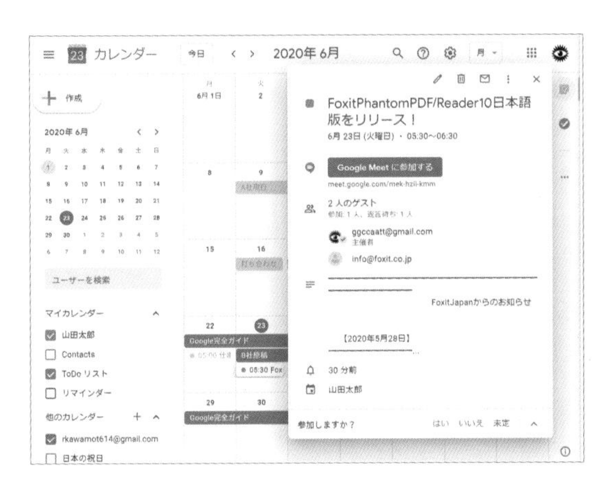

出掛ける

Googleマップなら、世界中の地図を検索することができます。スマホを活用すれば、歩きながらでも経路・移動手段まで提示してくれます。飲食店などに入って、支払いをするときはGoogle PayでキャッシュレKス（Androidのみ）。さらに仕事面でもGoogleドライブで最新の成果を確認することができます。

くつろぐ

Google検索があれば、プライベートタイムも退屈しません。動画、画像、音楽など、なんでも検索できるのがGoogle検索。欲しいものがあれば、ワードでも画像でも検索できます。キーボードなどを使用せずに音声で検索キーワードを入力することもできます。また、気軽に動画を楽しめるYouTubeもGoogleサービスのひとつです。

INTRODUCTION

Googleのサービスを満喫するために必要なモノ

Googleのサービスを享受するためのハードルは決して高くありません。必要なものは3つだけです。まずは 1 端末機器、2 ネット環境、3 アカウントです。また、Googleのサービスは映画などのコンテンツを購入する場合以外はほぼ無料ですので、お金もかかりません。ランニングコストとしてかかるのは、電気代とネット回線代くらいです。

1 必要なモノ 端末機器

インターネット画面を表示できる機器が必要です。

パソコン
Windows、Mac、デスクトップ、ノートパソコン、何でも大丈夫です。

スマートフォン
iPhone、Android スマホ、どちらでも大丈夫です。

タブレット
iPad、Androidタブレット、Surface(Windows)、でも大丈夫です。

2 必要なモノ インターネット環境

インターネットにつながる環境が必要です。スマートフォンなら回線につながっていますので、最初からネット環境が整っています！　回線につながっていない端末機器は、回線と無線LAN(Wi-Fi)機器などを用意をしてネット環境を整える必要があります。

BUFFALO社製のWi-Fiルーター。
他にも多様な機種が販売されています

3 必要なモノ Googleアカウント

アカウントというのは「権利」「認証」のこと

「アカウント」というのは、インターネット上の様々なサービスを受けるためにそれぞれのサイトに入っていく(ログイン、またはサインイン)際に、必要な「権利」のことです。また、個人情報を守るための当人であることの「認証」の役割もあります。「ログインする際にアカウントを求められる」というような言い方がなされます。

Googleに限らず、アマゾンや楽天市場などの通販サイト、ネットバンクなどの金融サービスなどどこでもそれぞれのアカウントが必要です。

そのサイトもただ、眺めているだけであるなら通常はアカウントは必要ありません。何かを購入したり、サービスを受けたりする際にアカウントは必要となります。これはその当人であるかどうかを確認する必要が生ずるためです。

ログイン画面の例です。

アカウントを取得するには?

アカウントを取得する場合、多くの場合はIDとパスワードを登録することになります。サイト上では、「アカウント」というワードはあまり出て来ず、「ログイン」画面があって、そこにIDとパスワードを記入する欄があるという場合がほとんどです。登録するには、氏名、住所、生年月日、携帯電話番号などが必要となります。

IDとは何でしょう?

では、IDとはなんでしょうか。IDというのはIDカードのIDと同じでidentityのことです。「名前」くらいに考えておけばいいでしょう。Googleの場合はGmailアドレスをそのままIDとして使います。Gmailを登録するとGoogleのアカウントも同時に取るようになっているということになります。

パスワードとは何でしょう?

パスワードはIDの本人であることを証明するための、文字列です。銀行のキャッシュカードをしようする際の4ケタの数字の文字列と同様です。ネット上で、IDと組み合わせて使う場合は、安全性を高めるために英数字を織り交ぜて6~8文字にする場合がほとんどです。

アカウント
=
ID+パスワード

Googleアカウントを取得しよう

パソコンでアカウントを取得してしまえば、iPhoneでもAndroidスマホでもあるいはタブレットでも、同じIDとパスワードを入力してログインして、サービスを利用できるようになります。

まずはパソコンでgoogleのアカウントを取得してみよう

1 Googleにアクセスして「ログイン」をクリック

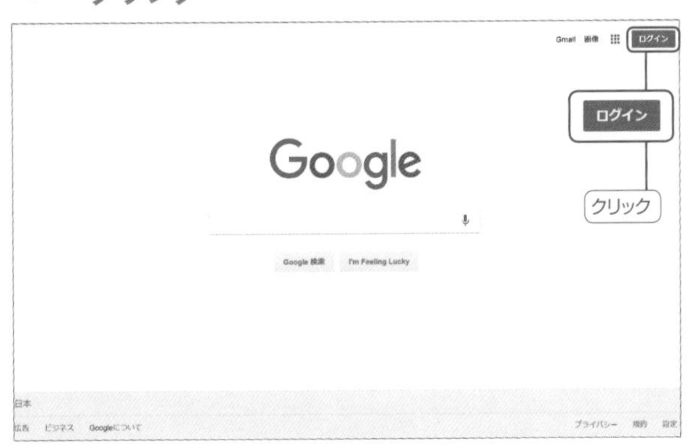

Googleのサイトにアクセスし、「ログイン」をクリックします。

2 「アカウントを作成」をクリック

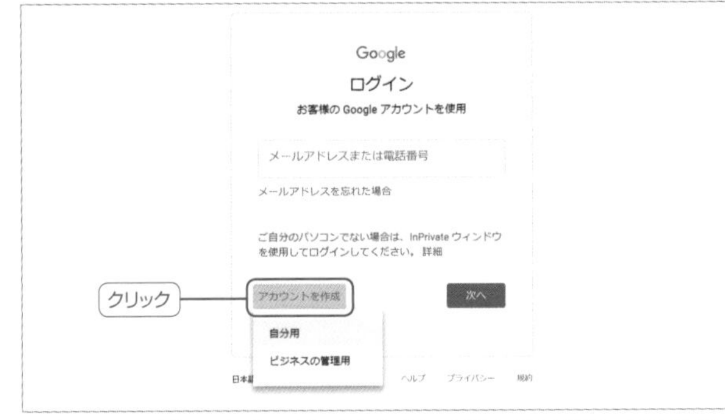

ログイン画面が開きます。「アカウントを作成」から個人用かビジネス用か選択します。無料で使う場合は「自分用」を選択します。

3 アカウント作成に必要な情報を入力する

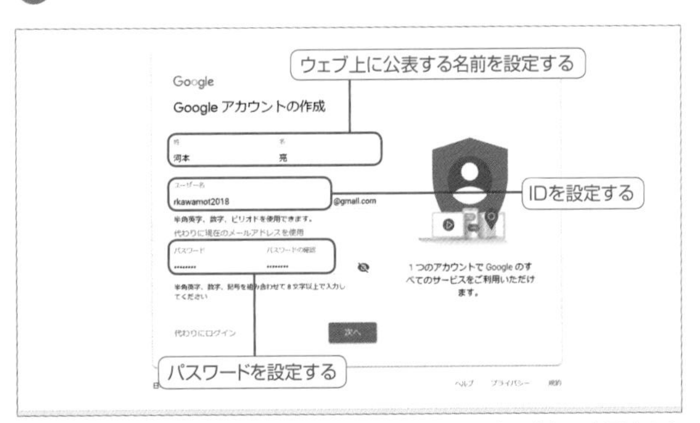

Googleアカウントの作成画面が表示されます。Gmailやウェブ上に表示する名前、ユーザー名(ID)、ログインパスワードを設定して、「次へ」をクリックします。

4 認証コードを入力する

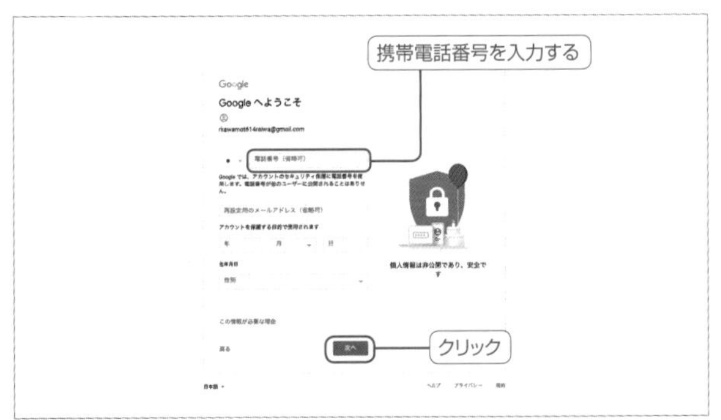

携帯電話番号を入力し、「次へ」をクリックすると携帯電話に認証コードが送られてくるので、コードを入力しましょう。

5 スキップする

電話番号の活用設定です。ここは「スキップ」をクリックしましょう。

6 ポリシーに同意する

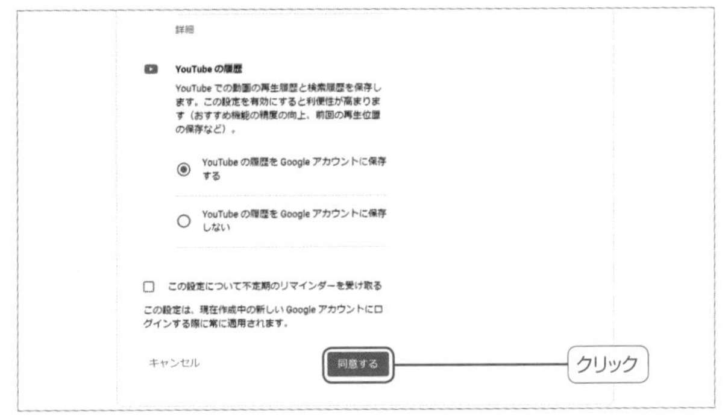

個人情報の入力が終わると、ポリシー同意画面が表示されます。「同意する」をクリックしましょう。

※注釈 「ビジネスの管理用」は、独自ドメインを利用した有料のG Suiteクラウドサービスのことです。

iPhoneでアカウントを取得してみよう

Googleアカウントは、スマホでも取得できます。ここでは、iOS端末であるiPhoneでGoogleアカウントを取得してみましょう。基本的にはパソコンでのアカウント取得と流れは同様です。SafariでGoogleのサイトへアクセスしましょう。パソコンでアカウントを取得していれば、メールアドレスとパスワードを入力するだけでOKです。無料で使う場合はアカウント作成時に「自分用」を選択しましょう。

iPhone、iPadには最初から入っているブラウザ「Safari」を立ち上げましょう。

1 「Safari」でGoogleサイトにアクセス

検索バーに「Google」と入れて、Googleサイトにアクセスしましょう。

2 ログイン画面で「アカウントを作成」をタップ

ログイン画面が表示されますので、「アカウントを作成」から「自分用」を選択します。

3 必要な情報を記入する

「Googleアカウントの作成」画面が現れます。パソコンと同じように必要な情報を記入しましょう。

Androidでアカウントを取得してみよう

Android端末であるpixel3aでGoogleアカウントを取得してみましょう。Android端末では初期設定でGoogleアカウントを取れるようになっています。また、Google Chromeも最初からインストールされていますので、いつでもすぐに取得できるでしょう。スマホもタブレットも取得操作は同じです。

1 初期設定でアカウントを作成する

初めてAndroid端末を起動するとログイン画面が表示されます。このときに「アカウントを作成」を選択します。

2 名前を入力する

パソコン版と同じようにアカウント登録する際には、名前を入力する必要があります。名前は適当なものでも大丈夫です。

3 生年月日など基礎情報を入力する

あとはパソコン版と入力する内容は同じです。生年月日や性別などを入力し、画面に従ってすすめましょう。

4 Googleアカウント名を設定する

「Gmailアドレスの選択」という画面でGoogleアカウントのIDを設定しましょう。ここで設定したID名がそのままメールアドレス(@gmail.com)になります。

アカウントのログイン・ログアウト操作

1 「ログイン」をクリック

Googleのトップページにアクセスしたら、右上にある「ログイン」をクリックします。

2 メールアドレスとパスワードを入力

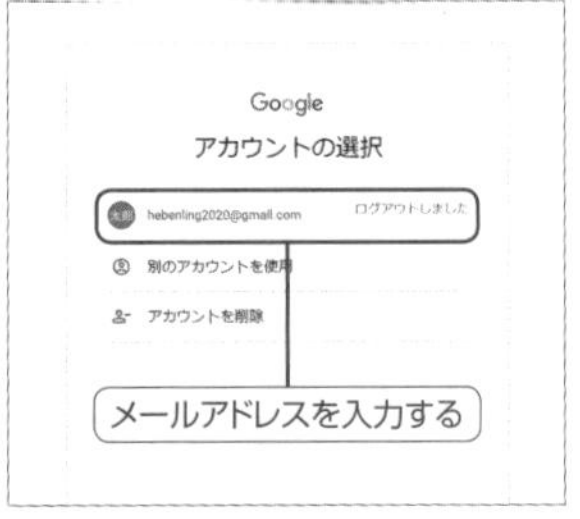

利用しているGoogleのメールアドレスを選択して、設定したパスワードを入力して、「次へ」をクリックします。

3 ログイン完了、ログアウトするには?

ログアウトする場合は、右上のユーザーアイコンをクリックして、プロフィールが表示されたら「ログアウト」をクリックしましょう。

4 ログアウト完了

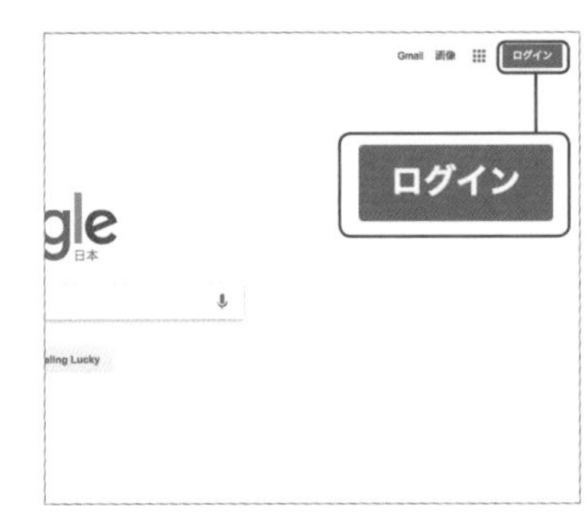

ログアウトが完了すると、右上のユーザーアイコンが「ログアウト」の文字に変わります。再びログインする場合は、同じ手順を繰り返します。

CHECK!

Googleアカウントを削除するには

Googleアカウントは削除することもできます。ただし、Googleアカウントを削除するとGoogleと関連しているすべてのサービスのデータに影響を及ぼします。Gmail、Googleドライブ、カレンダーをはじめログインが必要なサービスすべてがなくなり、そのGoogleアカウントで購入したアプリや映画などのコンテンツも使用できなくなります。無料でずっと使えるので、使わないなら放っておくのもよいでしょう。

1 「Googleアカウントを管理」を選択

画面右上にあるユーザーアイコンをクリックし、ユーザープロフィールから「Googleアカウントを管理」をクリックします。

2 「アカウントやサービスの削除」をクリック

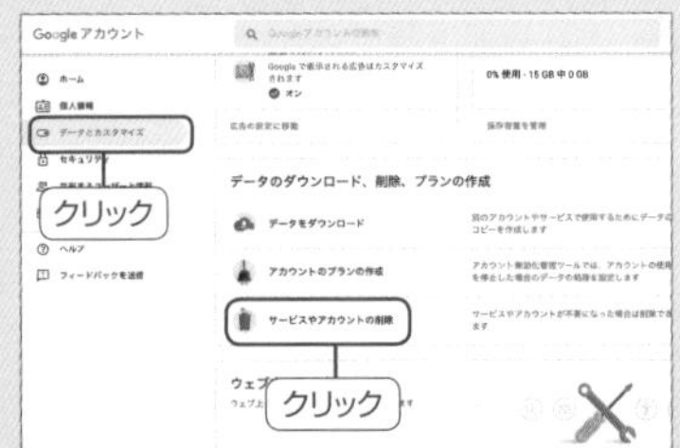

アカウント情報画面が表示されたら、左メニューから「データとカスタマイズ」を選択し、「サービスやアカウントの削除」をクリックします。

3 「Googleアカウント」の削除を選択

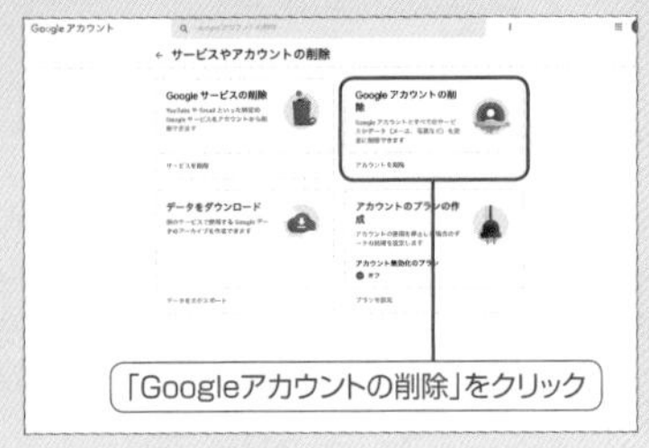

「Googleアカウントの削除」をクリックします。なおメールアドレスのみ削除する場合は「Googleサービスの削除」を選択しましょう。

4 ログインパスワードを入力する

ログインパスワードを入力して「次へ」をクリックすればアカウントを削除できます。

パスワードが盗まれたときに備える2段階認証プロセス

セキュリティの強化をしたいなら2段階認証プロセスも検討するといいでしょう。Googleの標準設定では、他人から自分のGoogleサービスが不正使用されないよう、ユーザーはログイン時には設定したパスワードを入力しています。しかし、危険なリンクをクリックしたり危険なアプリをダウンロードするなどが原因で、パスワードが盗まれてしまうこともありえます。パスワードが盗まれると自分自身が締め出され、メールや写真が見られてしまいます。

2段階認証プロセスはこのようなトラブルに備えるためのセキュリティ機能です。2段階認証プロセスを使用することで、万が一、パスワードが盗まれてもアカウントの不正使用を防止することができます。

2段階認証プロセスの仕組みを知りましょう

2段階認証プロセスを利用すると、ログイン時の流れがこれまでと変わります。パスワードを入力したあとに、コードまたはセキュリティキーを求める画面が表示されるようになります。このとき、事前に指定しておいた携帯端末にGoogleからコードやセキュリティキーが送信され、それを入力することでGoogleにログインができます。

つまり、単にパスワードが2つになっただけでなく、確認コードを受信できる端末がなければ、他のユーザーはパスワードが知ることができない仕組みになっているのです。なお、一度2段階認証プロセスを設定したパソコンでは、ログインする際には通常のパスワードの入力しか求められないので手間もさほどかかりません。

通常のパスワードでのログイン

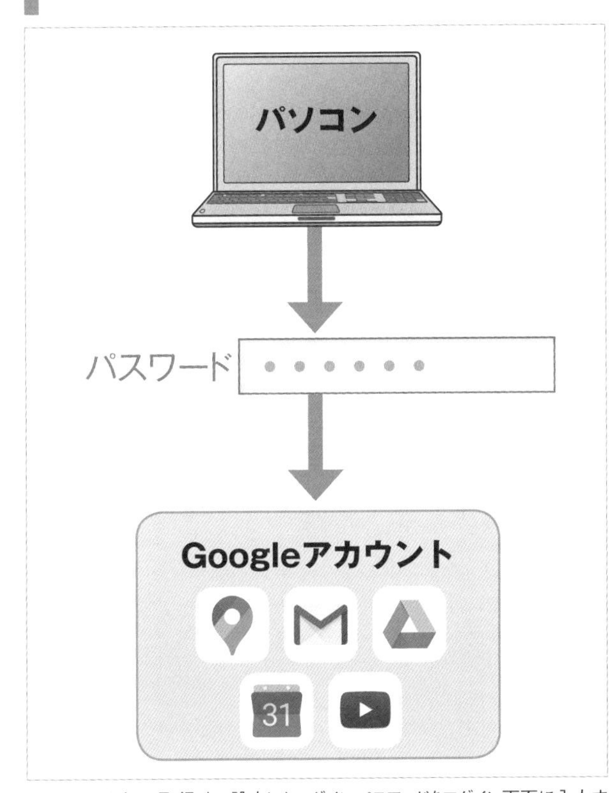

Googleアカウント取得時に設定したログインパスワードをログイン画面に入力すれば、Googleアカウントにログインできます。ログインパスワードが漏れると、どこからでも第三者によりログインされてしまいます。

2段階認証プロセスでのログイン

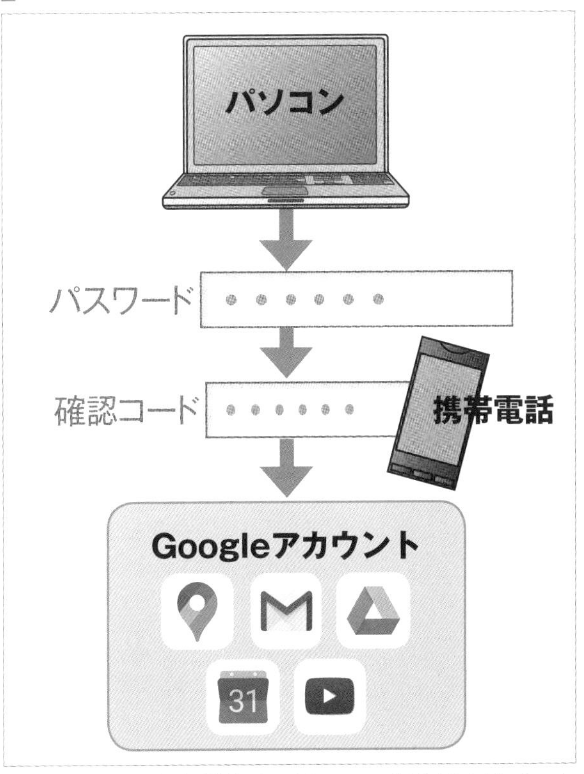

Googleアカウント取得時に設定したログインパスワードを入力したあと、Googleから送信される確認コードを携帯電話で受信して入力することでログインできます。最初のパスワードが漏れても、2段階認証プロセスの確認コードを受信する端末がなければログインできません。

2段階認証プロセスの設定を行おう

2段階認証プロセスはパソコンからでもスマホからでもブラウザを通して設定できます。2段階認証プロセスを利用するには、インターネットに接続できる環境下で、Googleからテキストメッセージ、もしくは音声通話を受信できる携帯端末が必要となります。ここではパソコンを使った設定方法を紹介します。

1 「Googleアカウント」をクリック

Googleのページにアクセスしたら、右上のユーザーアイコンをクリックして「Googleアカウント」をクリックします。

2 「Googleへのログイン」をクリック

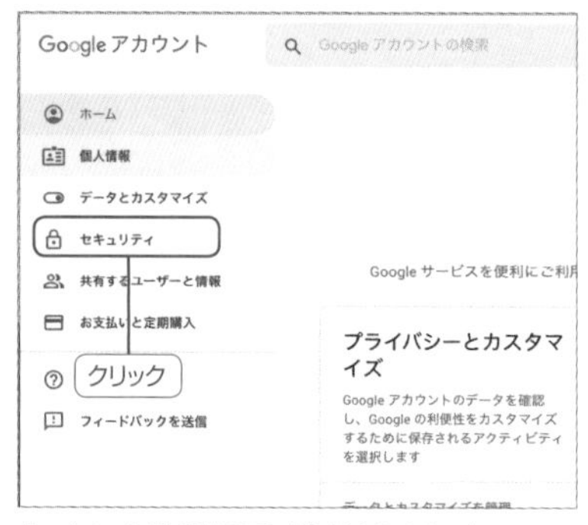

「アカウント情報」画面が表示されたら、左メニューから「セキュリティ」をクリックします。

3 「2段階認証プロセス」をクリック

「パスワードとログイン方法」画面にある「2段階認証プロセス」が「オフ」になっているはずです。クリックします。

4 「開始」をクリック

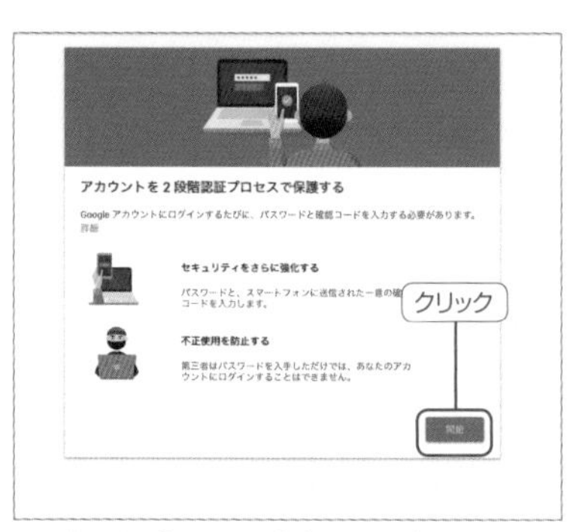

2段階認証プロセスの設定画面が表示されます。「開始」をクリックします。

5 携帯電話の電話番号を入力

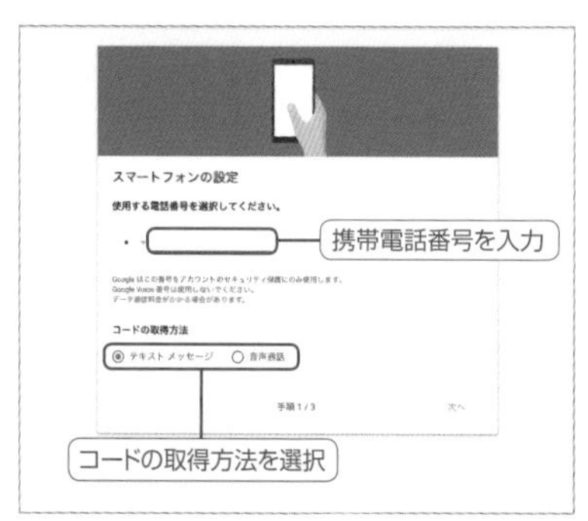

確認コードを取得するのに利用する携帯電話番号を入力します。またコードの取得方法を選択して「次へ」をクリックします。

6 確認コードを入力する

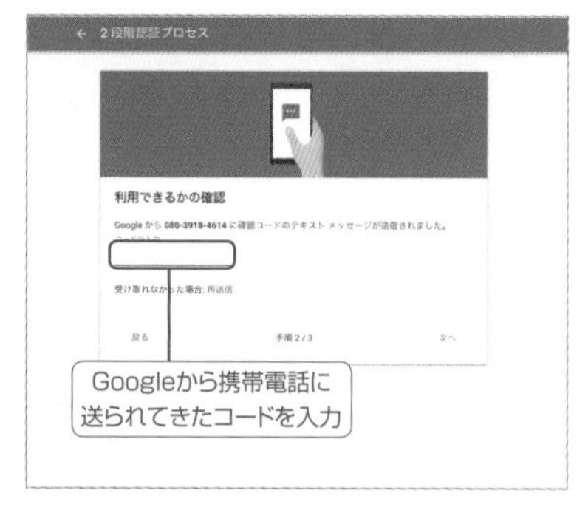

確認コードが受信できる携帯電話番号をチェックするため、コードが携帯電話に送信されます。コードを入力しましょう。

7 2段階認証プロセスを有効にする

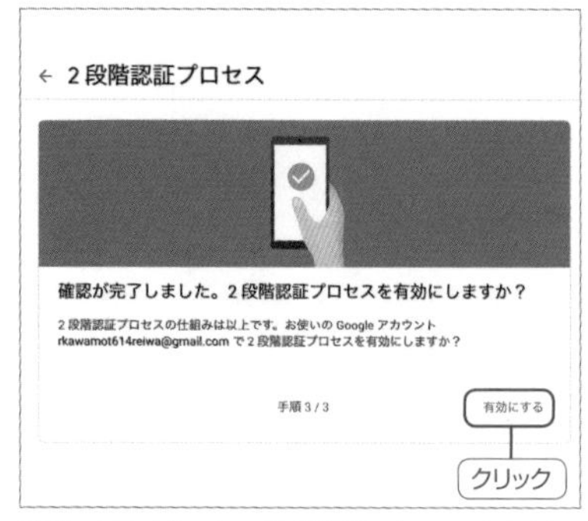

確認が完了すると、2段階認証プロセスを有効にするか聞かれます。「有効にする」をクリックします。

8 2段階認証プロセスでログインしよう

設定が完了したら再度ログインしてみましょう。通常のパスワード入力の次に、2段階認証プロセス画面が表示されます。携帯電話に送信される確認コードを入力して「次へ」をクリックすればログインできます。

CHECK!

2段階認証プロセスをオフにする

2段階認証プロセスをオフにしたい場合は、手順3の「Googleへのログイン」画面で、「2段階認証プロセス」をクリックした後に現れる画面で設定をオフにしましょう。

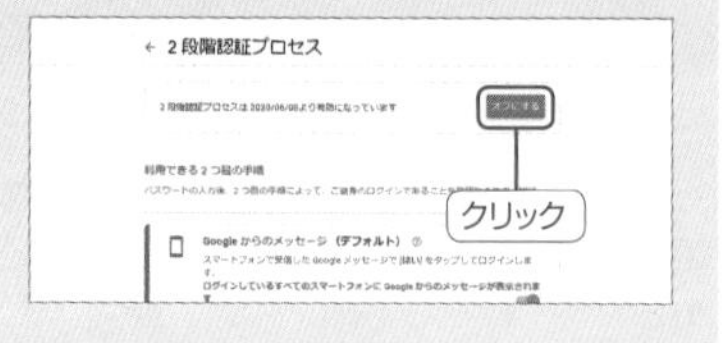

Google認証システムアプリで2段階認証プロセスの認証を行う

2段階認証プロセスの登録は専用のアプリを使った方法もあります。「Google認証システム」というアプリを使いましょう。このアプリで認証コードが記載されたQRコードを読み込むめば、あとはアプリを起動するだけでいつでもすぐに2段階認証でログインする際に使う確認コードを取得できます。インターネットに接続できずメールや音声で確認コードをうまく取得できないときに便利です。Android版、iPhone版ともに配布されています。

1 携帯側でアプリをインストール

まず携帯側でGoogle認証システムのアプリをインストールしておきましょう。iPhoneはApp StoreからAndroidはPlayストアからダウンロードできます。

2 「Googleアカウントを管理」をクリック

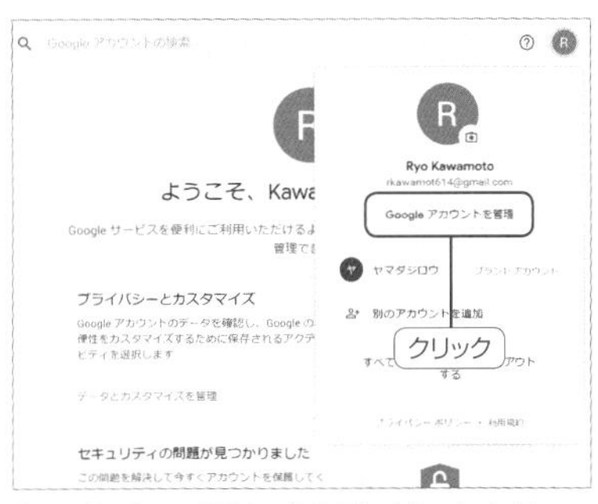

Googleのページにアクセスしたら、右上のユーザーアイコンをクリックして「Googleアカウントを管理」をクリックします。

3 「セキュリティ」をクリック

「アカウント情報」画面が表示されたら左メニューから「セキュリティ」をクリックします。

4 「2段階認証プロセス」をクリック

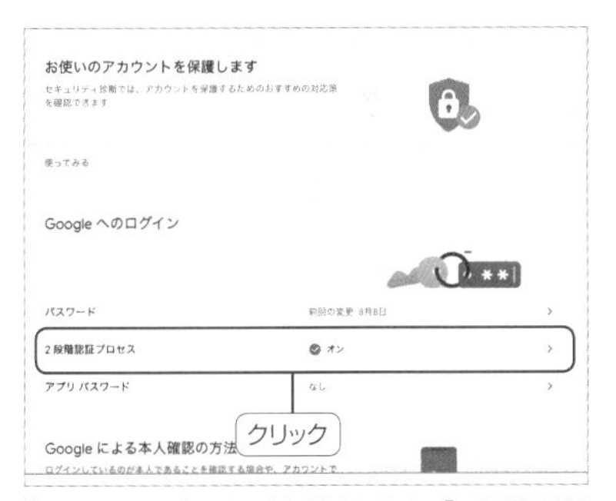

「セキュリティ」画面が表示されます。「2段階認証プロセス」をクリックします。この時点でPC側では2段階認証の設定は済ませておく必要があります。

5 「認証システムアプリ」を選択

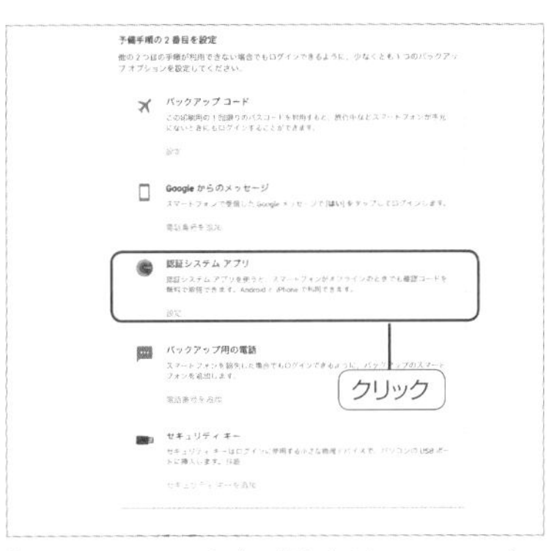

「認証システムアプリ」の「設定」をクリックします。

6 スマートフォンの種類を選択

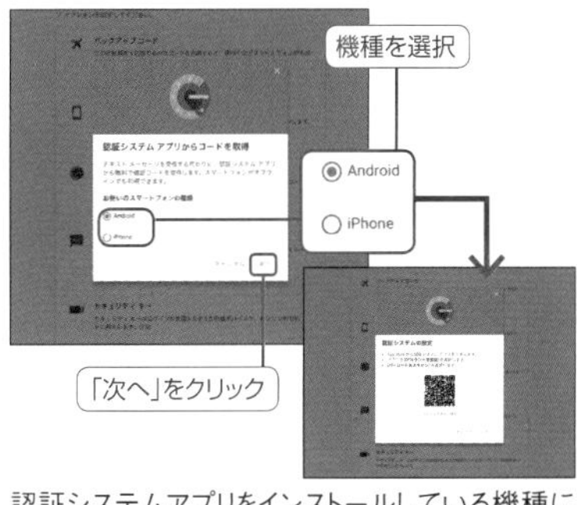

認証システムアプリをインストールしている機種にチェックを入れて「次へ」をクリックします。QRコードが表示されます。

7 スマホの認証システムアプリを起動する

PC側でQRコードが表示されたら、スマホ側にインストールしたGoogle認証システムアプリを起動し、「バーコードをスキャン」を選択し、QRコードを読み取ります

8 確認コードを取得

確認コードが取得されました。取得した確認コードは一定時間ごとに変化します。この確認コードを2段階認証プロセスで入力しましょう。以降、2段階認証プロセスを利用するたびにこのアプリを起動し、表示される数字を入力します。

CHECK!

表示されたQRコードはたった一度だけのもの

手順6で表示されるQRコードはこの画面で一度だけ表示されるもので、同じコードは二度と現れません。もし機種変更などしてアプリをインストールしなおすようになったときは、また新しいQRコードを発行する必要があります。新しいQRコードを発行すると以前のQRコードは利用できなくなります。

iPhone、iPadに
Googleサービスを連携させるには

Googleサービスの大半はiPhoneやiPadでも利用できる

すでにiPhoneやiPadなどAppleの携帯端末を持っているなら、PCで作成したGoogleアカウントを登録しましょう。GoogleアカウントはiPhoneやiPadと非常に連携性が高い点も大きな魅力で、iPhoneやiPadに標準搭載されているメール、カレンダー、連絡先、メモなどのアプリにGoogleの各サービスの情報を読み込むことができます。たとえば「メール」アプリに、Gmailのメールやサーバ設定を読み込んで送受信することができます。複数のGmailアカウントを当時に登録することもできます。

また、App StoreではGoogle公式のアプリが多数配信されており、実質ほとんどのGoogleサービスをiPhoneやiPadでも利用することができます。

Googleアカウントでパソコンと携帯端末を同期するメリットは?

iPhoneやiPadに利用しているGoogleアカウントを登録すれば、携帯端末上でGoogleのサービスが利用できるだけでなく、PCと携帯端末を同じGoogleアカウントで紐付けることで驚くほど利便性が向上します。

たとえば、PC版Googleマップで目的の地点をブックマークに登録して、外出先で携帯版Googleマップを起動すればすぐにブックマークを地図に表示できます。Googleカレンダーに登録したスケジュールが迫ったときは、携帯の方にも通知してくれます。Gmailもいつでもどこでも携帯で確認できます。

PC、スマホ、タブレット内がいつでも同じデータになります!

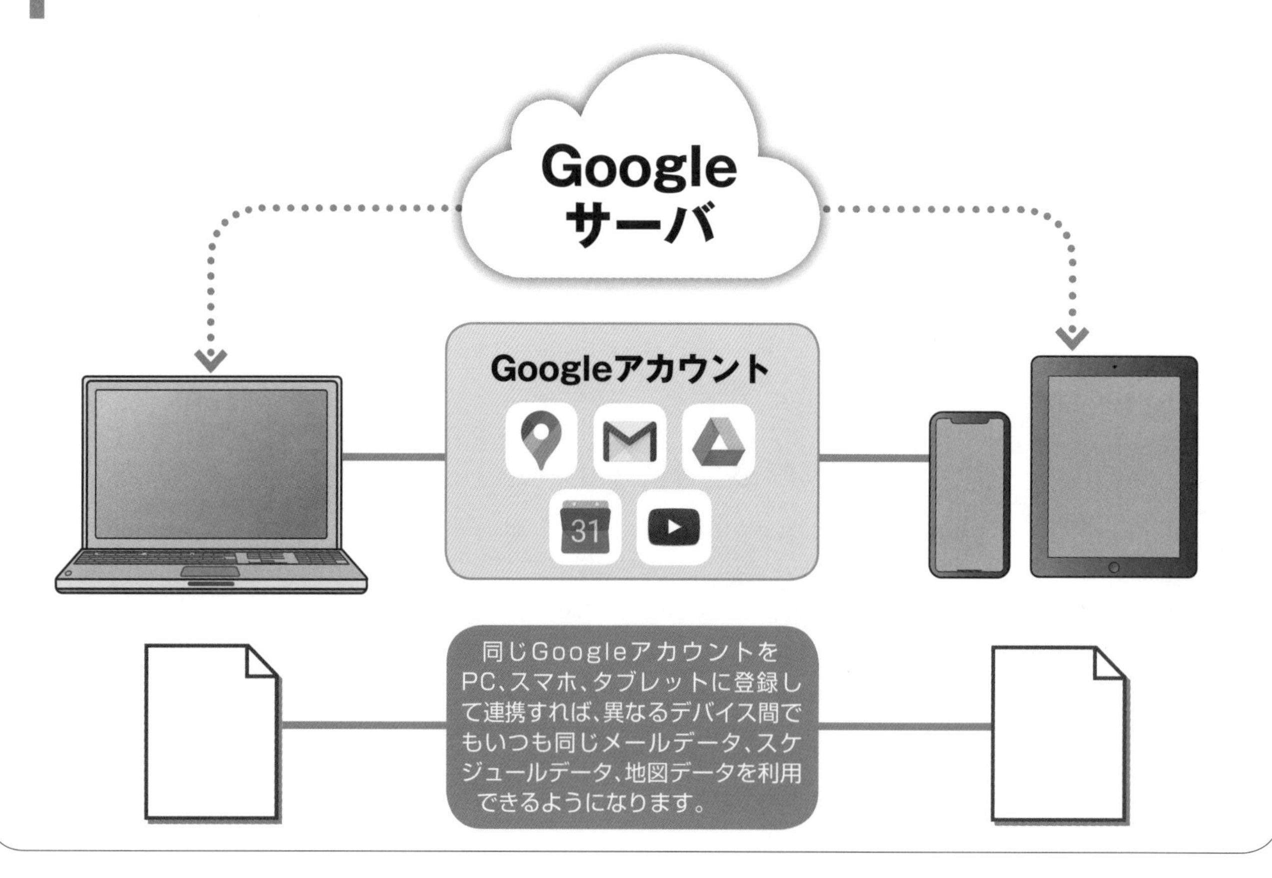

iPhone、iPadにGoogleサービスを連携させましょう

iPhone、iPadなどのiOS端末にGoogleサービスの「メール」や「カレンダー」を連携させるには、Googleアカウントを iOSに登録しなくてはいけません。ここでは登録手順をご紹介します。アカウントの設定は「設定」アプリから行います。

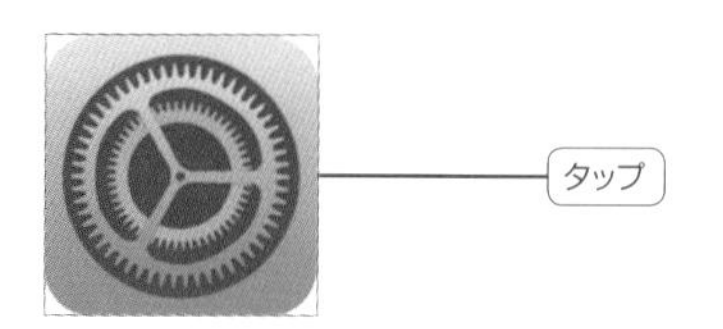

1 「パスワードとアカウント」をタップする

「設定」を開いて、「「パスワードとアカウント」」をタップしましょう。

2 「アカウントを追加」

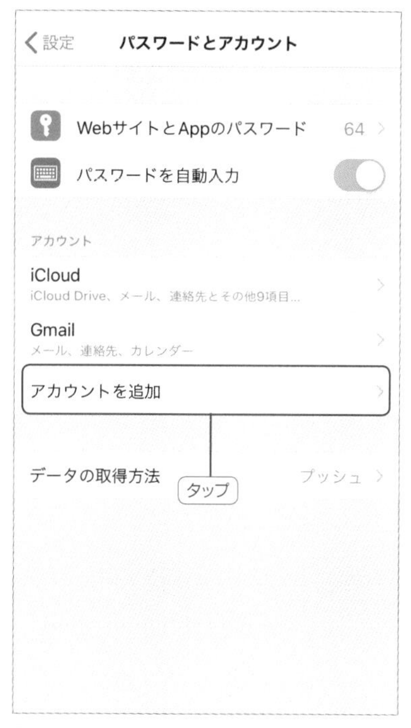

「アカウントを追加」をタップします。

3 「Google」をタップ

連携させるサービスである「Google」をタップします。

4 Gmailアドレスとパスワードを入力する

利用しているGmailアドレス、パスワードを入力します。Googleアカウントの認証をします。

5 連携させるサービスを選択

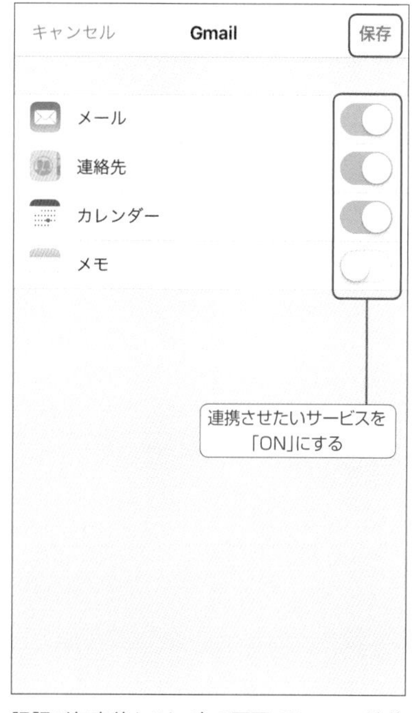

認証が無事終わると、次の画面ではメール、連絡先、カレンダー、メモの中から連携させるリービスを選択します。

6 Googleアカウントの登録が完了

登録が完了すると「アカウントとパスワード」に連携されたサービスが表示されます。

パソコンのGoogleの各種サービスへの入り方

Goolgeのトップページにアクセスすると検索画面しかありません。Gmailをはじめほかのルールサービスを利用するには、画面右上にあるアプリアイコンをクリックしましょう。Gmailをはじめさまざまなサービスにクリック1つで移動することができます。また、Googleアカウントにログインしていれば、個人データを反映させた上で各サービスを利用できます。

1 アプリアイコンをクリック

Googleアカウントでログインした状態で、右上にあるアプリアイコンをクリックすると、アプリ一覧が表示されます。利用したいアプリをクリックしましょう。

2 もっとGoogleサービスをチェックする

アプリが開きます。ほかのGoogleサービスを開きたいときは同じようにアプリアイコンをクリックします。さらにほかのGoogleサービスを利用する場合は下にスクロールしましょう。

3 すべてのGoogleサービスをチェックしたい場合は?

ほかのGoogleサービスが表示されます。すべてのGoogleサービスをチェックしたい場合は「その他のApps Marketplaceアプリケーション」をクリックしましょう。

CHECK!

G Suite Marketplace

G Suite Marketplaceでは、GmailやGoogleカレンダーなどGoogleの各サービスの機能を拡張するアプリがたくさん用意されています。サイドバーのカテゴリから利用したいアプリのカテゴリを選択、もしくは検索フォームに利用したいアプリ名を直接入力しましょう。目的のアプリの説明画面を開いたら「インストール」をクリックすると、画面右上にアプリランチャーにアイコンが追加されます。

1 アプリを選択してインストールする

利用するアプリの説明ページを開くと、アプリ名の下に連携できるGoogleサービス名が表示される。「インストール」をクリックするとインストールされる。

2 アプリランチャからアプリを起動する

アプリランチャを開くとアプリアイコンが追加されている。クリックするとアプリを利用できる。

Google Chrome でWEBサイトを閲覧しよう

S E C T I O N

1

Google Chromeの素晴らしさ!

「Google Chrome(クローム)」は、Googleが開発・公開しているウェブブラウザです。シンプルなインターフェースと高速な動作、セキュリティ対策の充実が魅力ですが、それに加え、Googleアカウントでログインすることによりブックマークや履歴をスマートフォンなどからも共有・管理することができる点がたいへん便利です。同じアカウントでログンすれば、ネットカフェのパソコンやスマートフォンのChromeでもまったく同じ状態で利用することができます。当然、Googleの他のサービスとの行き来、互換性も抜群です。Googleのサービスを頻繁に、便利に利用したい人は絶対的に使用すべきなのがGoogle Chromeなのです。

パソコン

スマートフォン

シンプルなインターフェースと高速な動作、セキュリティ対策の充実が魅力のGoogle Chrome。他のGoogleサービスとの行き来、互換性も抜群です。Googleのサービスを頻繁に、便利に利用したい人は使用すべきブラウザです。

基本用語

ブラウザ
インターネット上のホームページを見るためのソフト。browse(拾い読み)という言葉が元になっている。

ブックマーク
よく見るホームページをブラウザに登録しておく機能のこと。

ホームページ
インターネット上で、写真や文章などが公開されているページ。「Web ページ」や「Web サイト」もだいたい同じ意味。

タブ
ブラウザ上部に並んでいる「しおり」のような部分。タブを切り替えることにより複数のホームページを切り替えて閲覧することができる。

同期
2つ以上の異なる端末同士で、指定したファイルやフォルダが同じ状態に保てる機能。

インターフェース
本書では主にユーザーと端末機器との接点のこと。ユーザーにどのように見せるか、など画面の表示や操作方法に関する部分となる。

パソコンにChromeをインストール

PC対応

ChromeをパソコンでGoogle使うには、公式サイトからアプリをダウンロードしてインストールする必要があります。Microsoft EdgeやInternet Explorerなどのブラウザからアクセスしましょう。

1 インストーラーをダウンロード

IEなどのブラウザでGoogle Chromeの配布サイトへアクセスし、ダウンロードボタンをクリックしましょう。

2 利用規約に同意してインストール開始

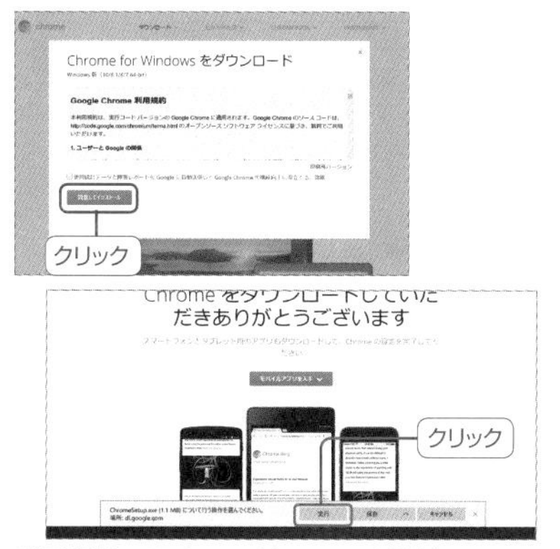

利用規約に同意してダウンロードを開始しましょう。「アプリケーションの実行」ウィンドウが表示されたら「実行」をクリックします。

3 インストール完了後にログインする

インストール後にChromeが自動起動するのでGoogleアカウントでログインしましょう。

スマートフォンにChromeをインストール

iOS対応

AndroidにはChromeが標準搭載されているのでPlayストアからダウンロードする必要はありません。ここではiPhoneへのインストール手順を紹介します。

1 App Storeからアプリをインストール

App Store内で「chrome」と検索して、Chrome配布ページへアクセスしてアプリをダウンロードしましょう。

2 Chromeを起動して設定画面を開く

インストールが完了したら、オプションメニューから「設定」をタップして設定メニューを開きましょう。

3 Googleアカウントにログイン

設定画面が表示されたら、Googleアカウントにログインしましょう。一番上の「Chromeにログイン」をタップしてアカウント情報を入力しましょう。

一目でわかる GoogleChromeの基本画面（パソコン編）

PC対応　iOS対応　Android対応

Chromeは非常に洗練された外観です。IEとよく似ているので、多くのユーザーは初めてでも直観的に利用できるでしょう。タブを使って複数のページを同時に開くことができます。アドレスバーはそのままGoogleの検索ボックスになっており、キーワードを入力すればGoogleで検索結果を表示してくれます。

ブックマークや閲覧履歴、各種Chromeの細かな設定は、ブラウザ右端にある設定メニューに収納されています。何か操作で困ったことがあれば設定メニューを開いて適当な項目を探してみましょう。

ページを更新
現在のページを最新の状態に更新します

タブ
クリックするとそのタブのページが表示できます。タブの右端の「×」ボタンをクリックするとタブを閉じることができます

アドレスバー／検索ボックス
Chromeでは、アドレスバーが検索ボックスを兼ねています。アドレスを入力して直接ウェブページに移動できるのはもちろんのこと、ここにキーワードを入力すると検索候補が表示され、Enterキーを押すと検索結果が表示されます。検索エンジンはGoogleのほかYahoo!やBingなども選ぶことができます

アカウント
ユーザーアイコンをクリックすると利用しているGoogleアカウント情報の設定メニューが開きます。ログインパスワード、Googleペイ、住所の設定などが行えます。

メニュー
Chromeのメニューを表示します。シークレットウィンドウの作成（※P31で解説）、ブックマークの表示／非表示やページ履歴の表示、Chromeの設定などがおこなえます

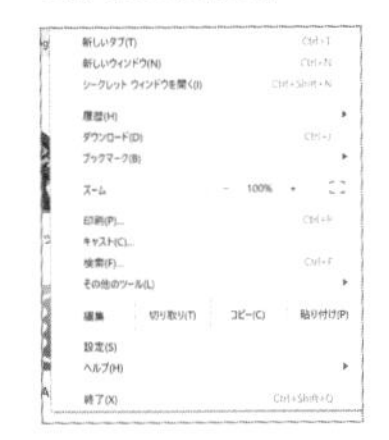

戻る／進む
「←」をクリックすると、一つ前のページに戻り、「→」をクリックで一つ先のページに進みます

アドオン
Chromeに追加したアドオンのアイコンが表示されます。アイコンをクリックするとインストールしているアドオンが表示されます。アイコン上で右クリックすると各アドオンメニューが表示されます。なお、Chromeのアドオンは「Chromeウェブストア」からダウンロードできます。

ブックマークに追加
☆マークを押すと、表示しているサイトをブックマークに追加することができます。IEなど他のブラウザのブックマークをインポートして管理することもできます

アプリのショートカット
Chromeアプリのショートカットを表示します。ブックマークバーを表示しておく必要があります(P.28〜31で解説しています)

ブックマークバー
ブックマーク（お気に入り）に登録したWebサイトのアイコンが表示され、そのページをすぐに表示できます。右端の「その他のブックマーク」からは、ブックマークバー以外にブックマークしたWebサイトへアクセスできます

スマートフォン編（Android、iPhone）

スマートフォン版ChromeはAndroid、iPhoneともにインターフェースは同じです。非常にシンプルで画面上部に検索ボックスも兼ねたアドレスバー、ページ更新、タブ、設定メニューが用意されているだけです。PC版と異なりタブは横に開かず、タブボタンをタップすると現在開いているタブが縦に表示されるようになっています。

アドレスバー／検索ボックス

パソコン版と同様、アドレスバーが検索ボックスを兼ねています。検索エンジンは初期状態ではもちろんGoogleですが、Yahoo!やBingなども選ぶことができます

タブメニュー

タップすると現在開いているタブがすべて表示されます。タブを上下にスワイプしてタップすることで別のタブを表示できます。タブの右端の「×」ボタンをタップするとタブを閉じることができます。また「＋」をタップすれば新規タブを開くことができます

メニュー

Chromeのメニューを表示します。「→」をクリックで一つ先のページに進みます。また、ここでシークレットタブの作成(※P29で解説)、ブックマークやページ履歴の表示、PC版サイトへの表示切り替え、Chromeの設定などがおこなえます

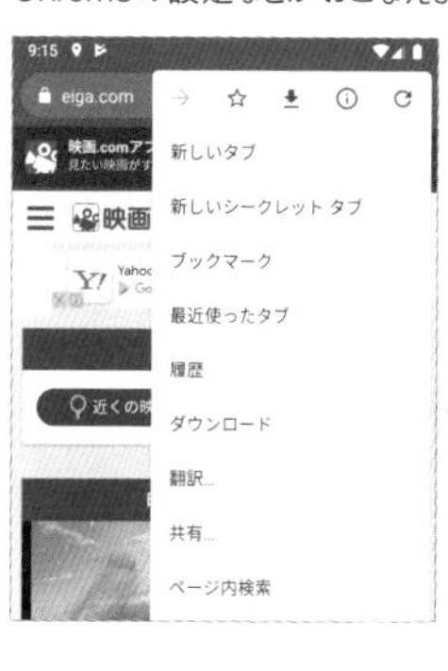

ページを更新

画面を下にスワイプすれば、現在のページを最新の状態に更新できます

タブレット編（iPad）

タブ

PC版と同じくタブを追加すると横に追加されます。タブ横にあるバツボタンをタップするとタブを閉じることができます。右端にあるタブアイコンをタップすると開いているタブをサムネイル表示できます

共有ボタン

タップすると共有メニューが表示され、表示しているページ情報をほかのアプリと共有することができます

音声入力

タップすると音声入力画面に切り替わるので、検索キーワードを話しかけましょう。検索結果を表示してくれます。

Chromeの基本操作を覚えよう

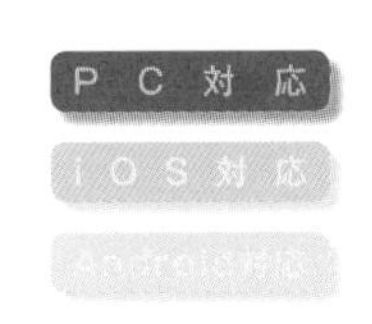

ここでは、Chromeでウェブサイトを閲覧したり、アドレスバーからGoogle検索する際の便利な方法を紹介します。特にタブの使い方は知っていると作業効率がグンとアップすることでしょう。

検索する場合はアドレスバーからが便利!

1 検索は アドレスバーから

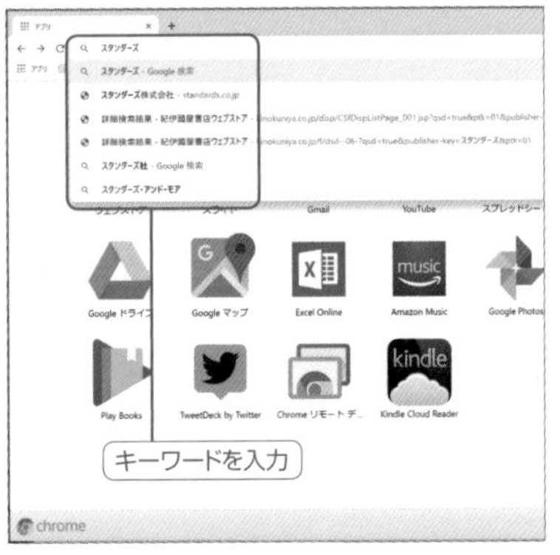

検索はアドレスバー(検索ボックス)から行うのがおすすめです。一度クリックしてキーワードを入力すると、検索候補が表示されます。

2 検索結果を クリックして開く

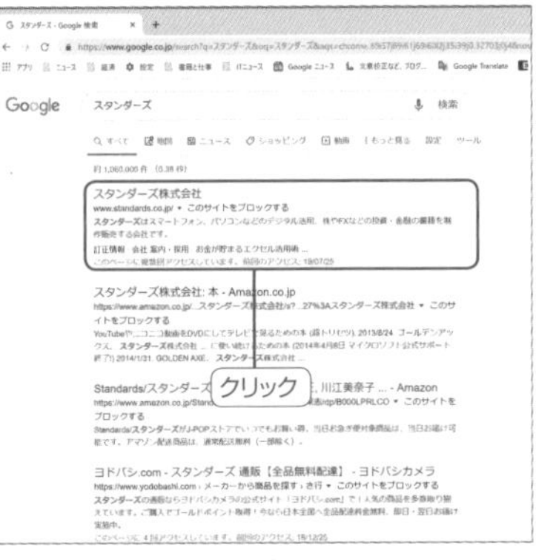

キーボードのEnterキーを押すと検索結果が表示されます。もっともキーワードに近いものをクリックしてみましょう。

3 ウェブサイトが 表示される

サイトが表示されました。希望のページではない場合は左上の「←」をクリックして検索結果一覧に戻るか、新たに検索し直しましょう。

パソコンでのタブの追加と切り替え、切り離し

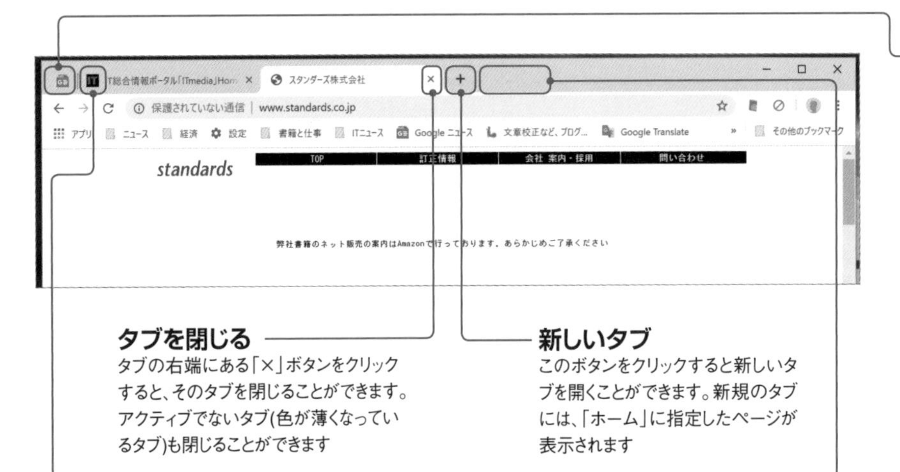

タブの固定

大事なタブは、「固定」することでタブをうっかり閉じないようにできます。方法は、タブの上で右クリックして、「タブを固定」をクリックするだけです。固定されたタブは左端に移動し、以後、新たに固定したタブはそのタブの右に並べられていきます。固定を解除したい場合は、同様にタブ上で右クリックして「タブの固定を解除」を選びましょう

タブを閉じる

タブの右端にある「×」ボタンをクリックすると、そのタブを閉じることができます。アクティブでないタブ(色が薄くなっているタブ)も閉じることができます

新しいタブ

このボタンをクリックすると新しいタブを開くことができます。新規のタブには、「ホーム」に指定したページが表示されます

タブメニュー

タブ上で右クリックすることで表示されるタブメニューでは、タブの固定や固定の解除のほか、タブの複製や、直前に閉じたタブの復元などが可能です。うっかり大事なタブを閉じてしまった時も、慌てずタブメニューから復活させてあげましょう

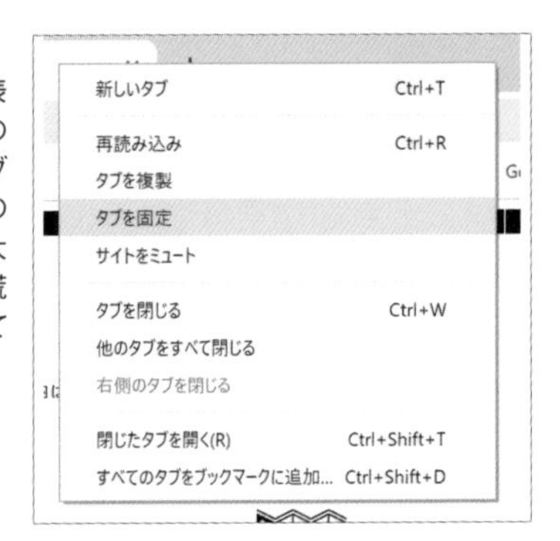

タブの切り離し

Chromeの大きな特長として、タブを単独で切り離して表示させられる機能があります。2つのWebサイトを同時に表示させて作業したい時などにとても便利です。方法は、タブをドラッグ&ドロップするだけで。また、一度切り離したタブを元に戻すこともできます

ブックマークを登録して、整理しよう

PC対応
iOS対応
Android対応

毎日アクセスするサイトはブックマークに登録しましょう。検索する手間をかけずにブックマークからすぐに目的のサイトを開くことができます。ブックマークが増えてきて使いづらくなったらブックマークマネージャーで整理しましょう。カテゴリ用のフォルダを作成して、ブックマークを分類していくと使いやすくなります。

パソコンでブックマークを登録する

1 ブックマークボタンを押して登録する

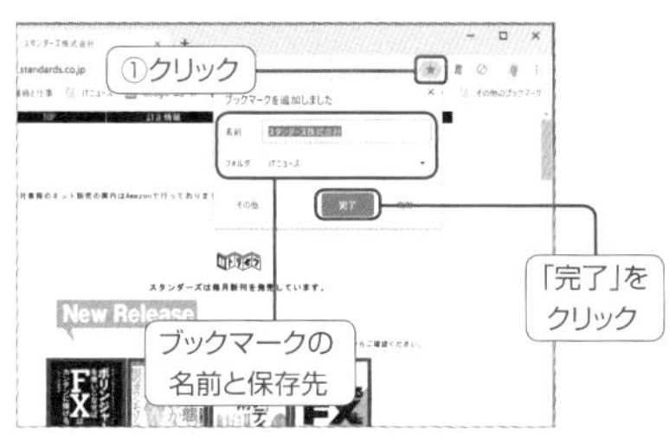

登録したいウェブページを表示した状態で、アドレスバーの「☆」マークをクリックしましょう。保存先を指定して「完了」をクリックします。

2 ブックマークバーに追加された

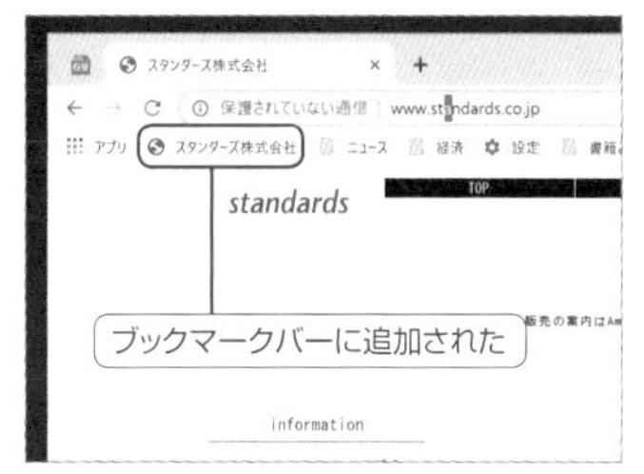

ブックマークの保存場所を「ブックマークバー」にすると、写真のようにアドレスバーの下のブックマークバーに追加されます。

1 任意のフォルダにブックマークする

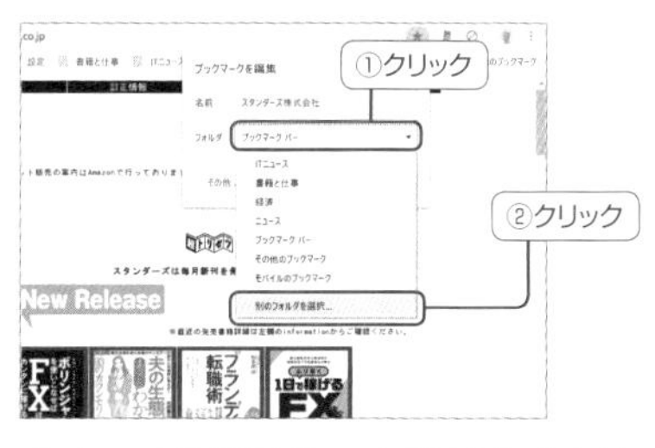

ブックマーク登録時に「フォルダ」をクリックすると、ブックマークの保存場所を変更できます。新たにフォルダを作ることもできます。

2 新しいフォルダを作成して登録する

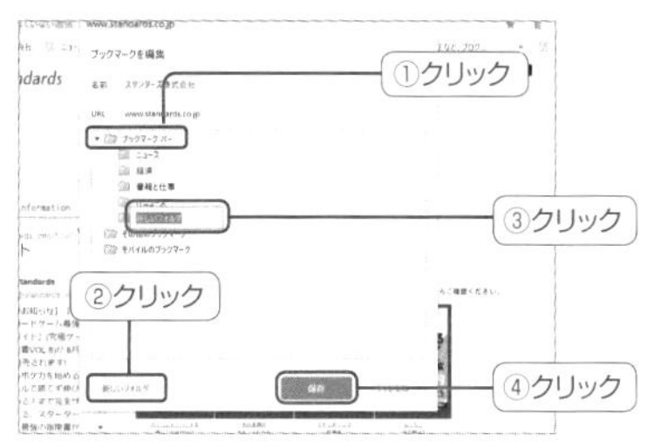

表示されたフォルダから任意のフォルダをクリックして、「新しいフォルダ」を作成して名前をつけ、「保存」をクリックしましょう。

CHECK! スマホ版でブックマークする

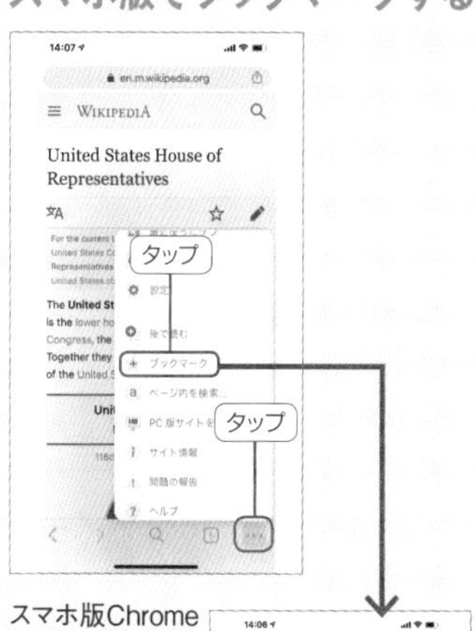

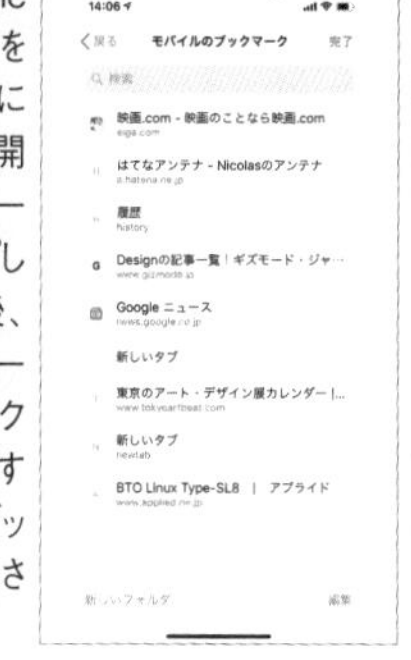

スマホ版Chromeでブックマークをするには、右上に設定メニューを開いて、「ブックマーク追加」をタップしましょう。その後、再び設定メニューを開いて「ブックマーク」をタップすると、登録したブックマークが表示されます。

ブックマークを編集する

1 ブックマークマネージャを選択

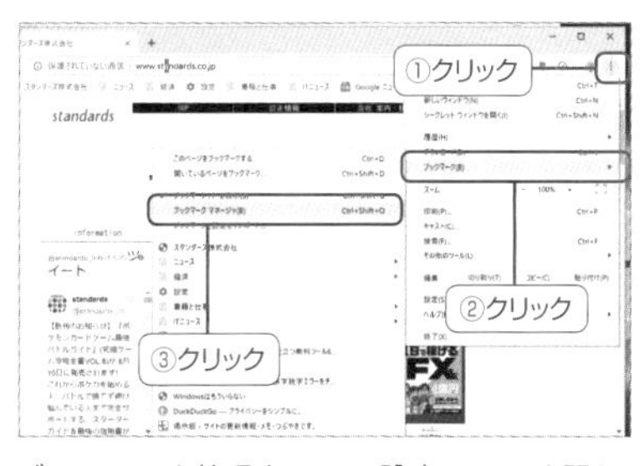

ブックマークを整理するには、設定メニューを開き、「ブックマーク」から「ブックマークマネージャ」を選択します。

2 フォルダを作成する

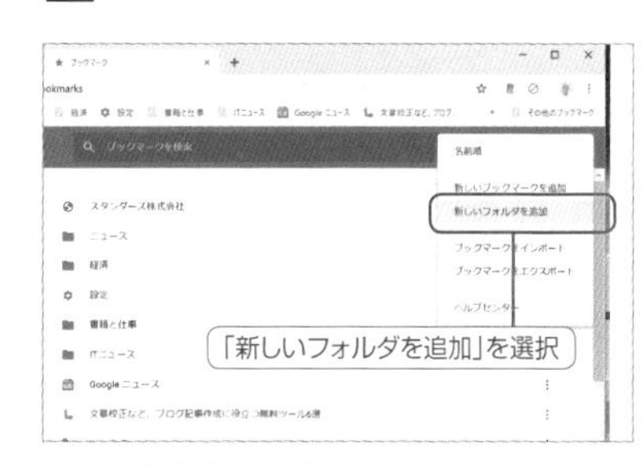

フォルダを作成したい場所を開き、右上のメニューボタンをクリックして「新しいフォルダを追加」を選択します。作成したフォルダにはカテゴリ名を付けます。

3 ドラッグ&ドロップで移動

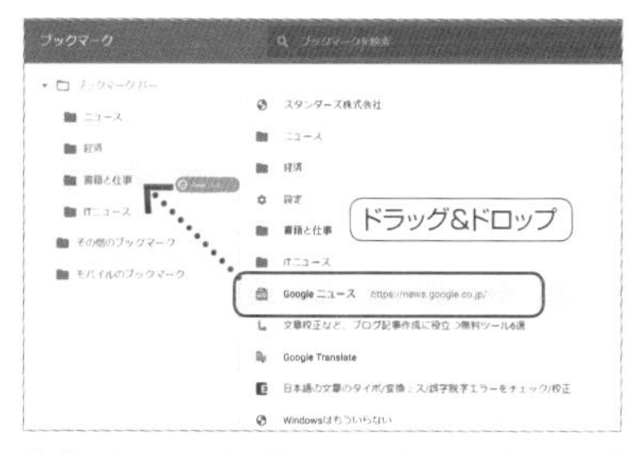

作成したフォルダにブックマークをドラッグ&ドロップで移動させましょう。なおドラッグ&ドロップでフォルダやブックマークの順列を並び替えもできます。

G

Chromeのブックマークや履歴を同期しよう

Chromeでできる同期内容とは

Chrome上にあるさまざまなデータは、同じGoogleアカウントでログインして利用しているChromeと同期することができます。同期とは2つ以上の異なる端末で、指定したデータを常に同じ状態に保つことができる機能のことです。たとえば片方のChromeで新しくブックマークを追加すると、もう片方のパソコンで利用しているChromeのブックマークにも同じ内容が反映されます。自宅のパソコンと会社のパソコンのChormeを常に同じ状態にでき非常に便利です。Chromeでは履歴、パスワード、開いているタブなどさまざまなコンテンツを同期できます。

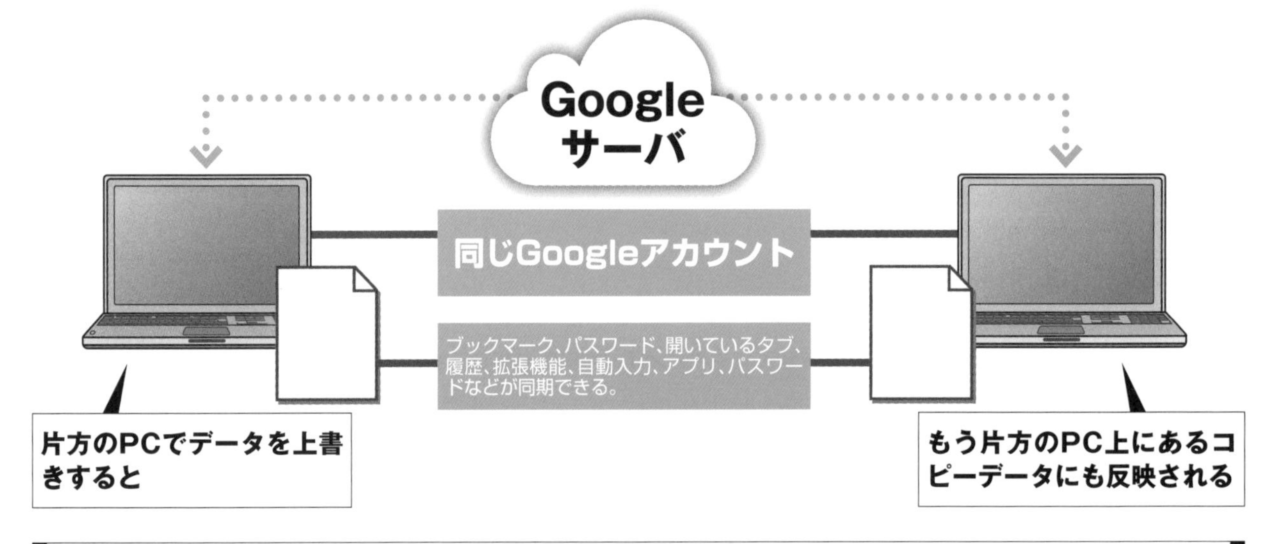

パソコンだけでなくスマホやタブレットとも同期できる

PC版Chromeのみならず、同じGoogleアカウントでログインしているスマートフォン版Chromeやタブレット版Chromeともデータを同期できます。パソコン上で開いたタブ内容を、スマートフォン版Chromeのタブに反映することができます。もちろんAndroid版、iOS版の両方の端末で同期することはできます。

1 パソコン版で同期するには

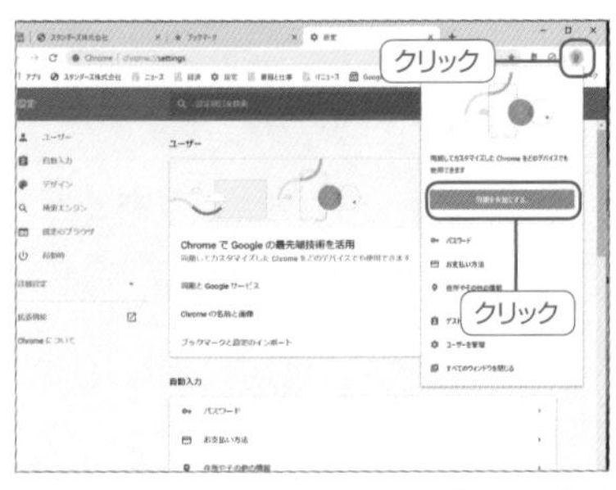

右上のアカウントアイコンをクリックし「同期を有効にする」をクリックし、利用しているGoogleアカウントでログインすれば、同じアカウントでログインした他のパソコンや携帯端末のChromeと設定やブックマークを同期できます。

2 iOSで同期

メニューから「設定」をタップし、PC版とGoogleアカウント名のものをタップし、続いて「同期」をタップします。「同期」スイッチを有効にしましょう。

3 Androidで同期

Android版も同じです。メニューから「設定」をタップし、PC版とGoogleアカウント名のものをタップし、続いて「同期」をタップします。「同期」スイッチを有効にしましょう。

ホームのページを好みのサイトに変更する

P C 対 応

パソコン版Chromeでホームボタンを押した際に表示されるページの設定方法を解説します。標準ではGoogleのページが開きますが、自分の好きなページを表示させることができます。Yahoo! JAPANやAmazonなど、ひんぱんにアクセスするサイトを登録しておくと起動時にすぐにアクセスでき便利です。

1 メニューから「設定」をクリック

まず、Chromeのメニューをクリックして開き、「設定」をクリックして設定画面を開きましょう。

2 ホームにしたいサイトのアドレスを入力する

「デザイン」の項目で「ホームボタンを表示する」を有効にして、「カスタムのウェブアドレスを入力」に希望のアドレスを入力しましょう。

3 ホームのサイトが変更された

これで、ホームボタンを押した際や新規ウィンドウの作成時に表示されるWebサイトが変更されました。

海外のサイトを自動で翻訳する

P C 対 応
i O S 対 応
Android対応

Chromeには外国語のサイトを翻訳する機能も装備されています。手動翻訳することもできますし、自動的に翻訳ツールが起動するように設定することも可能です。パソコン版だけでなくスマホ版にも対応しています。

1 外国語のサイトを手動で日本語に翻訳

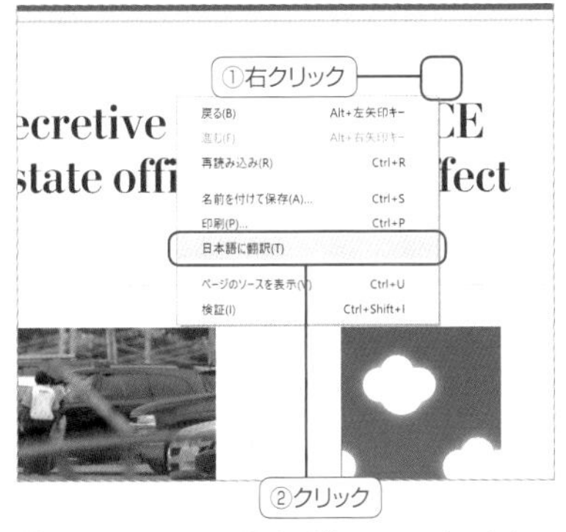

外国語のサイトを翻訳する際は、ページの空白の部分を右クリックして「日本語に翻訳」を選びましょう。

2 日本語に翻訳される

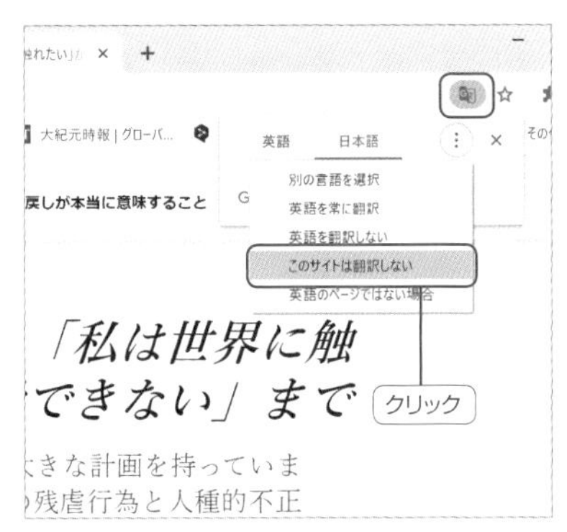

日本語に翻訳されたページが表示されます。もとに戻したい場合はアドレスバー右横の翻訳ボタンをクリックして「このサイトは翻訳しない」をクリックしましょう。

3 自動で翻訳ツールを表示させたい場合は

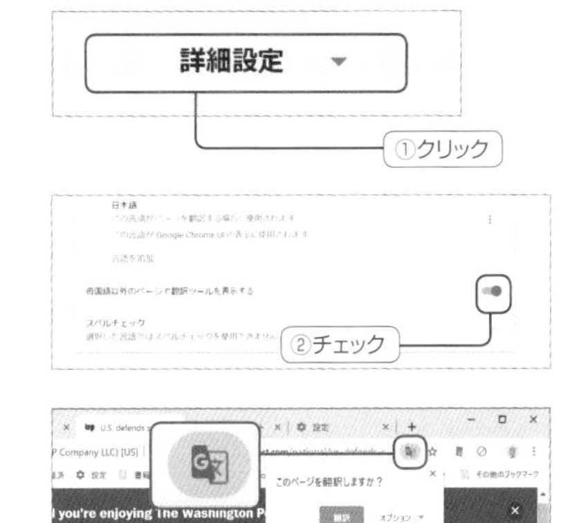

設定画面の詳細設定の「言語」で「母国語以外のページで翻訳ツールを表示する」にチェックを入れておけば自動で翻訳ツールが起動します。

※スマートフォン用アプリで自動で翻訳したい場合は、メニューの「設定」→「翻訳」をタップします。

過去に見たサイトにアクセスするには

一度見たことのあるサイトに再びアクセスしたいとき、日時が間近であれば履歴画面を開きましょう。ここには過去にアクセスしたページのタイトルが閲覧した日付と時間と一緒にリスト表示されます。ウェブ検索よりもスムーズに探せるでしょう。ページタイトルを覚えていれば、検索機能を使って候補のページを見つけることができます。

1 設定から履歴へアクセス

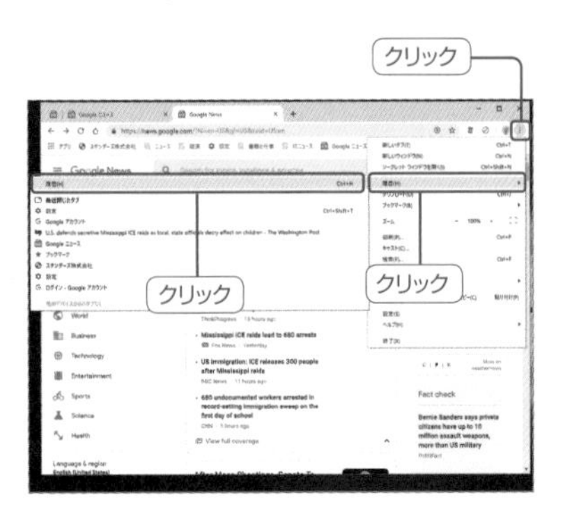

履歴を一覧表示するには、設定メニューから「履歴」→「履歴」と進みます。

2 履歴を削除する

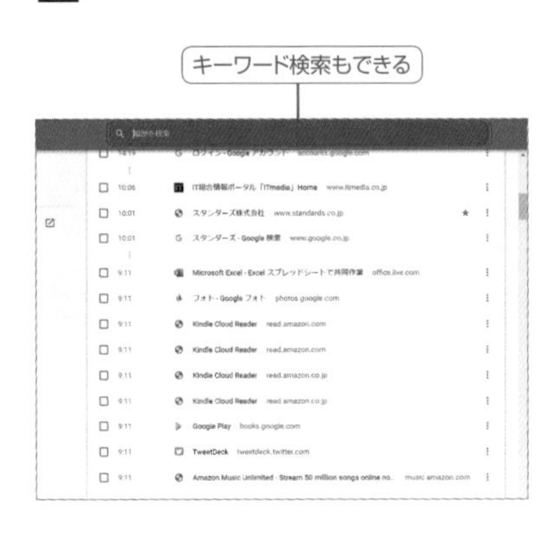

履歴が一覧表示されます。目的のサイトを見つけたらクリックしましょう。そのページを開くことができます。検索機能を使って探すこともできます。

3 スマホ版で履歴を見るには

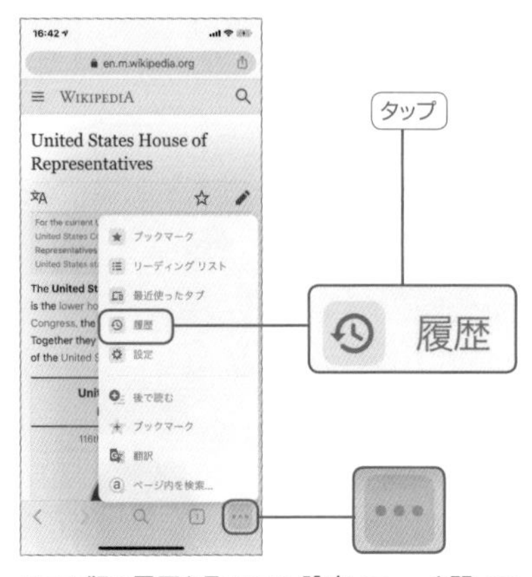

スマホ版で履歴を見るには、設定メニューを開いて「履歴」をタップしましょう。履歴が表示されます。

閲覧履歴を削除しておこう

履歴に保存されているページ情報は削除することもできます。パソコンを共用しているユーザーで、他人に履歴を見られたくない場合は削除しましょう。プライバシーを守ることができます。履歴を削除する方法は1つだけ選択して削除する方法と、複数選択して削除する方法、そしてすべての履歴を削除する方法があります。

1 特定のページ履歴だけ削除する

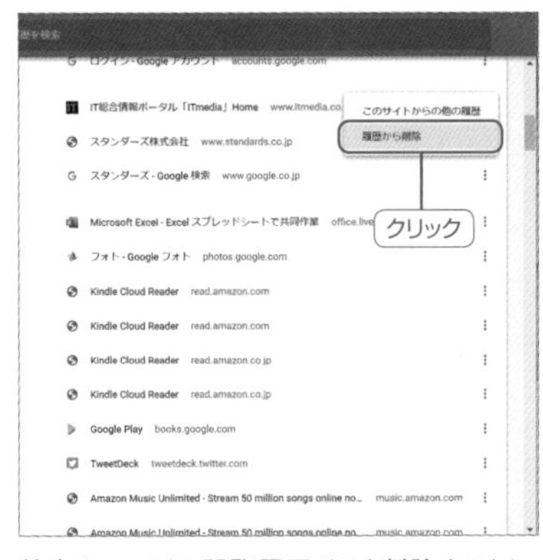

特定のページの閲覧履歴だけを削除するなら、ページタイトル横の設定ボタンをクリックして「履歴から削除」をクリックしましょう。

2 複数のページを削除する

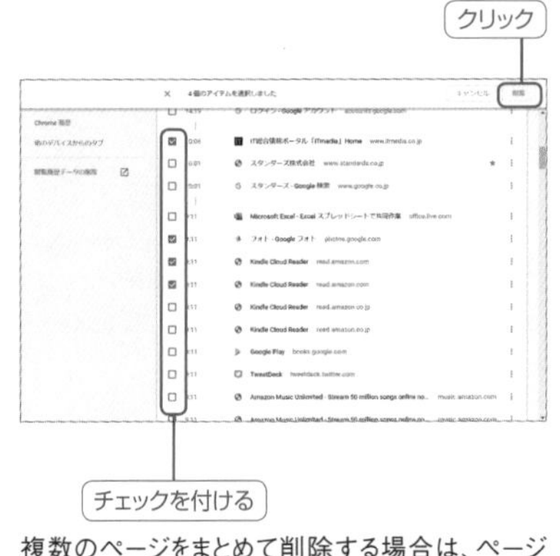

複数のページをまとめて削除する場合は、ページ横のチェックボックスにチェックを入れて、「削除」をクリックします。

3 すべてのページを削除する

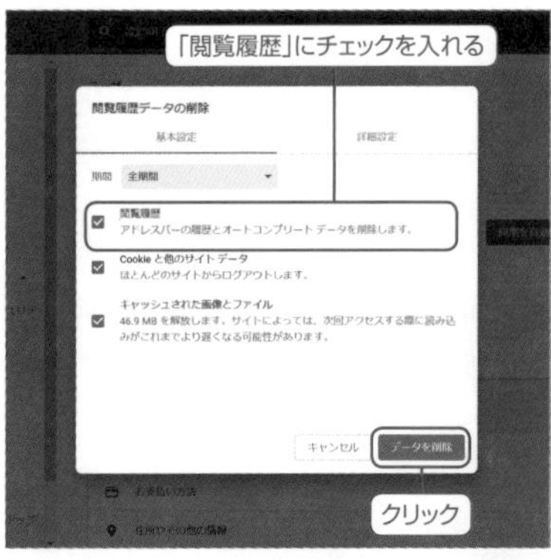

すべてのページを削除する場合は、履歴画面左上のメニューボタンから「閲覧履歴データの削除」をクリックして表示された画面「閲覧履歴」にチェックを入れ、「データを削除」をクリックしましょう。

「シークレットウィンドウ」でこっそり見る

Chromeには、履歴を残さずにウェブを閲覧できる「シークレットウィンドウ」という機能があります。このウインドウを使って閲覧した履歴は閉じれば残りません。個人情報を家族や他人に見られたくない場合に役立ちます。

1 シークレットウィンドウを新たに開く

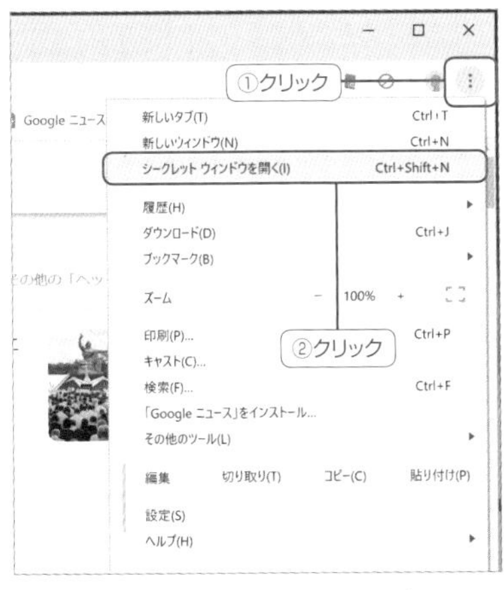

メニューから「シークレットウィンドウを開く」をクリックしましょう。またはショートカットキー(Ctrl+Shift+N)でも大丈夫です。

2 シークレットウィンドウが開いた

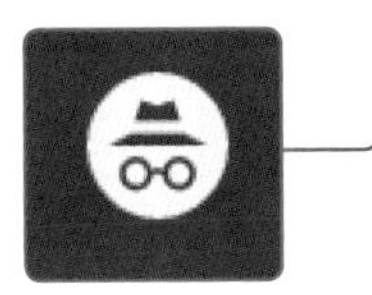

スパイキャラのアイコンがあるウィンドウが新たに開きます。このウィンドウは履歴やキャッシュが記録されないので安心です。

3 通常ウィンドウとは別窓で開くので注意!

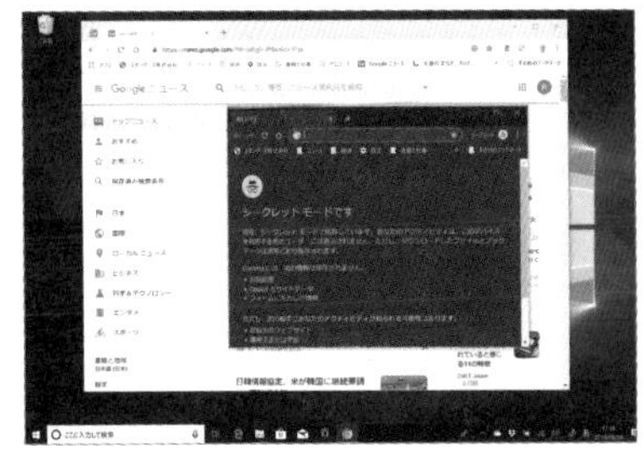

シークレットウィンドウは、通常のウィンドウのタブとは別に、単独で開くのが特徴ですので注意しましょう。なお、スマートフォン用アプリの場合は「メニュー」→「新しいシークレットタブ」で開くことができます。

画面表示を拡大・縮小して見やすくしよう

PC対応

ページ上の文字が小さくて読みづらい場合は、文字を拡大しましょう。Chromeには文字を拡大・縮小する機能が搭載されています。拡大は最大500%まで拡大することができます。

逆に文字が大きすぎて読みづらい場合は縮小しましょう。最大25%まで縮小させることができます。

1 設定メニューから操作をする

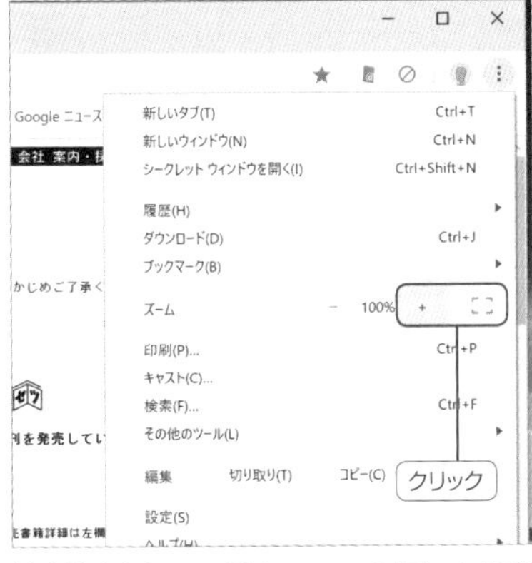

拡大縮小をするには設定メニューの「ズーム」にある「ー」と「+」ボタンをクリックしましょう。標準設定では100%になっています。

2 拡大する

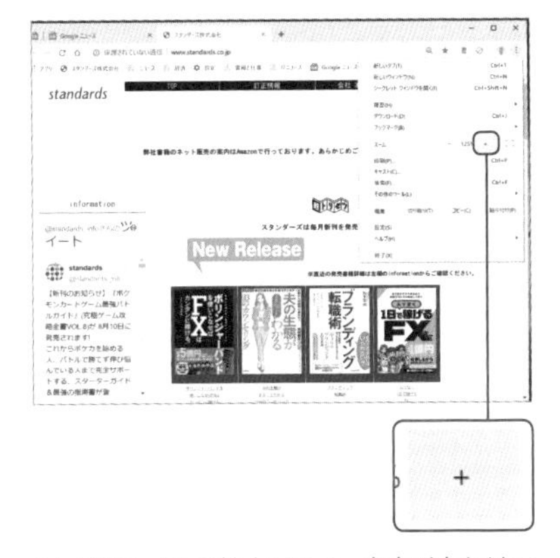

「+」をクリックして拡大しました。文字が大きくなり読みやすくなりました。押せば押すほど拡大率を上げることができます。

3 縮小する

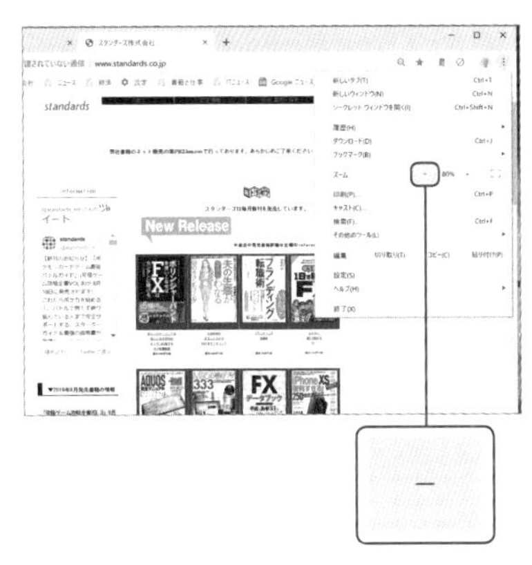

「ー」をクリックして縮小しました。ページ全体を俯瞰するのに便利です。押せば押すほど縮小率を上げることができます。

便利なPDF形式で閲覧中のサイトを保存する

Chromeでは表示しているページをPDF形式で保存することができます。PDF形式にすればほかの人に資料として送信するのに便利で、PDF編集アプリを使って内容を編集することも簡単です。Wikipediaなどページの長い文章をPDF化しておけば、オフラインでもゆっくり読むことができます。スマホ版ではAndroid端末のみPDF化することができます。iPhone版には現在対応していません。

パソコン版ChromeでPDF化してみよう

1 設定メニューから「印刷」を選択

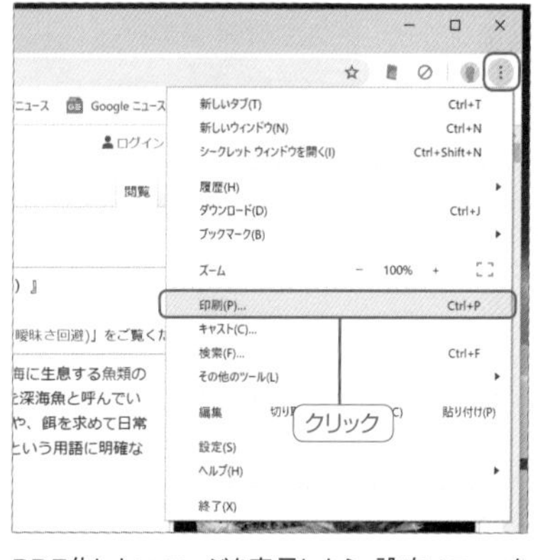

PDF化したいページを表示したら、設定メニューを開き「印刷」を選択します。

2 「メニュー」をクリック

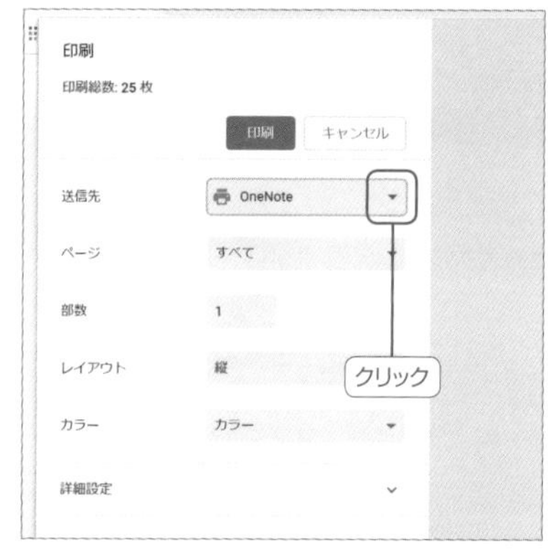

印刷設定画面が表示されます。ここで送信先を変更します。「メニュー」をクリックします。

3 「PDFに保存」をクリック

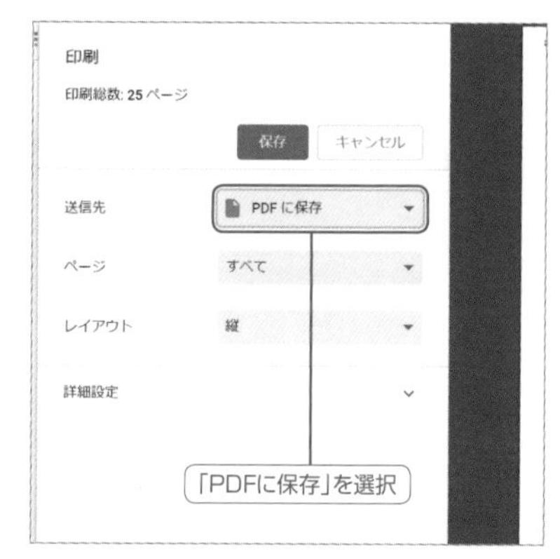

送信先の選択画面が表示されます。プリンタ名ではなく「PDFに保存」を選択しましょう。印刷ではなくPDF形式で保存することができるようになります。

AndroidスマホでPDF化してみよう

1 設定メニューから「共有」を選択

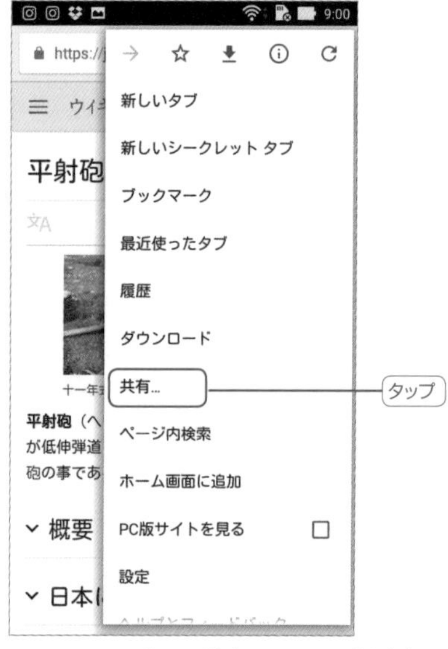

Androidスマホ版では設定メニューから「共有」を選択します。

2 「印刷」を選択

共有方法が表示されます。ここで「印刷」を選択しましょう。

3 PDF形式で保存する

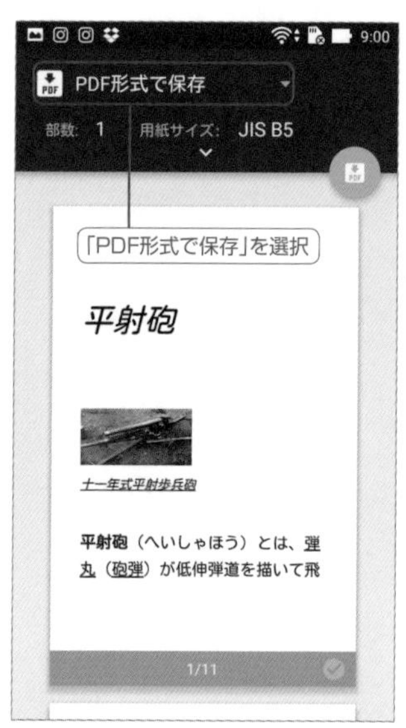

印刷設定で「PDF形式で保存」を選択しましょう。これでPDF形式で端末に保存することができます。

Google検索なら何でも探せる!

SECTION

Google検索の素晴らしさ!

Googleでもっとも利用されているサービスといえば、やはり「検索」でしょう。Google検索は現在、世界中でもっとも使われている検索エンジンです。豊富な検索データからウェブサイトの重要度を独自にランク付けしているため、よりキーワードに適した検索結果を表示することができるのが魅力です。使い方はシンプルで、Googleの検索ボックスにキーワードを入力して検索ボタンをクリックするだけです。また、文字を入力していくとボックスの下に検索候補が表示されますので、そこから選択するのも、よりスピーディに検索結果が得られるでしょう。この章では、Google検索をより便利に使うためのポイントを紹介していきます。

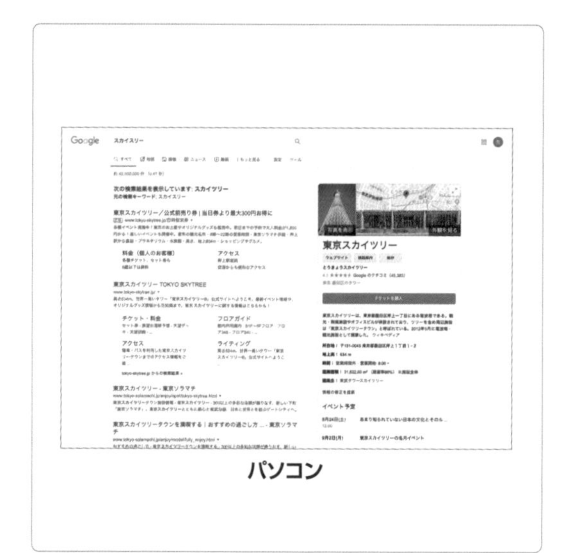

パソコン

スマートフォン

独自の情報ランク付けシステムから導き出される正確な検索結果が話題となり、Googleが一気に検索エンジンのシェアトップとなりました。いまやパソコンやスマートフォンにとって、なくてはならないサービスとなっています。

基本用語

検索エンジン
インターネット上に存在する情報(テキスト、画像、動画など)を、キーワードなどを用いて検索するシステムのこと。検索結果は「キーワード」に関連する情報をもとにして表示する。

音声入力
キーボードなどを使用せずに声(音声)で、検索キーワードなどを入力すること。

検索演算子
検索キーワードに付加することで範囲の絞り込みなど精度の高い検索ができるようにする文字列や記号のこと。

検索履歴
過去に検索したキーワードの履歴のこと。閲覧履歴は過去に訪れたホームページの履歴。リスト化され記録される。

ファイル形式
アプリやOSによって作成されるデータの表現方法や構造などは異なり、同じようには扱えない。そのデータの種類をファイル形式という。ファイルタイプともいう。ファイル形式は、ファイルの名前の最後尾に付く拡張子で識別できる。「.jpg」「.txt」などである。

一目でわかるGoogle検索の基本画面（パソコン編）

まずはGoogle検索の流れを再確認しておきましょう。操作方法はパソコン・スマートフォンともほぼ共通です。

PC対応　iOS対応　Android対応

1 キーワードを検索ボックスに入力

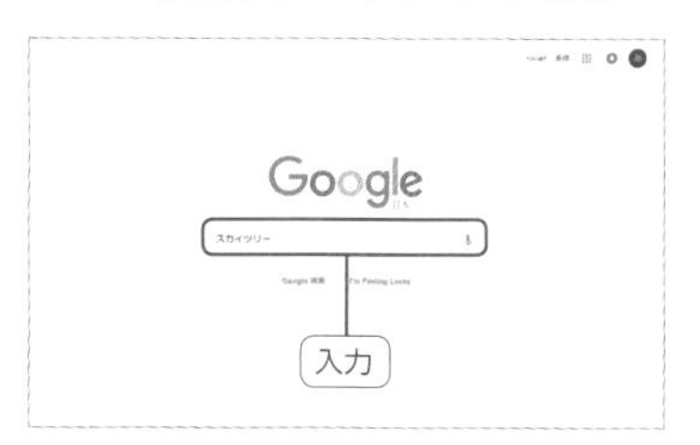

Google検索サイトにアクセスし、検索ボックスをクリックしてキーワードを入力しましょう。

2 音声入力でも検索できる

Chromeを使っていれば、検索ボックス横にあるマイクアイコンをクリックして、音声入力での検索もできます。

3 検索結果が表示される

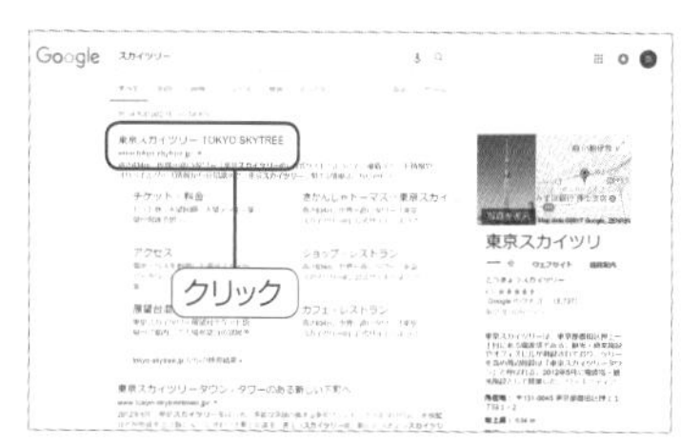

候補キーワードから検索した結果が表示されます。希望のものに近い結果をクリックしてページを表示しましょう。

4 検索結果の見方

ヘッダー
この部分は、検索とは関係なく、Googleアカウントに関する操作ボタンです

フィルターとツール
Google検索の基本は「すべて」からの検索ですが、「地図」「画像」「動画」「ニュース」ほか複数用意されている検索フィルターを通せば、より絞り込んだ検索が可能です。また、「ツール」をクリックすると、言語、期間指定、完全一致などで絞り込みが可能です

関連キーワード
検索結果の最下部からは、検索したキーワードに類似したキーワードで再検索ができます

検索結果のページ位置
多数の検索結果が表示された場合は、検索結果画面が複数ページになります。この部分からページを移動して、検索順位の低い情報をチェックすることができます

関連情報
キーワードに関連したさまざまな情報が表示されるスペースです。語句によって異なりますが、このときは観光スポットサイトの情報や、キーワードに関する質問とその回答などが表示されています

検索オプション
「設定」から「検索オプション」をクリックすると、より詳しく検索結果をしぼりこむことができます。たとえばキーワードに関して、完全に一致した結果のみを表示させるようにしたり、検索するサイトの使用言語、地域、また、記事の最終更新時間などを指定できます。より正確な結果がほしければ、検索オプションを利用することをおすすめします

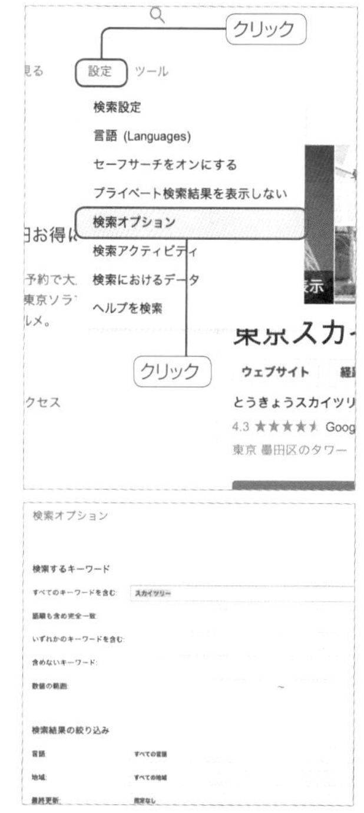

ちなみに検索オプションの設定項目は、選んだ検索フィルターによって変化します。たとえば「画像」検索の場合は、画像のサイズや種類、色あいなどが指定できます

一目でわかるGoogle検索の基本画面(スマートフォン編)

まずはGoogle検索の流れを再確認しておきましょう。操作方法はパソコン・スマートフォンともほぼ共通です。

PC対応　iOS対応　Android対応

1 検索ボックスにキーワードを入力

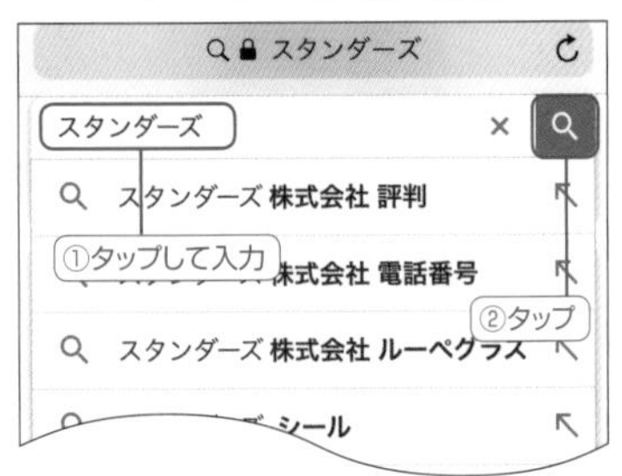

ブラウザでGoogle検索ページを表示し、検索ボックスをタップしてキーワードを入力後、右の虫メガネアイコンをタップしましょう。

2 検索結果一覧が表示される

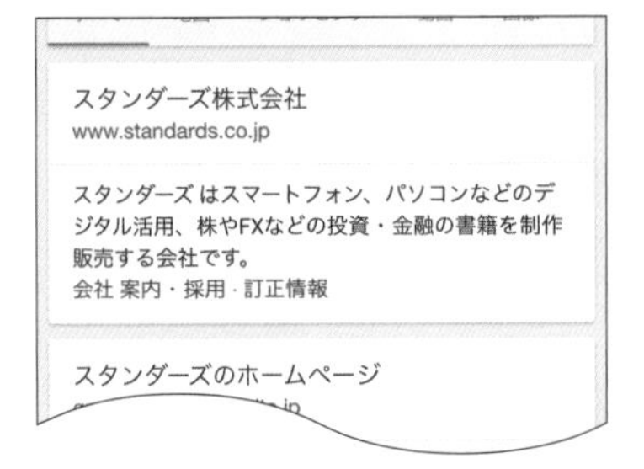

パソコン版googleと同様に、検索結果が表示されます。それらしい結果を選んでタップしましょう。

CHECK!
Androidではウィジェットが便利

Android限定ですが、ホーム画面にウィジェットと呼ばれるショートカットを配置することができ、すぐに検索できるのが便利です。

3 検索結果画面の見方

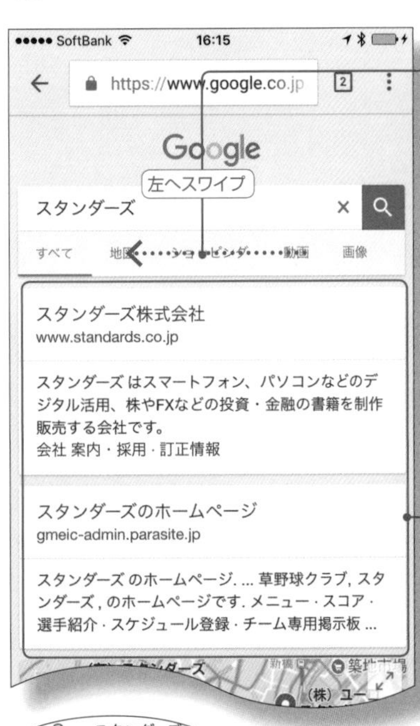

検索ツール
検索ボックス下のメニューを左へスワイプし、「検索ツール」をタップすると、検索結果を絞り込むことのできるメニューが現れます。左から言語、期間、検索結果の絞り込みが可能で、言語では、すべての言語、もしくは日本語のサイトのみ表示させることができます。期間指定では、検索にヒットさせる記事の最終更新時期を任意に指定できます。検索結果は、過去に閲覧済み、もしくは閲覧したことのないページのみヒットするようにしたり、キーワードと完全に一致するページのみ表示するように指定可能です

検索結果
検索結果が順番に表示されます。過去の検索結果から類推した、関連性の強そうな情報が上位に表示されています(※ただし、広告記事が表示される場合はその限りではありません)。

検索オプション
検索結果の一番下にある「設定」から「検索オプション」をタップして開くと、パソコン版と同様に、検索時の条件をより詳しく指定できます。たとえばキーワードに関して、完全に一致した結果のみを表示させるようにしたり、検索するサイトの使用言語、地域、また、記事の最終更新時間などを指定できます。より正確な結果がほしければ、検索オプションを利用することをおすすめします。

より正確に目的の情報にアクセスするには?

知れば便利な「検索演算子」

Google検索では、単に複数のキーワードを組み合わせるだけでも、かなりの高い精度で目的のウェブページを探し出すことができますが、Googleで指定している特殊な記号や「検索演算子」と呼ばれる文字列や記号を追加することで、より効率的に検索結果を絞りこめるようになります。

多くのユーザーが使う有名な検索演算子としては、入力したキーワードを「"」(ダブルクオークション)でくくれば、その文字列と完全に一致するページのみを表示する方法があります。文章のような長い文字列を検索する検索結果に役立ちます。

"Google便利すぎる"

キーワードの両端をGoogleが指定している検索演算子の1つ「"」(ダブルクオークション)でくくってGoogle検索を行います。

するとこのようにくくったキーワードと完全に一致するテキストやタイトルが含まれるページだけを絞り込むことができます。

便利! とりあえず覚えておきたい『検索演算子』

検索演算子は完全一致検索で利用する「"」(ダブルクオークション)のほかにもたくさん用意されています。特に覚えておきたいのは、指定したドメイン内のみを検索対象にする「site:」です。2ちゃんねるやTwitterなど情報が集まる巨大サイトからのみ情報を収集したいときに便利です。ほかに、削除されたページでもGoogleのキャッシュから表示する「cache:」などは、便利な検索テクニックとして覚えておきたいです。

AND検索

ドイツ サッカー

キーワードとキーワードの間にスペースを挟むことで、入力したすべてのキーワードを含むページを検索できます。検索の基本中の基本です。

OR検索

ドイツ OR サッカー

キーワードとキーワードの間に、半角大文字の「OR」を挟むことで、複数のキーワードのいずれかを含むページを検索できます。

NOT検索

ドイツ -サッカー

キーワードの前に「-」(マイナス)を付けることで、そのキーワードを含むページを除外した上でもう片方のキーワードを含むページを検索できます。

ドメイン指定検索

site:kantei.go.jp 安倍

特定のサイト内から検索ができます。大きなサイトから情報を探すほか、検索ボックスのないサイト上から情報を探すときに便利です。

キャッシュ検索

cache:http://www.google.co.jp/

「cache:」を付けてアドレスを指定すれば、そのページが削除されていてもGoogleがキャッシュ保存しているページを表示できます。

ファイル指定検索

filtype:pdf 東京都

「filetype:」のあとにpdf、doc、jpg、zipなどの拡張子を加えると、指定した拡張子のファイルのみを検索結果に表示できます。

関連サイト検索

related:http://www.nta.go.jp

「related:」を付けてアドレスを指定すれば、そのページの関連サイト、類似サイト、競合サイトなどを検索できます。

ワイルドカード検索

猿も*から落ちる

「*」部分を補完してくれます。歌詞を検索するときやことわざを検索するときに便利です。

タイトル検索

intitle:寿司　大阪

「intitle:」を付けてキーワードを入力すると、そのキーワードがタイトルに含まれるページが検索できます。

「検索オプション」を使って手軽に演算子検索を行う

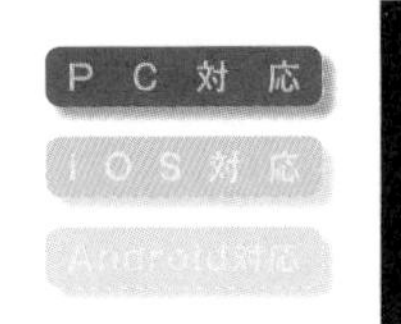

Googleには使うと便利な検索演算子がたくさん用意されていますが、これらをすべて覚えておくのは大変です。手軽に検索演算子を利用するなら「検索オプション」を利用しましょう。Googleの検索結果画面で「設定」から「検索オプション」をクリックします。表示される検索オプション画面から、演算子を覚えなくても用意されている入力欄で条件を指定するだけで、簡単に演算子を使った検索ができます。

1 検索オプションを開く

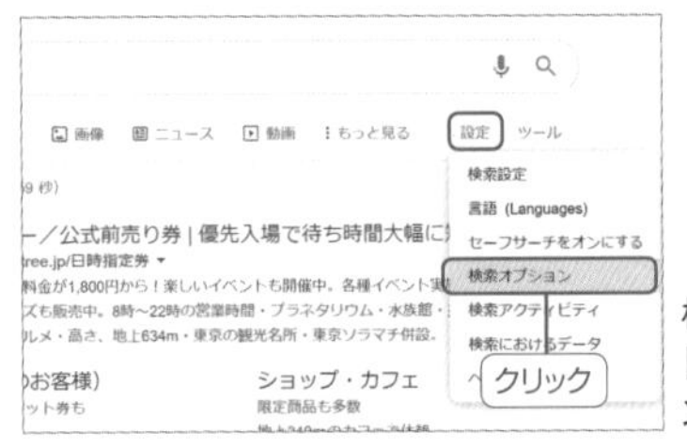

検索結果画面でメニューの「設定」から「検索オプション」をクリックします。

2 検索するキーワード

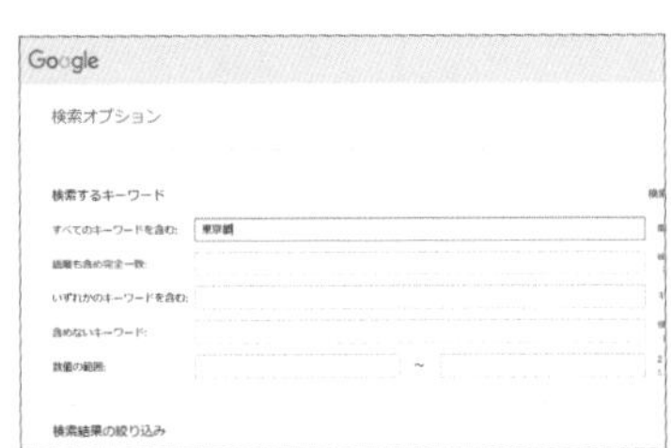

検索オプション画面の上部では、AND検索、完全一致検索、OR検索、NOT検索などの設定が行なえます。

3 検索演算子を利用した検索

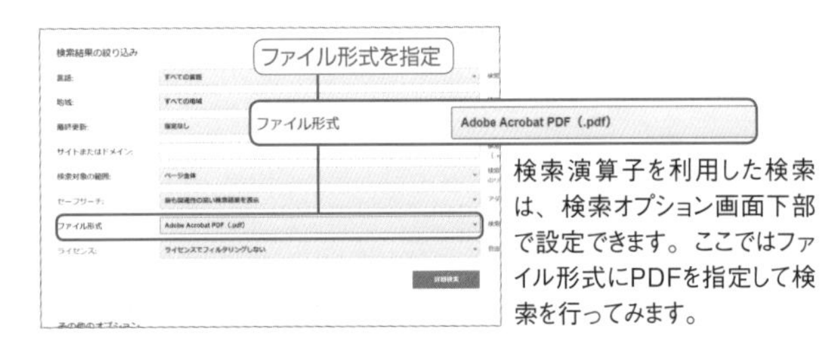

検索演算子を利用した検索は、検索オプション画面下部で設定できます。ここではファイル形式にPDFを指定して検索を行ってみます。

4 指定したファイル形式で検索結果に表示

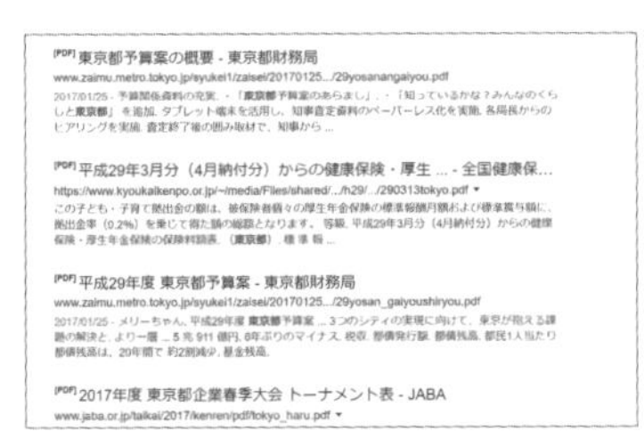

すると指定したファイル形式のみが検索結果に表示されます。

スマホ版Googleで検索オプションを利用する

PC対応
iOS対応
Android対応

AndroidやiPhoneなどスマホ版Googleでもパソコン版と同じく検索オプションが利用できます。利用するには検索結果画面で一番下にスクロールするとある「設定」から「検索オプション」をタップしましょう。検索オプション画面に移動します。ただし「画像」検索など一部の検索には対応していません。

1 一番下にスクロールする

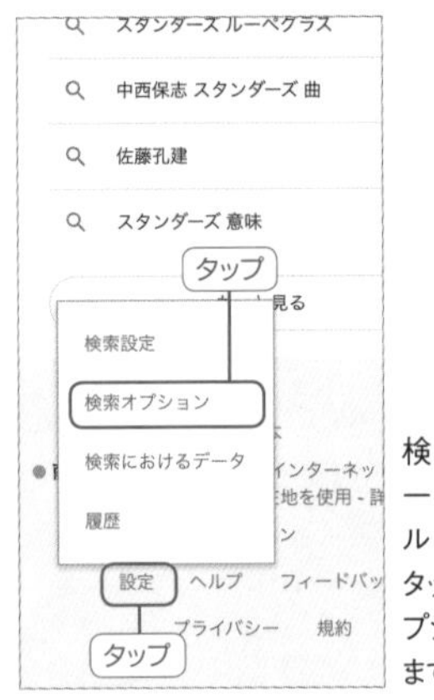

検索結果画面で一番下にスクロールして「設定」をタップして「検索オプション」を選択します。

2 検索オプション画面で設定する

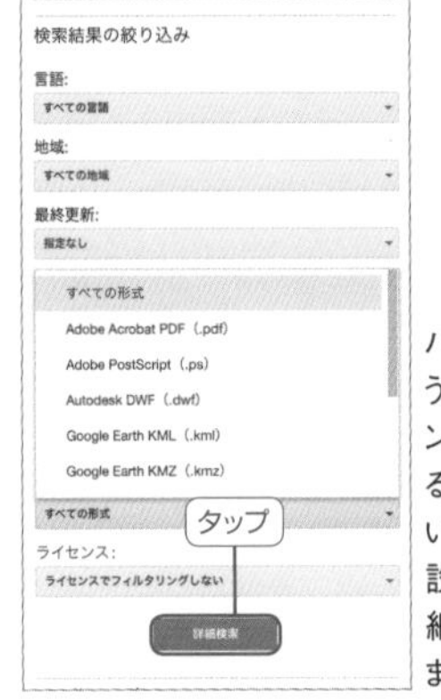

パソコン版と同じような検索オプション画面で表示されるので、利用したい検索演算子の設定を行って「詳細検索」をタップします。

3 検索結果画面

検索演算子を利用した検索結果が表示されます。

検索履歴を整理すれば、精度が上がる

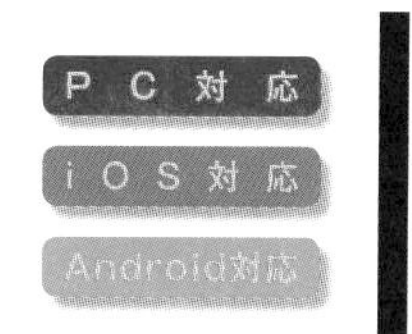

Googleでは、ユーザーの検索履歴をもとに結果を推測して提案してきますが、検索の精度が低いと感じたら、過去の検索キーワードを削除してみるといいでしょう。個人情報を削除したい人にもおすすめです。

1 右下のメニューから「設定」をクリック

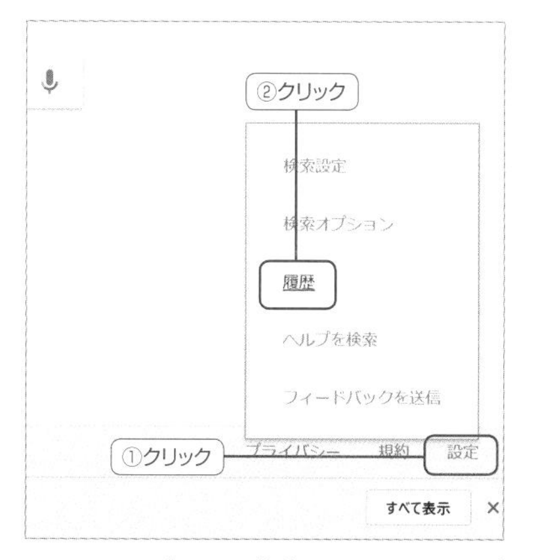

Googleにログインした状態で、Googleのトップページを開き、Chrome右下にある「設定」から「履歴」をクリックしましょう。検索履歴の管理画面が開きます。

2 ウェブ履歴でキーワードの削除もできる

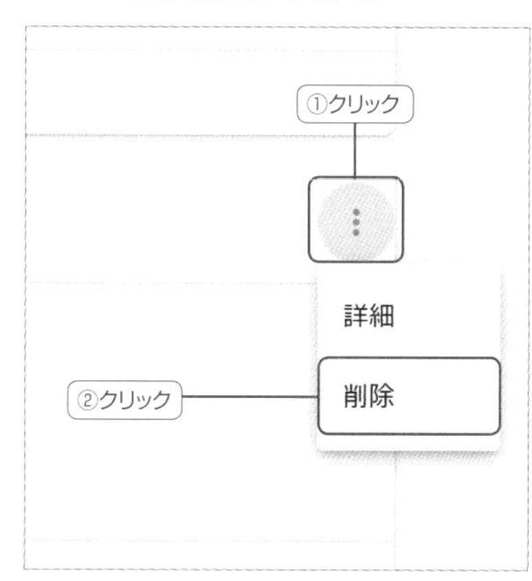

「マイアクティビティ」で検索履歴が表示されます。必要ないキーワードを消したい場合は、削除対象項目の右上にある「：」をクリックし、「削除」をクリックします。

3 スマートフォンでもウェブ履歴が管理できる

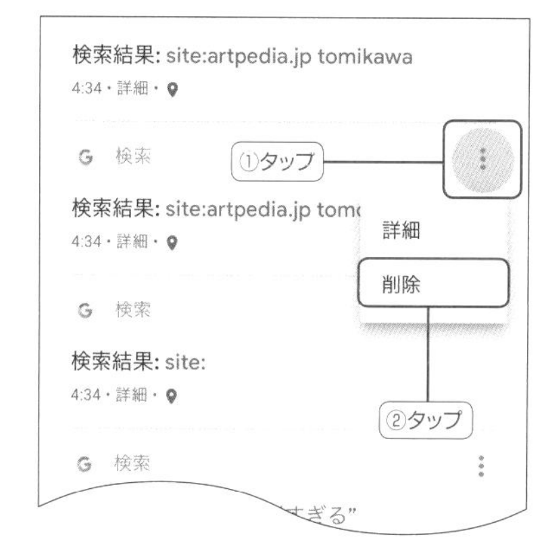

スマートフォンの場合は、検索結果画面の下の方にある「設定」→「履歴」とタップしていきましょう。管理方法はパソコン版とほぼ同じです。

Googleが表示してくれるワードを使おう

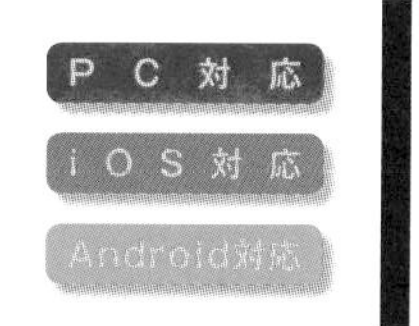

探したいときのキーワード入力が苦手な人はGoogleのサジェスト機能を利用しましょう。Googleでは検索ボックスにキーワードを入力するたびに、よくユーザーが使っている検索ワードの組み合わせを表示してくれます。適当な組み合わせをクリックすれば、結果を表示してくれます。検索結果のページでも、一番下にスクロールすれば、よく利用されるキーワードの組み合わせを表示されます。

1 キーワードを入力して候補を選ぶ

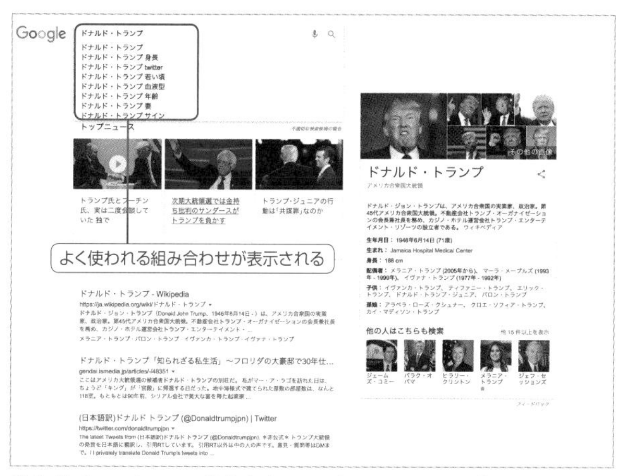

検索ボックスにキーワードを入力すると、ボックスの下によく使われている組み合わせが表示されるのでクリックしましょう。

2 検索結果画面でも表示される

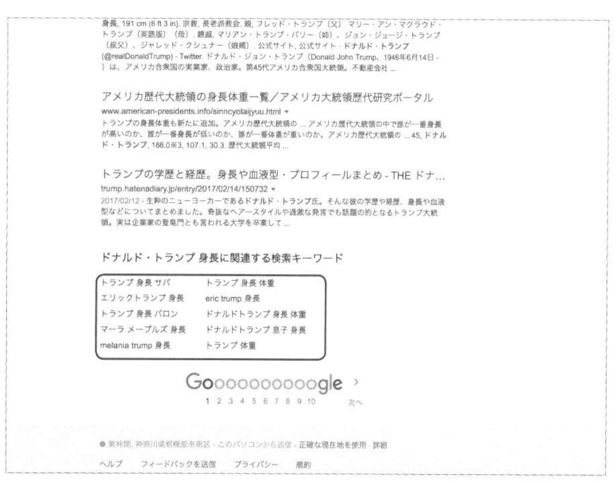

検索結果画面一番下にスクロールしても、よく利用されるキーワードの組み合わせは表示されます。

G

検索するファイル形式を指定する

テンプレートとして利用したいエクセルやワードなどのファイルをウェブ上から探す場合はファイル形式を指定して検索するとよいでしょう。キーワードのあとにスペースを入れ「filetype:」と入力し、そのあとに「xls」「pdf」といったファイルの拡張子を入力しましょう。これで検索結果に指定したファイルのみ表示できます。

1 「filetype:」と拡張子を入力

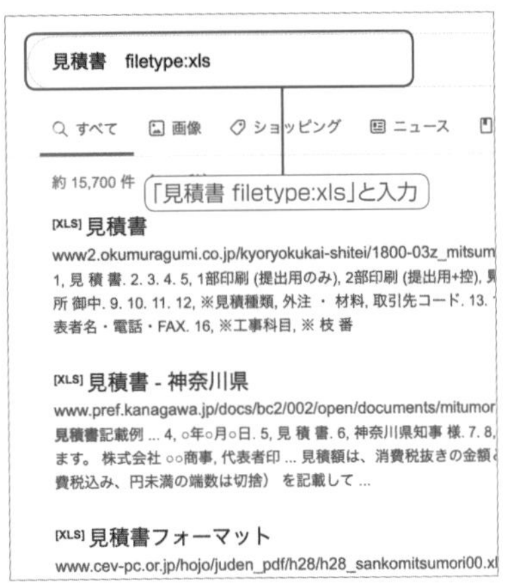

検索ボックスにキーワードを入力した後、「filetype:」と入力し、拡張子を指定しましょう。例えば見積書のエクセルファイルの場合は「見積書 filetype:xls」と入力します。

2 指定したファイル形式の表示される

すると、検索結果には指定した拡張子のファイルのみ表示されます。統計資料やテンプレートを探すときに特に便利です。

3 検索オプションからも利用できる

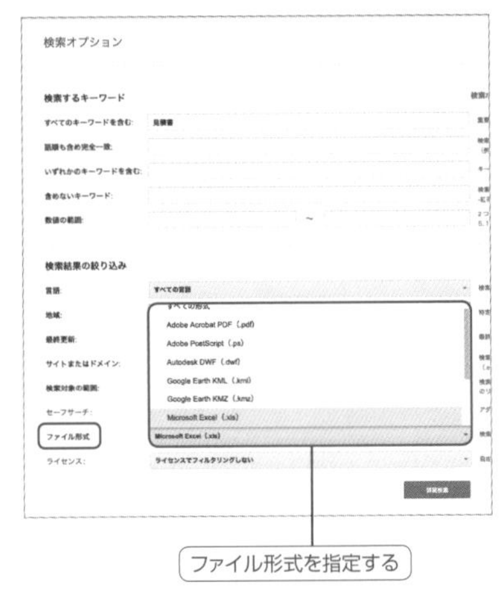

拡張子を指定しての検索は、検索オプション画面からも利用できます。「ファイル形式」のプルダウンメニューから拡張子を指定しましょう。

期間を指定して検索する

検索結果画面の「ツール」をクリックすると、「期間指定」検索フィルターが現れます。これを利用して、特定の時期のことに関する記事を検索することができます。時事関連の記事を探すときに便利です。

1 検索結果画面で「検索ツール」をクリック

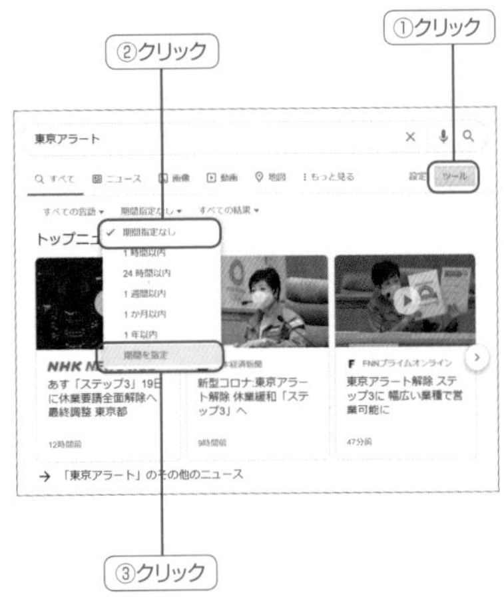

今回は、2020年5月1日から6月12日内の検索結果を調べてみます。「ツール」→「期間指定なし」とクリックして、「期間を指定」をクリックします。

2 期間を指定する

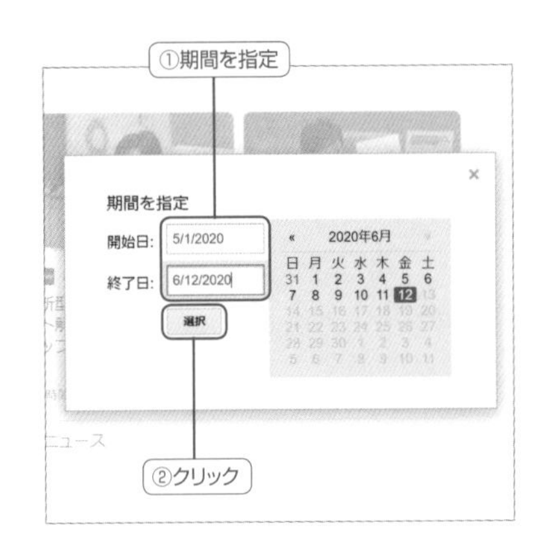

5月1日から6月12日までの結果が知りたいので、「5/1/2020」から「6/12/2020」とします。直接入力してもよいし、右のカレンダーをクリックして指定することもできます。

3 指定した期間の検索結果が表示された

指定期間内に更新された記事の検索結果が表示されました。同様に、最新ニュースだけが読みたい場合は、期間を「1時間以内」などにするといいでしょう。なお、スマートフォン用アプリの場合も操作は同様で、検索結果の「検索ツール」で期間指定フィルターが表示されます。

「すべて」「画像」「動画」「地図」「ショッピング」「もっと見る」の使い方

Googleでは通常のウェブ検索だけでなく、入力したキーワードに関する「画像」や「動画」、「ショッピング」なども検索できます。これを「検索フィルター」と呼びます。

すべて

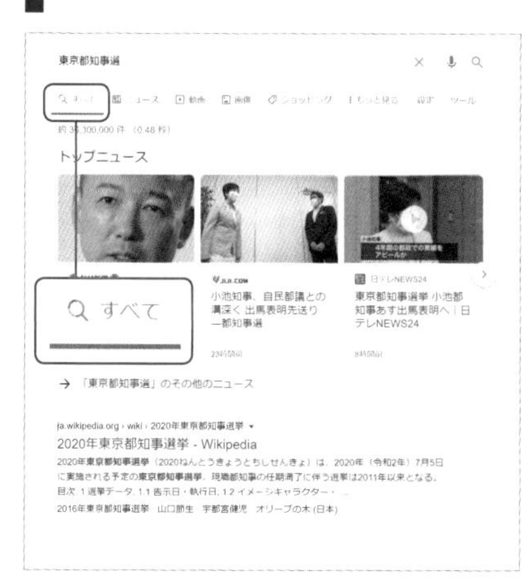

検索ボックスにキーワードを入力し「検索」をクリックすると表示されるのが「すべて」の結果です。ページランク(google基準によるサイトの重要度)が高いサイトが上位に表示されます。

ニュース

「ニュース」をクリックして検索すると、新聞社やテレビ局など、マスコミ系サイトの記事の検索結果が表示します。速報性・信頼性も高いため新製品発表や事件・事故などの関連情報の詳細が知りたいときに便利です。

動画

「動画」検索では、キーワードに関する動画の検索結果が表示されます。YouTubeの動画がほとんどですが、ニコニコ動画や他のサイトの動画も見つかります。

画像

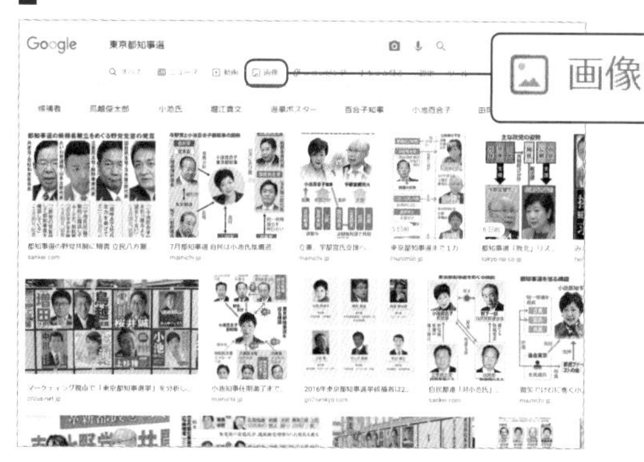

「画像」検索は、キーワードに関する画像やクリップアートなどを検索して表示します。この検索だけ検索オプションが別で、画像サイズやアスペクト比(縦横の比率)、色調、画像形式の指定ができます(P.43で詳しく解説)。

地図

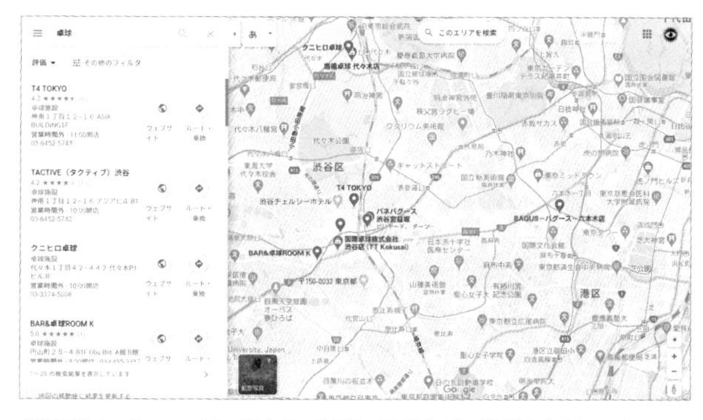

「地図」は、キーワードに関連する場所、施設などの位置を表示します。たとえば「卓球」で地図検索すると、卓球施設をはじめ、都内の卓球用品店や日本卓球協会などの場所が表示されます。

ショッピング、書籍

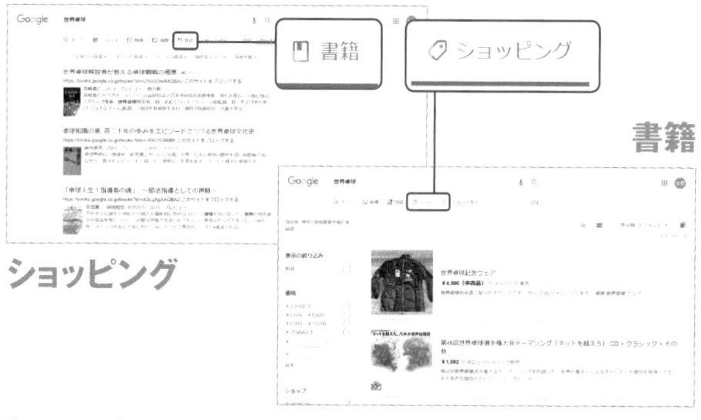

「もっと見る」をクリックすると、他にもフィルターが選べます。ネットショップ検索の「ショッピング」や、検索結果から本の通販サイトにアクセスできる「書籍」などもあります。

「画像検索」を使いこなしましょう

Googleには、画像だけに特化した画像検索機能があります。画像の収集や買い物、ブログのネタ探しなどにも重宝しますので、使い方を覚えておきましょう。

画像検索の基本

「画像検索」は、キーワードに関する画像やクリップアートなどを検索して表示するフィルター検索機能です。検索ボックス下の「検索ツール」には、さまざまなファイルの種類が用意されていますが、ファイルの種類ごとにフィルタ内容が異なります。たとえば画像検索オプションでは、検索する画像のサイズやアスペクト比(縦横の比率)、色調、画像形式の指定などができます。気になる物の画像を調べたいときや、なんとなく買い物がしたいとき、またブログにアップする画像を探すときなどに重宝します。パソコン版でもスマホ版でも利用することができます。

1 Googleのトップページから「画像」をクリック

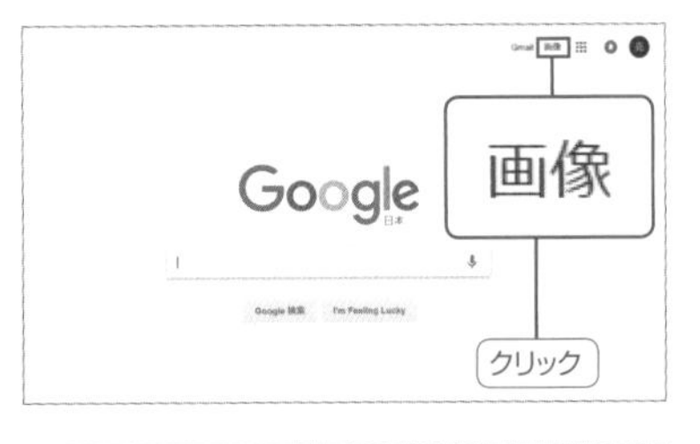

Googleトップページ右上にある「画像」ボタンをクリックし、次の画面でボックスにキーワードを入力して画像検索します。検索結果画面で「画像」をクリックしてもよいでしょう。

2 検索結果が画像で表示される

画像一覧が表示されます。詳細を知るには画像をクリックして拡大しましょう。

3 画像のメニューが表示される

クリックした画像の詳細情報が表示されます。また、その画像と関連のある画像も下にサムネイル表示されます。ポインタをのせるとサイズが表示されます。

4 「表示」をクリックした場合

「写真」をクリックすると、その画像が貼られているページが表示されます。著作権問題により画像を直接表示することはできなくなりました。

5 「共有」をクリックした場合

「共有」をクリックすると、そのGoogle画像ページのURLを作成して、Twitterやメールなどのサービスと情報を共有できます。

CHECK!

その他の画像も確認できる

複数表示されている小さな画像をクリックすると、見つかった画像の元ページ内の他の画像も拡大して見ることができます。また、画面右上にある「< >」ボタンをクリックすると、次の検索結果に移動できます。

細かい設定でもっと好みの画像を探す

さらに一歩進んで、画像検索オプションを使って、好みの画像を探しましょう。画像サイズや種類などを指定して絞り込むことができます。ここでは、人気のバイクに関するイラストを探してみます

1 画像検索結果画面で「検索オプション」を開く

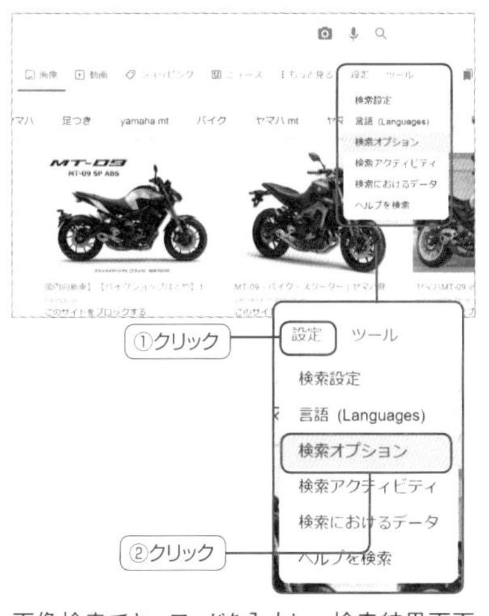

画像検索でキーワードを入力し、検索結果画面でメニューから「検索オプション」をクリックしましょう。

2 画像のサイズ・種類を指定する

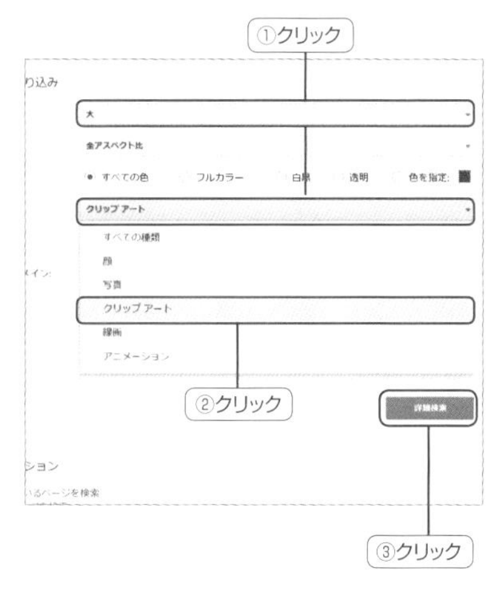

キレイな画像がほしいので「画像サイズ」を「大」にして、「画像の種類」を「クリップアート」に指定して「詳細検索」をクリック。

3 クリップアートだけに絞り込まれる

絞り込み検索した結果、サイズが大きめのイラスト画像や切り抜き、背景の白い画像だけが表示されました。クリックして画像拡大し、「表示」で元のページを表示させてから右クリックが有効ならパソコンに保存ができます。

類似した画像を検索する

手持ちの写真とよく似た画像を検索したい場合は「Google画像検索」を利用しましょう。画像をアップロード、または画像のURLを貼り付けると、その画像とよく似た画像を検索結果に表示してくれます。出所がよくわからない画像や、名前の分からないキャラクター画像を探すときに便利です。

1 Google画像検索にアクセス

「画像で検索」を利用するには、Googleトップページ右上の「画像」をクリックして表示されるページで、検索ボックス横のカメラアイコンをクリックします。

2 写真をアップロードする

今回は手持ちの画像をアップロードして類似画像を探します。「画像のアップロード」タブを開き、「ファイルを選択」から画像をアップロードします。

3 検索結果を表示

アップロードした画像と構図、色味などがよく似た画像を表示してくれます。

服や雑貨など、色を決めて画像を検索する

Googleでは色味を指定して画像を検索することもできます。画像検索結果画面で「ツール」を選択して「色」をクリックし、好きなカラーを選択しましょう。指定した色味の画像だけに絞り込んでくれます。ファッションアイテムや雑貨アイテムを検索するときに便利です。

1 画像検索結果画面から行う

色を指定した検索は画像検索結果画面から行います。検索結果画面で「ツール」をクリックします。

2 色を指定する

ツールバーが表示されたら「色」をクリックして、好みの色を選びましょう。ここでは黄色を選択します。

3 検索結果画面

黄色い夏もののワンピースだけを絞り込んで表示しました。色を変更する場合は、色のアイコンをクリックしなおしましょう。

許諾なしで使える画像を検索する

PC対応
iOS対応
Android対応

Googleでは、ブログで使用するときなど著作権侵害にならない画像を探すこともできます。画像検索結果画面のツールバーにある「ライセンス」フィルタを利用しましょう。ブログで利用するなど再利用可能な画像だけを表示してくれます。ただし、Google側が判断しているだけなので利用できるかはよくチェックしましょう。

1 「ライセンス」をクリック

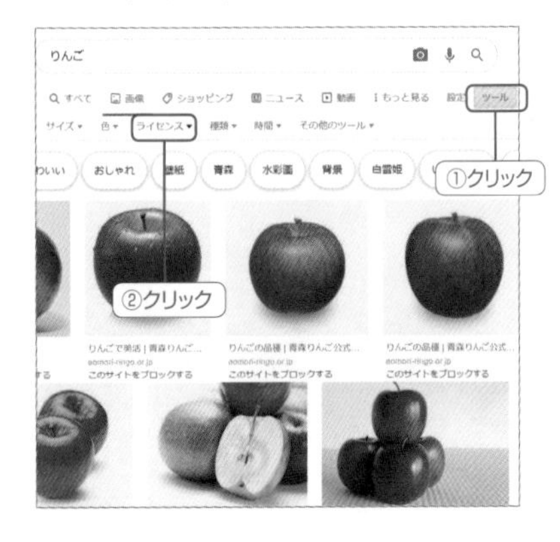

画像検索の結果画面で「ツール」をクリックします。ツールバーが表示されたら「ライセンス」をクリックします。

2 「再使用が許可された画像」を選択する

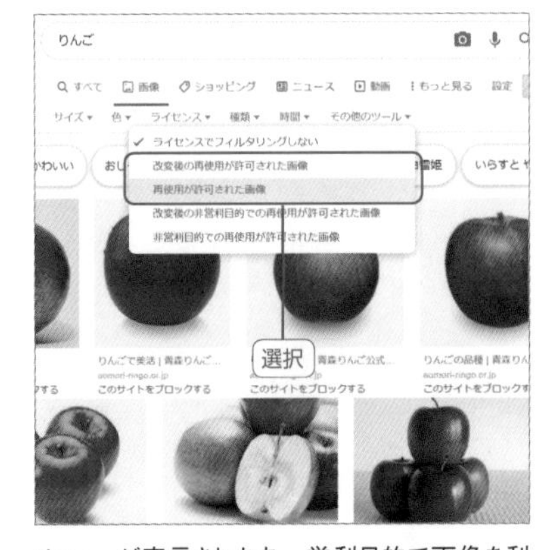

メニューが表示されます。営利目的で画像を利用するのであれば「改変後の再使用が許可された画像」か「再使用が許可された画像」を選択しましょう。

3 利用可能な画像だけが表示される

再使用可能な画像だけが一覧表示されました。

検索キーワードの候補を個別に削除する

Googleの検索ボックスをクリックすると、一度入力したキーワードが上位に表示されますが、この検索候補は削除することができます。特定の予測候補のみ表示しないようにするには、予測候補右端にある「削除」をクリックすればOKです。

1 検索候補を削除する

過去の検索履歴から予測されたキーワード候補は、右端に「削除」と表示されるので、これをクリック。

2 検索候補が削除された

このキーワードが履歴から削除され、以降は予測キーワードとして表示されなくなります。

G

動画検索を使いこなそう

Googleでは画像検索だけでなく、もちろん動画の検索フィルターも用意されています。YouTubeだけでなくあらゆる動画サービスから横断して探せます。ここでは「バンクシー」の動画を探してみます。

1 キーワード入力後に動画検索

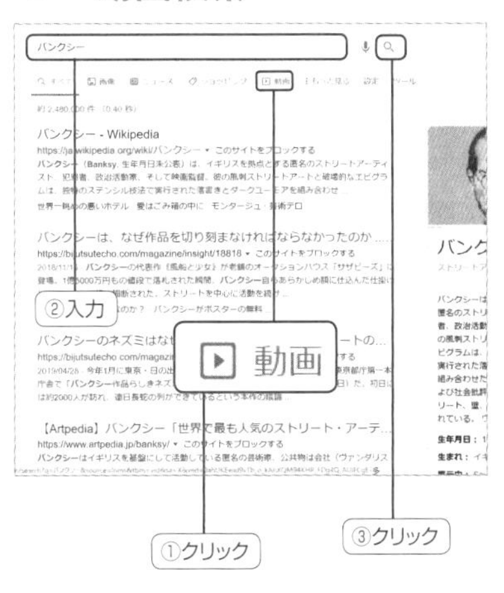

Googleトップから動画検索はできないので、検索結果画面で「動画」をクリックしてからキーワードを入力し、検索を実行しましょう。

2 動画検索結果が表示される

動画の検索結果一覧が表示されます。YouTubeの動画がほとんどですが、ニコニコ動画など他の動画サイトのものも見つかります。

3 クリックして動画を再生

ちなみにYouTubeもGoogleのサービスなので、Googleアカウントにログインしておいたほうが便利に使えます(Chapter7で解説)。

サイト内の語句を検索する

検索で開いたサイトのどこに読みたい記事があるのか分からない場合のために、サイト内検索(スマートフォンでは「ページ内検索」)という機能があるので活用しましょう。目的の場所にすぐにたどりつけます。

1 メニューから「検索」をクリック

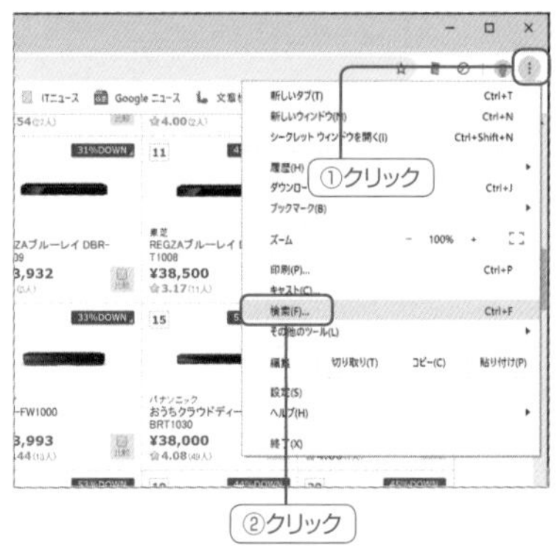

ここでは、価格比較サイト「価格.com」内で商品を見つける手順を紹介します。Chromeのメニューから「検索」をクリックしましょう。スマートフォン用アプリの場合はメニューから「ページ内を検索」でOKです。

2 検索ウィンドウにキーワードを入力

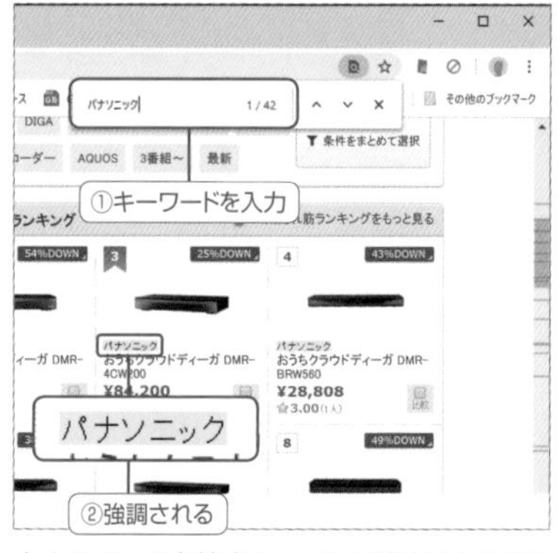

右上にページ内検索ウィンドウが表示されますので、キーワードを入力します。すると、ページ内のキーワードが黄色に強調されます。

3 矢印でページ内のキーワードを表示

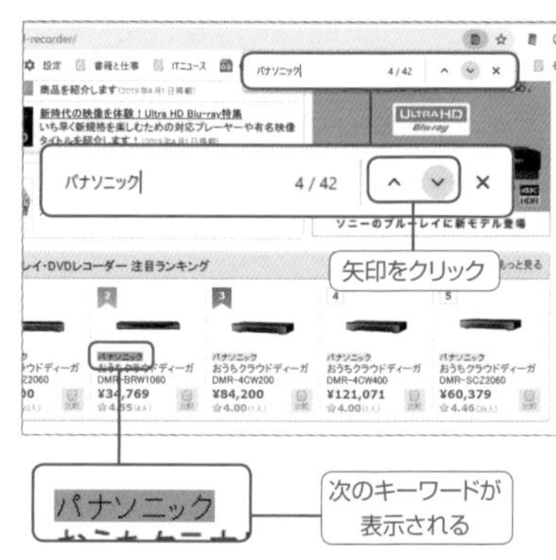

多数見つかった場合は、検索ウィンドウ右端の上下の矢印をクリックすると、ページ内のキーワードを上から順に表示していきます。

Googleで行ったアクティビティを管理、削除する

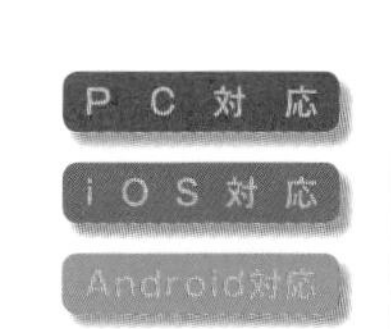

Chrome上での履歴画面はChromeから削除できますが、SafariやIEなどのほかのブラウザからGoogleサービスを利用した行動履歴は削除できません。Googleのトップページにアクセスして、右下に表示される「設定」から「履歴」に入り、「ウェブとアクティビティ」の画面で全履歴を削除しましょう。

1 「設定」から「履歴」をクリック

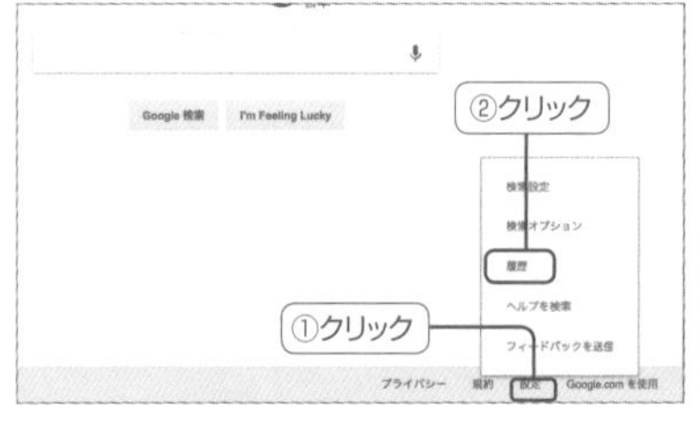

Googleのトップページを開き、右下にある「設定」をクリックして「履歴」をクリックします。

2 「アクティビティ管理」をクリック

マイアクティビティ画面が開きます。左メニューから「アクティビティ管理」をクリックします。

3 ウェブとアプリのアクティビティ

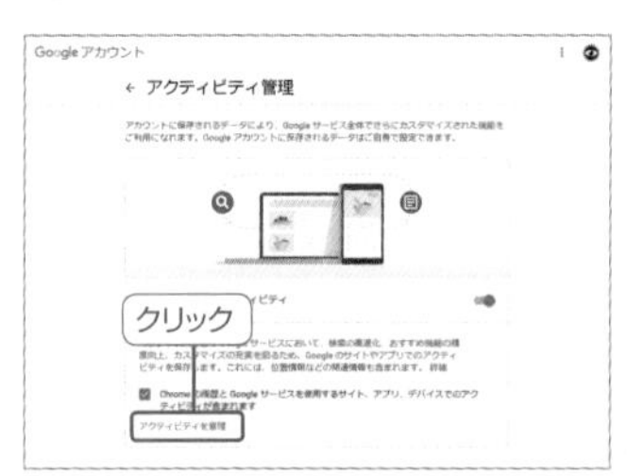

「ウェブとアプリのアクティビティ」内にある「アクティビティを管理」をクリックします。

4 アクティビティを削除する

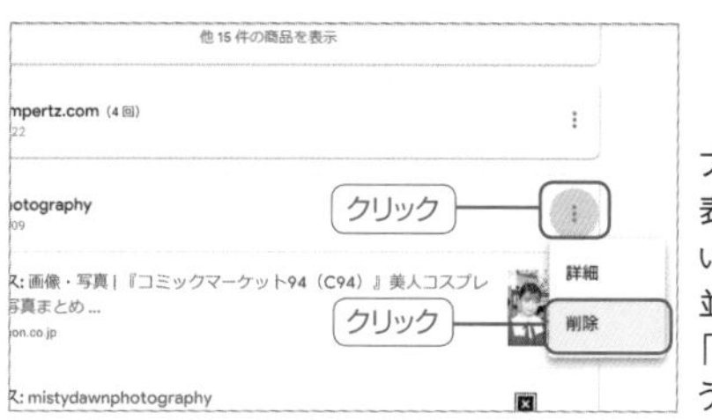

ブラウザの閲覧履歴が表示されます。削除したい項目の右上にある縦並びの「⋮」をクリックして「削除」をクリックしましょう。

急いでます! 目的地への最速経路を検索する

PC対応 iOS対応 Android対応

Googleの検索ボックスでは経路検索を行うこともできます。検索方法を知っていればGoogleマップを利用するよりも、指定した地点から目的地までの最短経路をスムーズに表示させることができます。車での経路のほか徒歩や電車やバスなどの交通機関を使った経路を調べることもできます。

1 出発地と目的地を入力する

経路を検索するには「○○(出発地)から○○(目的地)」と検索ボックスに入力しましょう。

2 移動手段を選択する

検索結果一番上に地図付きで経路を表示してくれます。標準では車の経路が表示されますが、移動手段を変更することができます。

3 電車での経路を表示する

移動手段を電車に変更しました。出発地から目的地までの乗り換え駅、路線情報、各経路の移動時間など細かく表示されます。

音声で検索キーワードを入力する

PC対応 iOS対応 Android対応

検索時にキーボードを打つのが面倒ならば、音声入力での検索もできます。この機能はパソコンよりもスマートフォンのほうがより便利に使えるでしょう。パソコン版はブラウザにChromeを使う必要があります。

1 AndroidはGoogle音声検索を標準装備!

Androidには標準でホーム画面にGoogle検索のウィジェットが配置されており、音声検索がすぐにできるようになっています。iPhoneの場合は「Googleアプリ」をApp Storeからインストールして使いましょう。

2 話しかけてキーワードを入力

この画面になったら話しかけましょう。かなり高い精度で聞き取ってくれます。また、質問形式で話しかけると答えを表示してくれます。

CHECK! パソコンではマイクが必要!

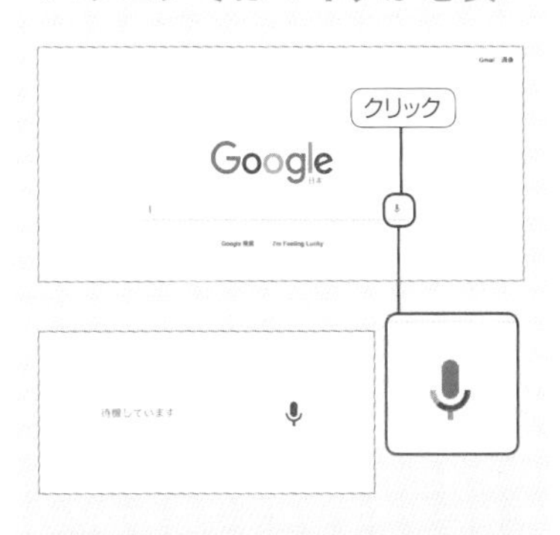

パソコン用は、Chromeでのみ、Google音声検索ができます。ただしあらかじめマイクを用意しておく必要があります(イヤホンで代用することもできます)。Googleのトップからマイクのアイコンをクリックして、画面が切り替わったらマイクに話しかけましょう。

ほかにもまだある
便利な検索テクニック

便利技を一挙掲載! 荷物配達状況や食品の成分も調べられる

Googleにはこれまで紹介した検索テクニック以外にもさまざまなテクニックが用意されています。佐川急便やヤマト運輸からの荷物配達状況、食品に含まれる成分やカロリーも調べられます。検索だけでなく、計算式を入力すると電卓ツールにもなります。

郵便番号を調べる

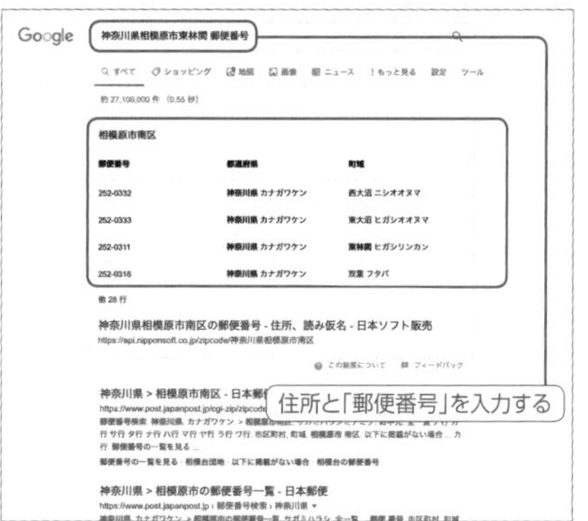

荷物を送るときに郵便番号を調べる際、Googleの検索ボックスに住所に「郵便番号」を追加して検索しましょう。入力した住所の郵便番号に該当する住所をリストアップしてくれます。リンクをクリックすると詳細を表示してくれます。

荷物配達状況を調べる

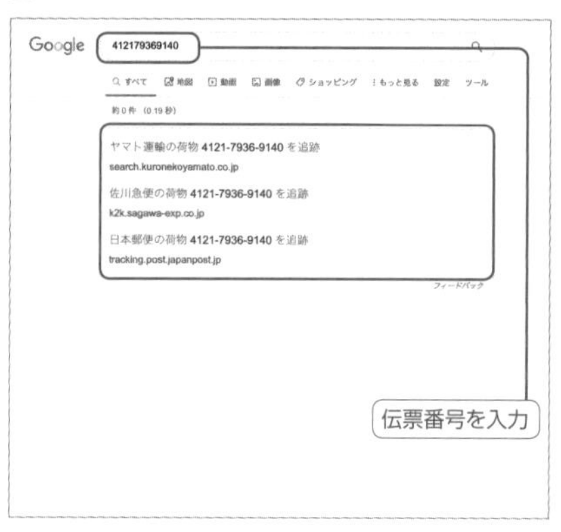

ウェブ上で通販購入した荷物の配達状況を調べる際は、発行された伝票番号を直接入力すると調べることができます。以前はヤマト運輸のみでしたが、現在は佐川急便、日本郵便の伝票番号にも対応しています。なお、調べる際にハイフン(–)を付ける必要はありません。

電卓として利用する

検索ボックスは電卓として利用することができます。直接計算式を入力してみましょう。検索結果に計算結果と電卓が表示されます。計算式の入力方法が分からない場合は、「電卓」と入力すると電卓アプリが表示されます。

数値をさまざまな単位に変換する

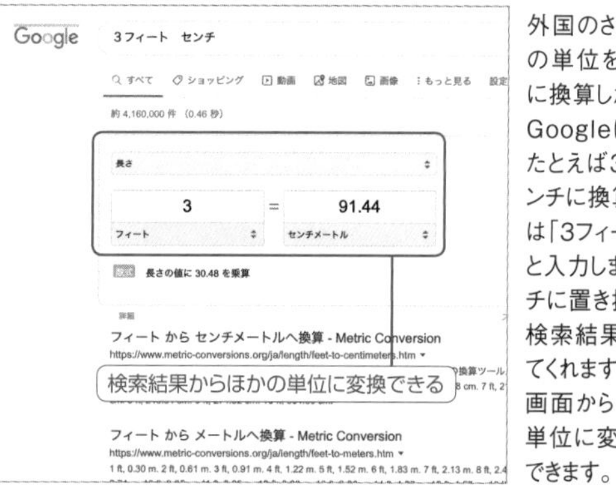

外国のさまざまな数量の単位を日本の単位に換算したい場合にもGoogleは便利です。たとえば3フィートをセンチに換算したい場合は「3フィート　センチ」と入力しましょう。センチに置き換えた数値を検索結果上部表示してくれます。検索結果画面からさらにほかの単位に変換することもできます。

食品のカロリーを調べる

食品のカロリーを調べたいときは、食品名のあとに「カロリー」を付けましょう。その食品の100gあたりのカロリーを表示してくれます。外に含まれている各種栄養素の分量も表示されます。さらに検索結果から食品の種類を細かく指定調べることができます。

海外の通貨を日本円に換算する

海外の通貨を日本円に換算したいときは、検索ボックスに直接海外の通貨単位で金額を入力してみましょう。「100ドル」と入力するとそのときのレートで日本円に換算して表示してくれます。日本円以外の通貨に換算したいときは「100ドルをユーロ」といった感じに入力するといいでしょう。

今日の天気を調べる

「地点名　天気」と入力する

外出先や現在地の今日の天気を調べたいときは「地点名　天気」を入力しましょう。その地点の一日の気温の変化や平均気温、湿度、風速、降水確率などをグラフィカルに表示してくれます。さらに週間予報も表示してくれます。

日の出･日の入りの時刻を調べる

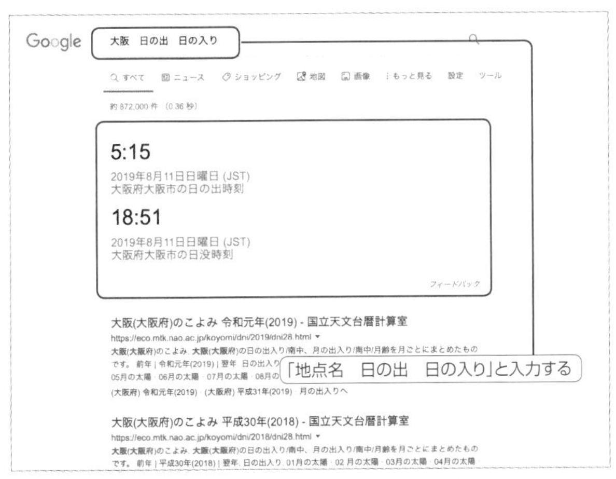

特定の地点の日の出・日の入りの時刻を調べたいときは「大阪　日の出　日の入り」というように地点名に「日の出　日の入り」と付け加えましょう。その地点の日の出時刻と日没時刻を検索結果上部に太字で表示してくれます。

航空便のフライト予定を調べる

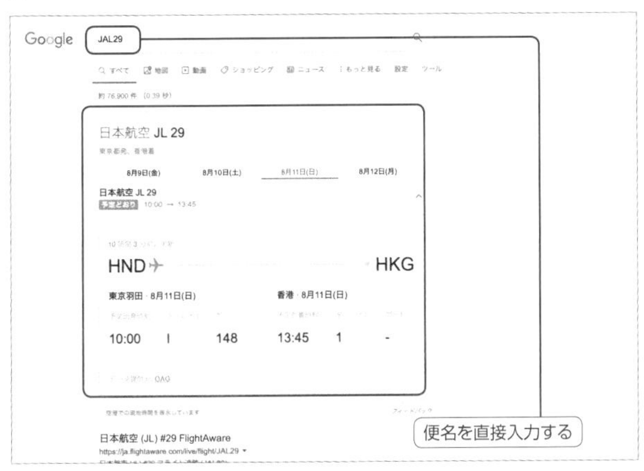

「JAL29」や「NH19」など航空機の便名を入力すると、その便の今日のフライト情報を表示してくれます。出発地と到着地の日付予定だけでなく、空港のターミナル番号、ゲート番号、さらに前後数日のその便のフライト情報も調べることができます。

著名人の出身地を調べる

歴史上の人物や著名人の名前のあとに「出身地」という文字を入力すると、その人物の出身地の写真や地図が表示されます。詳細を開くとその土地のランドマークや人気ホテルなどが表示されます。その人物が育ったバックボーンを知りたいときに便利です。

指定した株価を調べる

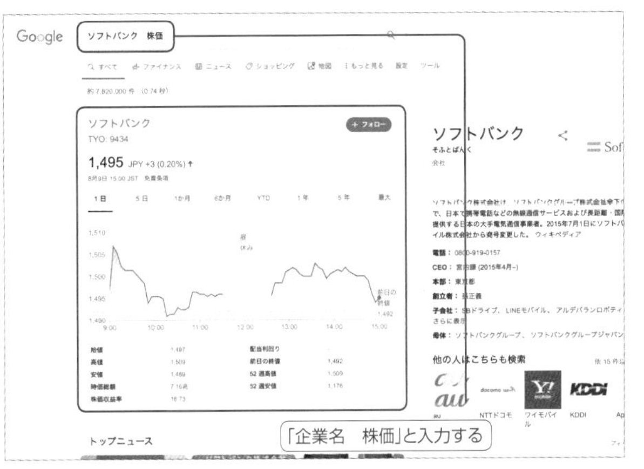

企業名のあとに「株価」と入力して検索すると、現在の株価が表示されます。また、1日の値の動きをグラフで表示し、5日、1か月、1年など期間を変更してグラフ表示することができます。国内で株式を公開している企業のほか、海外の企業の株価も調べることができます。

出先のカフェや飲食店を調べる

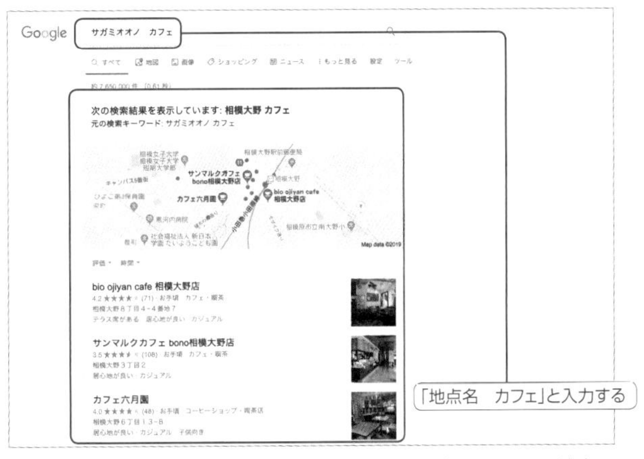

地点名のあとに「カフェ」「レストラン」「居酒屋」などを入力すると、その地点のGoogleマップとともに該当の店舗を表示してくれます。打ち合わせやパーティを開く際に利用すると便利です。店舗名をクリックすると写真やレビュー付きで店舗の詳細を知ることができます。

海外の都市の現在時刻を調べる

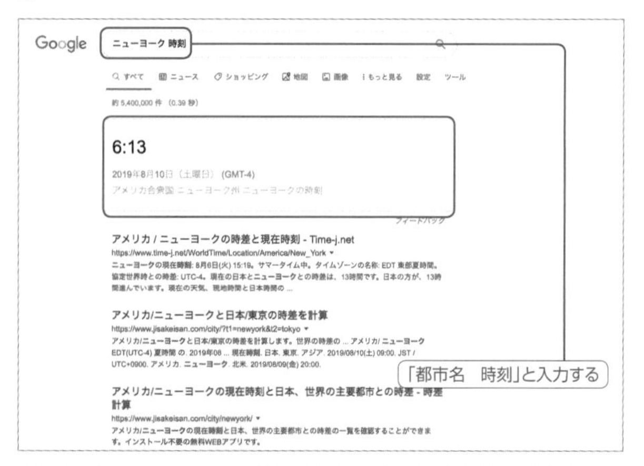

検索ボックスに「ニューヨーク」「ロンドン」など都市名の後に「時刻」と入力すると、その都市の現在時刻を表示してくれます。海外旅行前に利用するといいでしょう。なお「アメリカ」など国名を入力すると、その国の主要都市の現在時刻を一覧表示してくれます。

上映中の映画情報を調べる

現在映画館で上映している作品を調べたいときは、地点の後に「映画」を入力しましょう。そのエリアにある映画館で現在上映されている作品名が一覧表示されます。作品をクリックすると上映している映画館とその地図、さらに作品の上映開始時間を表示できます。

アーティストのアルバム情報を調べる

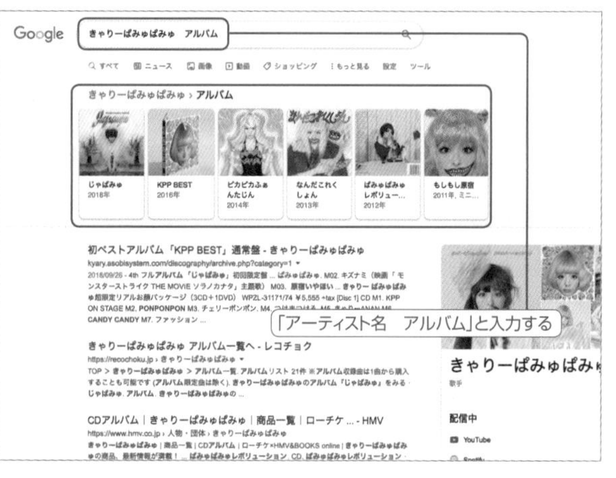

アーティスト名のあとに「アルバム」と入力して検索すると、そのアーティストのアルバム名とジャケットが一覧表示されます。アルバム名の下にはリリースが記載され、リンクをクリックするとアルバムの詳細が表示されます。

あるエリアの交通渋滞を調べる

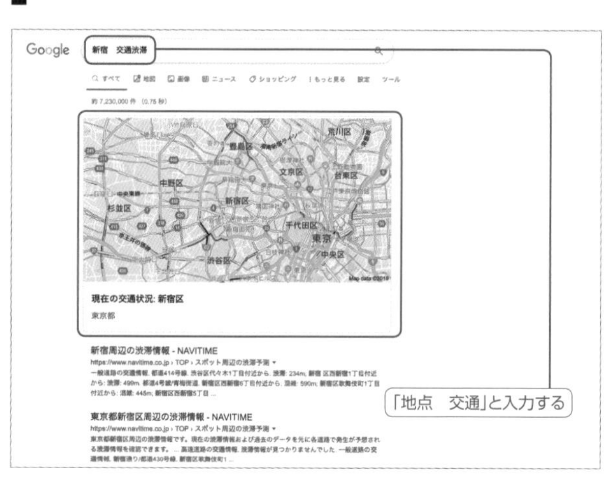

検索ボックスに地点の後に「交通」「交通渋滞」と入力すると、そのエリアの交通渋滞状況を地図でグラフィカルに表示してくれます。赤い部分が渋滞している部分です。クリックするとGoogleマップで詳細を表示してくれます。

CHECK!

新型コロナウイルス情報をGoogleで効率良く収集する

Googleでは新型コロナウイルスに関するさまざまな情報をまとめています。検索ボックスに「新型コロナウイルス」や「COVID-19」と入力すると、各地域の感染者数の統計情報や最新ニュース、症状、治療法、予防方法などが表示されます。

左側にオリジナルのメニューが表示される

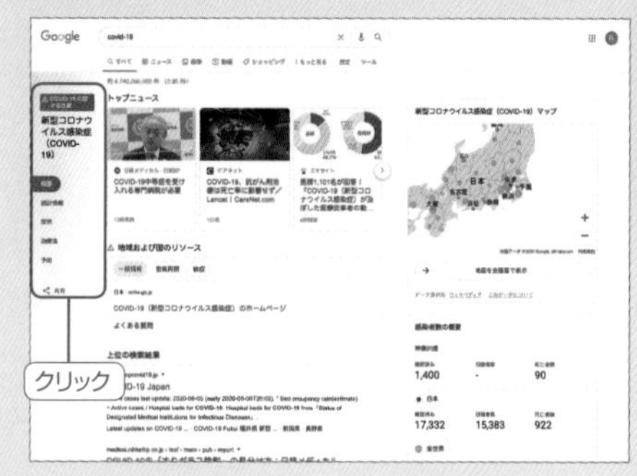

画面左に通常の検索結果画面とは異なるオリジナルのメニューが表示されます。調べたい情報をクリックしましょう。

地図から地域の状況を確認する

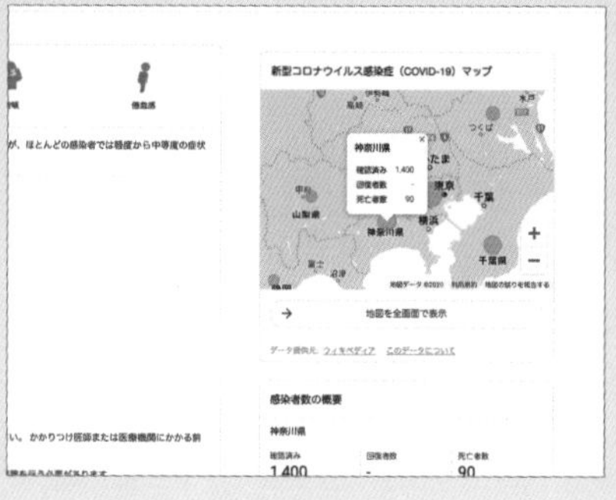

画面右にはGoogleマップとは異なる独自のマップが表示されます。地域名をクリックすると感染者数などの統計情報が表示されます。

Googleマップで どこでも行ける!

SECTION

Googleマップの素晴らしさ!

Googleマップは、世界中のあるゆる地域の地図を詳細に検索することができるオンライン地図サービスです。パソコンのブラウザをはじめ、スマートフォンからも利用できます。今までの地図のように、ただ所在地の場所を提示するだけではなく、そこまでの経路・移動手段を提示してくれるルート検索サービスも備えています。その際、自動車や徒歩移動を指定すれば道路のルートを、電車での移動ならば駅までの道のりと電車の乗り換えまで正確に指示してくれます。スマートフォンならば、個人用ナビゲーションシステムのようにGoogleマップを利用することができます。このSectionでは、Googleマップの便利な活用法を紹介します。

パソコン

スマートフォン

豊富な検索データをもとに、地図と地域の情報・トラフィックデータを融合させて、ただの地図を超越した総合ナビゲーションシステム、Googleマップ。これさえあれば地図もカーナビも必要ないといっても言い過ぎではないでしょう。

基本用語

マイマップ
自分が行きたい場所を集めたオリジナルの地図を作ることができる機能。新しく場所を追加したり編集でき、ほかの人と共有することもできる。

経路検索
目的地までの最適経路を、自動車、公共交通機関(鉄道・バスなど)、自転車、徒歩の各移動モード別に検索提示できる機能。

インドアマップ
駅や空港、その他施設などを地図上で拡大するとそのまま構内が見られる機能。国内では東京や大阪を中心に空港や駅、デパートなどで利用でき、店舗や売り場を確認したり、現在地表示や徒歩ナビゲーションにも対応。

ストリートビュー
ユーザーが実際に道を歩いているかのように周りの景色を見渡せる機能。

GoogleEarth
ヴァーチャルな地球儀アプリ。世界中の衛星写真を、まるで地球儀を回しているかのように閲覧することができる。星座などが表示できるSky機能を備え、月や火星の探査などもできる。

一目でわかるGoogleマップの基本画面（パソコン編）

ここではパソコン用のGoogleマップの見方を紹介します。スマートフォンよりも大きな画面で周辺の地図が見渡せるため、通常はこちらを使うといいでしょう。

PC対応 iOS対応

設定メニュー

このボタンをクリックすると、マップのメニューが表示されます。メニューでは共有（地図を表示するためのURLの表示）やマイプレイスへの移動、検索履歴の管理ができます

検索ボックス

ここに住所、もしくは地名、施設名などのキーワードを入力して検索します。検索するときは右の虫メガネボタンをクリックするか、ボックスの下に表示される検索候補をクリックします

ルート検索

目的地までのルートを調べたい場合にクリックすると、ルート検索用の入力ボックスが表示されます。ルート検索時の移動手段は自動車、電車、徒歩、飛行機、自転車の5種類の設定ができます。Googleアカウントでログインしている状態なら、あらかじめ設定しておいた自宅や職場をワンクリックで指定することもできます

CHECK! アクセス方法

ブックマークに入れる、あるいは毎回Google検索で「マップ」と入力して検索してもよいですが、Googleのトップ画面のアプリのショートカットからならワンクリックでアクセスできます。

手書き入力

クリックすると手書き入力パネルが現れます。手書きでも文字を検索ボックスで入力できます。タブレットユーザーにおすすめです

アカウント

Googleアカウントのログインや設定ができます。ログインした状態で検索すると、過去の 検索履歴や保存した場所が利用できますので、ぜひログインしておきましょう

検索履歴

検索ボックスをクリックすると、過去に検索 した場所やマイマップが表示されます（Googleアカウントでログインしておく必要があります）

拡大・縮小

「+」で拡大、「-」で縮小表示します。また、マウスのホイールの上下でも縮小/拡大が可能です

航空写真

クリックすると、地図が航空写真に変更されます。建物の形状や道路の感じ、色合いで目的地を探したいときなどに便利です。もう一度クリックすると通常の地図に戻ります

このエリアを検索

表示しているエリアにある食料品店、テイクアウト、宅配サービスなどをクリック1つで探すことができます

ストリートビュー

右端の矢印ボタンをクリックすると、地図の中心地付近で撮られた風景写真が表示されます。もう一度クリックすると元に戻ります。また、左端の人型アイコンをクリックすると、地図上にストリートビューが表示されます

一目でわかるGoogleマップの基本画面(スマートフォン編)

ここではスマートフォン用のGoogleマップの見方を紹介します。外出中、現在地から目的地への経路を調べたいときに役立ちます。

PC対応 iOS対応 Android対応

検索ボックス
ここに住所、地名、施設名などを入力して検索します。タップすると検索履歴や自宅・職場までのルートメニューが表示されます

スポット検索
周囲のテイクアウト、デリバリー、コンビニなどのサービスを素早く検索できます。左右にスライドしてメニューを切り替えます

コンパスモード
一度タップすると現在地に移動し、二度タップすると地図が少し立体的になり端末を中心にマップが動く「コンパスモード」に切り替わります。方向性がわからず地図を見るのが苦手な人に便利です

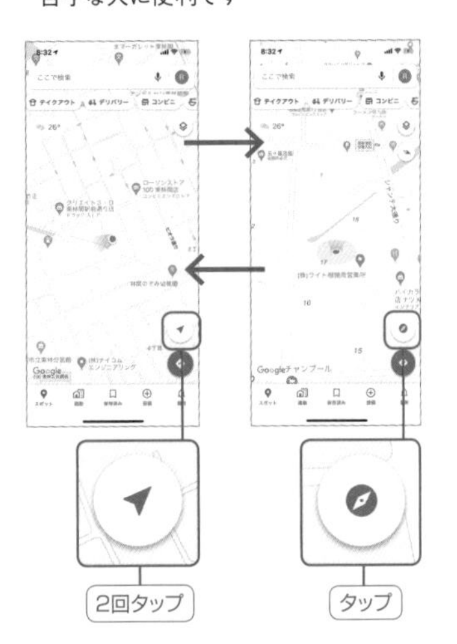

音声入力
タップすると音声入力画面に切り替わります。地名を話しかけると、マップでその地名付近をすぐに開いてくれます

地図の種類
航空写真や地形図など地図の表示形式を変更できます

経路検索
目的地までのルートを調べたい場合はこのボタンをタップすると、すぐにルート検索画面に切り替わります(通常の検索結果からもルート検索は可能です)。ルート検索時の移動法は自動車、電車、徒歩、タクシーの4種類の設定ができます

スポット
タップすると現在位置周辺のスポットを教えてくれます

通勤
追加した通勤場所までの距離、各種移動方法のルート、移動時間を表示してくれます

保存済み
お気に入り、スター、行ってみたいなどマップ上にメモした内容が一覧表示されます

投稿
Googleマップに投稿した写真、口コミなどを管理できます。自分が投稿した情報がほかのユーザーにどのように評価されたかも確認できます

最新
周囲のおすすめショップの最新情報が表示されます。セールを開催しているお店や最近できたばかりのお店を効率良く探せます。

CHECK!

地図の拡大と縮小
地図の拡大と縮小は通常、2本の指でピンチアウト/ピンチインで行いますが、指1本だけでも同じことができます。拡大する場合は、地図の任意の場所をダブルタップする、もしくはダブルタップしたまま指を離さず、そのまま下にスワイプしましょう。同様に、ダブルタップした指を離さず上にスワイプすれば縮小できます。

地図を拡大・縮小しよう

Googleマップで表示している地図の特定のエリアを詳細を知りたいときは地図を拡大しましょう。場所によっては施設内のレイアウトや地下道も閲覧できます。逆に地図を俯瞰したい場合は縮小しましょう。拡大縮小操作は画面右下にある「＋」「－」ボタンだけでなくマウスホイールの操作でも行えます。

1 右下にあるボタンをクリック

地図の拡大縮小は右下にある「＋」「－」ボタンをクリックしましょう。マウスホイールを動かしても可能です。

2 施設内のレイアウトも表示できる

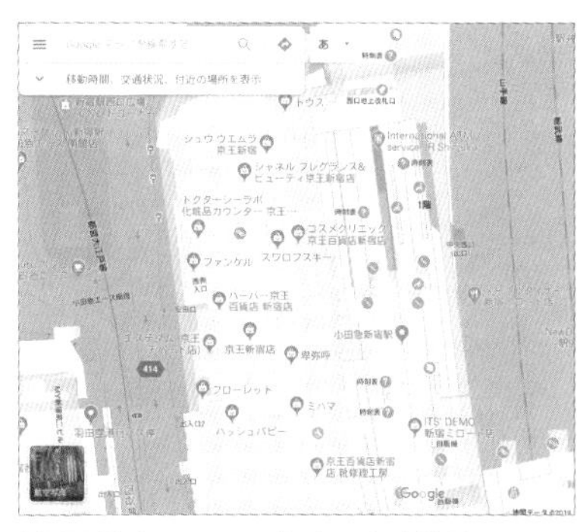

地図を拡大しました。都市の有名施設や駅などでは地図を拡大することで、内部レイアウトも表示することができます。

3 地図を縮小する

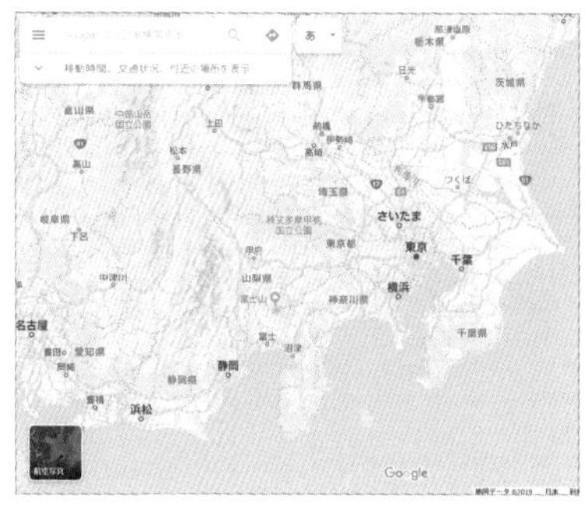

逆に「－」ボタンをクリックして地図を縮小すると、表示できるエリアが広がり俯瞰することができます。

「マイプレイス」に自宅や職場を地図に登録しておく

PC対応
iOS対応
Android対応

自宅や職場などルート検索で毎回利用する場所は、Googleマップに登録しておきましょう。メニュー画面の「マイプレイス」をクリックすると表示される「自宅」に自分の住所を、「職場」に職場の住所を入力しましょう。その後、ルート検索画面を表示すると候補に入力した自宅や職場の住所が表示されるようになります。

1 マイプレイスをクリック

設定メニューを開き、「マイプレス」をクリックします。

2 自宅や職場の情報を入力する

「自宅」に自宅の住所を、「職場」に職場の住所を入力しましょう。

3 ルート検索画面を起動

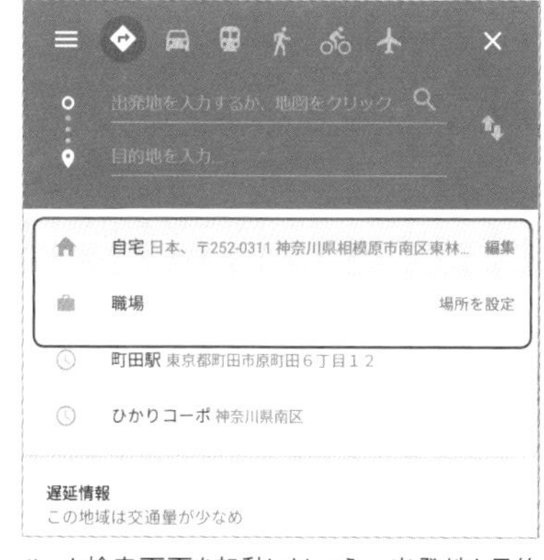

ルート検索画面を起動しましょう。出発地と目的地の入力欄の下に自宅と職場の情報が表示されます。クリックすると入力できます。

施設名だけで地図を表示する

Googleマップは住所がわからなくても、施設名やスポット名を入力するだけで目的地の地図を表示することができます。また施設名で検索すると、建物の外観写真や住所、電話番号、営業時間、口コミレビューなども表示されます。検索結果画面からルートも素早く検索できます。

1 施設名を検索ボックスに入力する

検索ボックスに施設名を入力します。入力と同時に候補の施設名が表示されるのでクリックしましょう。

2 施設情報が表示される

該当場所にピンが立ち、施設の写真を含むさまざまな営業情報が表示されます。ルート検索をする場合はルート検索ボタンをクリックします。

3 施設までのルートを表示する

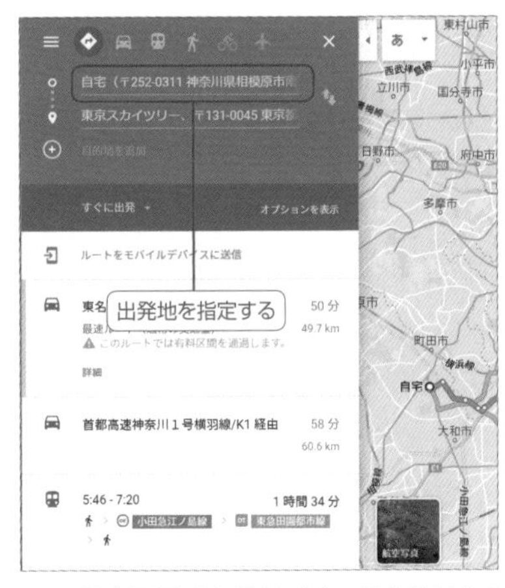

ルート検索画面が表示されます。目的地はすでに住所が入力されているので、出発地だけ入力して検索を行いましょう。

目的地や今いる場所をメールでサッと送る

PC対応
iOS対応
Android対応

集合場所や現在地を待ち合わせ相手に伝えたい場合、Googleマップの共有機能を使いましょう。現在地が記載された地図をURL化してメールで相手に送信することができます。パソコンよりもスマホやタブレットで利用すること効果的でしょう。

1 スポット情報から「共有」をクリック

スポットを検索するか地図上をクリックすると表示される詳細画面で「共有」をクリックしましょう。

2 目的地のURLをコピーして送信

「リンクを送信する」をクリックするとその場所を示すURLが表示されます。「リンクをコピー」をクリックして、クリップボードにURLをコピーしましょう。

3 スマホアプリで現在地を送信する

スマホ版の場合は現在地の自分のマークをタップすると表示されるメニューから「共有」を選択しましょう。

現在地の地図を素早く表示する

現在自分がいる場所の周辺地を知りたい場合は、地図上右下にある現在地アイコンをクリックしましょう。Wi-Fiのアクセスポイントやモバイルデータの基地局の電波を元に現在地を表示してくれます。なお、正確な位置を知りたいならWi-Fiを有効にするのがおすすめです。モバイルデータのみの場合はけっこう誤差が生じます。

1 パソコンでは右下のアイコンをクリック

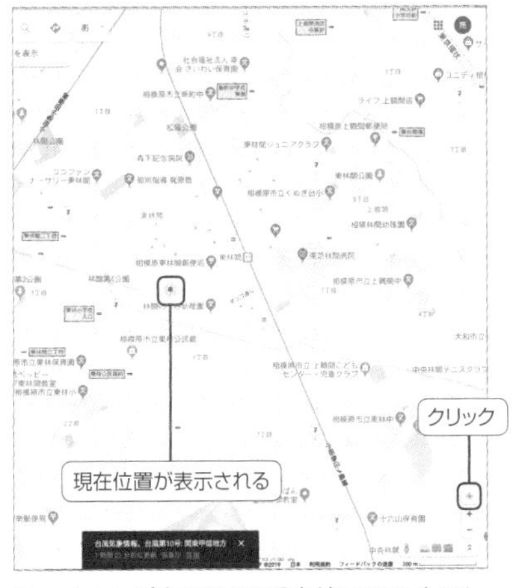

Googleマップ右下にある現在地アイコンをクリックしましょう。すると現在位置を表示してくれます。

2 スマホ版アプリで現在位置を表示

スマホ版Googleマップも使い方は同じです。右トにある現在地アイコンをタップしましょう。すると現在位置を表示してくれます。

3 もう一度タップすると立体化

スマホ版の場合はもう一度アイコンをタップすると、地図が立体化し、自分が現在向いている方向が地図の上にくるように回転します。

マップで調べた場所をブックマークしておく

PC対応
iOS対応
Android対応

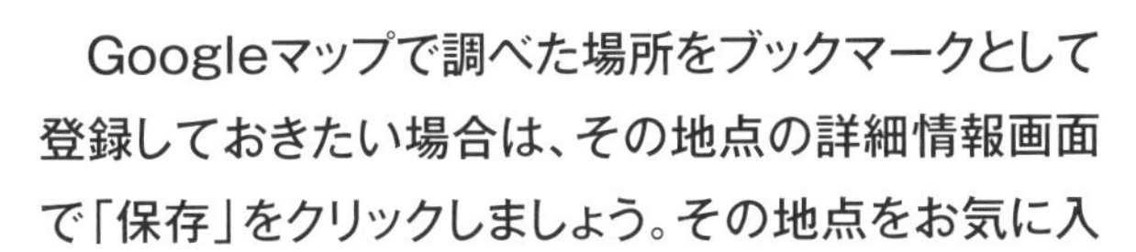

Googleマップで調べた場所をブックマークとして登録しておきたい場合は、その地点の詳細情報画面で「保存」をクリックしましょう。その地点をお気に入りとして保存したり、スターを付けておくことができます。また保存した地点はメニューボタンの「マイプレイス」から呼び出すこともできます。

1 「保存」から保存する種類を選択する

保存するには、保存したい場所の詳細情報画面を表示したら、「保存」をクリックします。いくつかメニューが表示されます。ここではお気に入りに保存してみましょう。

2 設定メニューから「マイプレイス」を選択する

登録したお気に入りを利用するには、設定メニューを開き、「マイプレイス」を選択します。

3 「保存済み」から「お気に入り」を選択する

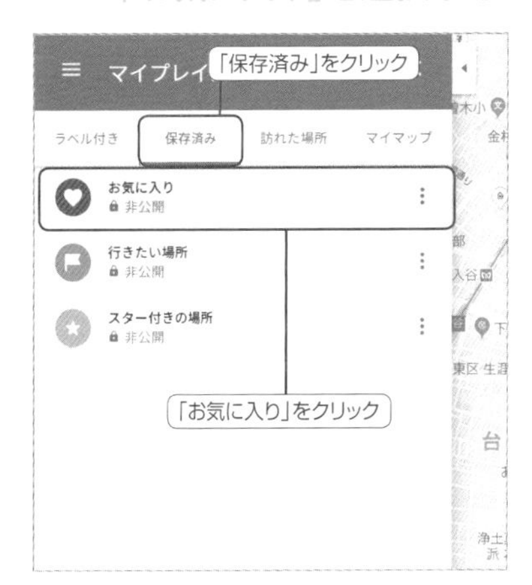

「保存済み」を選択して、「お気に入り」をクリックすると、お気に入りに保存した地点にアクセスできる。

自分用のマップを作成して活用する

Googleマイマップは、Googleマップ上にマーカーやラインを自由に書き加えて保存することができるサービスです。たとえば、行きたい観光名所をまとめた旅行マップやお気に入りのレストランをまとめたグルメマップなどを簡単に作ることができます。保存したマップは他人と共有することもできます。

1 メニューの「マイマップ」から

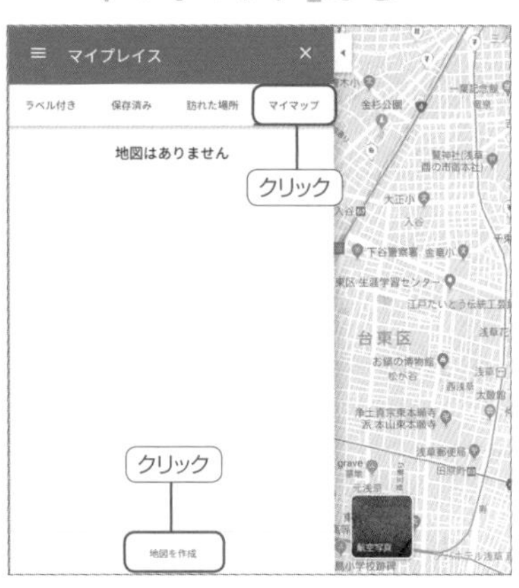

マイマップを作成するには、設定メニューから「マイプレイス」を選択し、「マイマップ」を開きます。「地図を作成」をクリックします。iOS、Androdiはブラウザ経由、または専用アプリで作成できます。

2 編集ツールを使ってマイマップを作成する

マイマップの作成画面が起動します。地図の上の方にあるラインやマーカーを使って地図を作成しましょう。作成した地図はGoogleドライブに自動で保存されます。

3 作成した地図を共有する

作成した地図は設定メニューの「共有」から作成した地図を他人と共有できます。

インドアマップで建物内の様子もチェック!

PC対応
iOS対応
Android対応

大きな公共施設や商業施設では、インドアマップ（室内用マップ）が用意されていることがあります。インドアマップは都市圏で地図を拡大したときに自動的に表示されます。インドアマップ表示時に施設名をクリックすると画面右端にフロア数が表示されます。ここからフロアごとのインドアマップに切り替えることができます。

1 地図を拡大すると切り替わる

インドアマップは地図を拡大表示したときに自動で切り替わります。すべての施設に対応しているわけではなく、都心の大型施設や地下道など限られています。

2 フロアを指定して切り替える

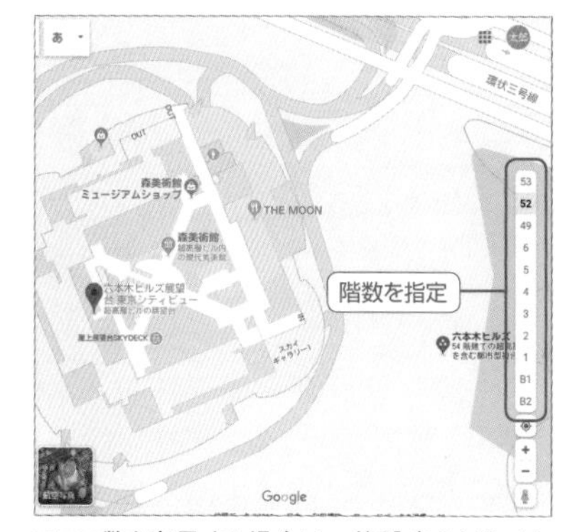

フロア数を表示する場合は、施設名をクリックします。画面右端にフロア数が表示されます。クリックするとその階のインドアマップに切り替えることができます。

3 店舗情報を表示する

インドアマップ内の店舗名をクリックすると、通常のマップと同じように店舗情報が表示されます。「保存」からブックマークに保存することもできます。

「経路検索」で スマホが携帯ナビに!

もともと便利なGoogleマップでしたが、スマートフォンならば、その利便性は飛躍的に高まります。ここでは、Androidスマートフォンを使った経路検索方法を紹介します。目的地までの最短ルートがすぐに調べられます。

1 目的地を検索ボックスに入力

マップを起動したら、まず検索ボックスをタップしましょう。ここに目的地のキーワードを入力します。GPSをONにしておくのを忘れずに。

2 住所だけでなく店名でもOK

住所を入力するのがベストですが、店名や施設の名前を入れても、自動的に検索して検索候補を表示してくれます。

3 候補地をタップすると結果が表示される

目的の候補をタップすると、このような検索結果画面が表示されます。これでOKなら下の「経路」をタップしましょう。

4 目的地までの所要時間が表示される

標準では自動車を利用した場合の目的地までの経路が表示されます。青い筋は空いており赤い筋は渋滞を示しています。

5 「開始」をタップしてナビを開始する

目的地までのルートが青色で表示されます。「開始」をタップすると、音声案内付きのナビが開始されます。

CHECK!

メニューからルート変更

提示されたルートが不満な場合は、右下の経路ボタンをタップします。また、オプションでは音声ナビをオフにしたり、経路を変えたりできます。

乗り換え案内サービスを利用する

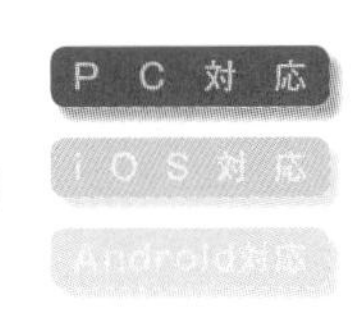

パソコン編

Googleマップは道路上の移動ルートだけでなく、電車やバスなど公共交通機関の経路検索にも対応しています。駅までの徒歩ルートも含めて案内してくれるのもとても便利です。出かける前にチェックするのがおすすめです。

1 到着駅を入力する

検索ボックスに目的地を入力し、候補の駅が見つかったら、「ルート・乗換」をクリックしましょう。

2 出発地を入力してルート検索!

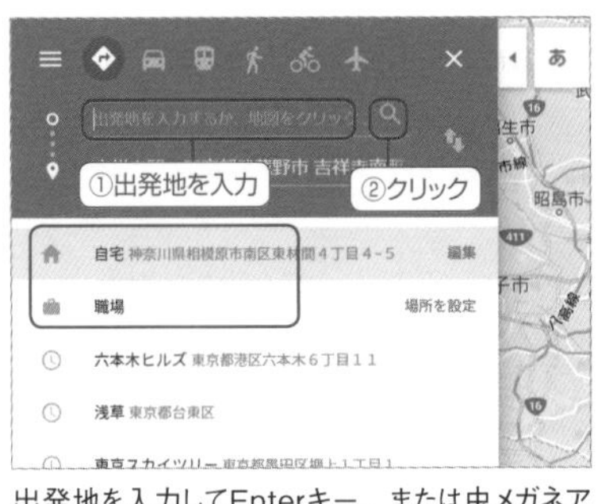

出発地を入力してEnterキー、または虫メガネアイコンをクリックして検索しましょう。自宅・職場を指定することもできます。

3 検索結果が表示される

検索結果が表示されます。「オプションを表示」をクリックすると、時間の変更や移動方法などの設定変更ができます。

乗り換え案内サービスを利用する

スマートフォン編

スマートフォン用Googleマップでも同様に乗り換え案内検索ができます。持ち運びできる端末である分、ルート案内がより便利に使えます。現在地付近を確認しながらルート確認ができます。

1 現在地と目的地を入力して経路検索

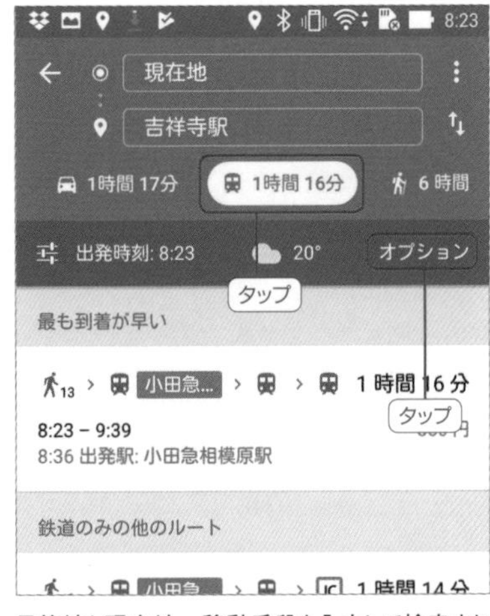

目的地と現在地、移動手段を入力して検索すれば、候補ルートが表示されます。細かく設定したい場合は「オプション」をタップしましょう。

2 経路オプションも活用しよう

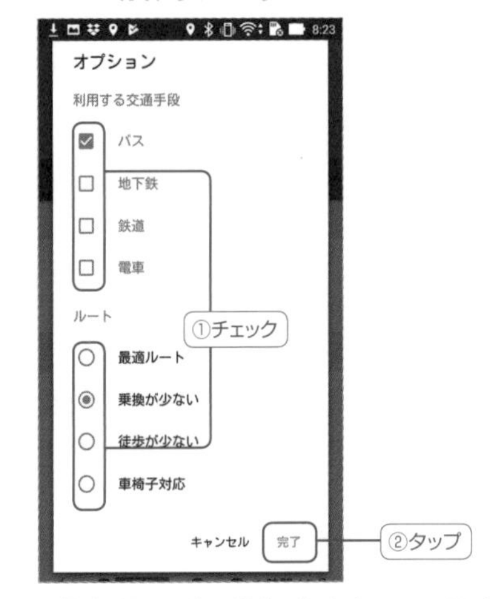

目的地が駅から遠い場合は「バス」にチェックしましょう。また、ルートも、乗り換え数や歩く区間が短いなどの条件が設定可能です。

3 ルート全体図が表示される

ルートの全行程が表示されます。右下の「開始」ボタンをタップすると、ナビゲーション画面に切りかわります(iOS版は一部ナビ機能が対応してません)。

Googleマップをカーナビとして使う

PC対応
iOS対応
Android対応

正確なルート検索が魅力のGoogleマップ。ルートを検索するだけでなく移動手段を自動車に指定すれば、立派なカーナビとしても使えます。iPadをはじめ、タブレットユーザーであればぜひとも利用しましょう

1 目的を検索して移動手段を選択し、ナビを開始

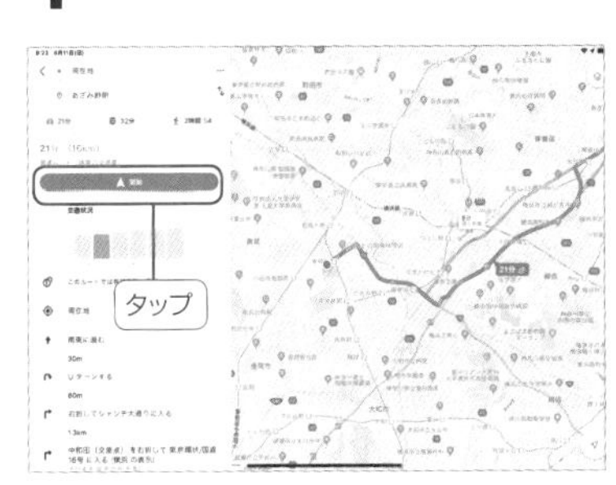

Googleマップアプリの検索ボックスに目的地を入力し、候補地が見つかったら、自動車のアイコンをタップしましょう。ルートを選択し、次の画面で「ナビ開始」をタップするとナビケートが始まります。なお、Googleマップでは道路の渋滞も正確に反映してくれます。

2 音声案内付きでナビゲートしてくれる

ナビが始まると、カーナビと同様に音声案内付きでルートを指示してくれます。曲がり角の直前で指示されるようなこともなく、非常にわかりやすいのが驚きです。道を間違えた場合も自動的にリルートされますので慌てることもありません。

CHECK!

ベストなサイズは7インチタブレット？

スマートフォンをカーナビ替わりにするのは、少し小さすぎます。おすすめは7インチ程度のタブレットで、SIMスロット付きの端末がベストでしょう。車載用のホルダーなどと組み合わせて、最近話題の格安SIMを挿入してカーナビ専用機にしてもよいでしょう。

カーナビで利用するルートをマイマップに保存する

PC対応
iOS対応
Android対応

カーナビなどで利用するドライブルートを定期的に利用するのであれば、マイマップに保存しておくと便利です。PC版マイマップの「ルート追加」機能で出発地と目的地を入力してルートが表示されたら保存しましょう。あとはタブレット側で同じGoogleアカウントでログインするだけです。

1 PC版でマイマップを作成する

PC版Googleマップを起動し、メニューから「マイプレイス」→「マイマップ」と進み、「地図を作成」をクリックします。Android、iOSはブラウザ経由、もしくは専用アプリで対応できます。

2 ルートを作成して保存する

ルート作成アイコンをクリックし、出発地と目的地を入力しましょう。作成した地図は自動で保存されます。

3 タブレット側で地図を開く

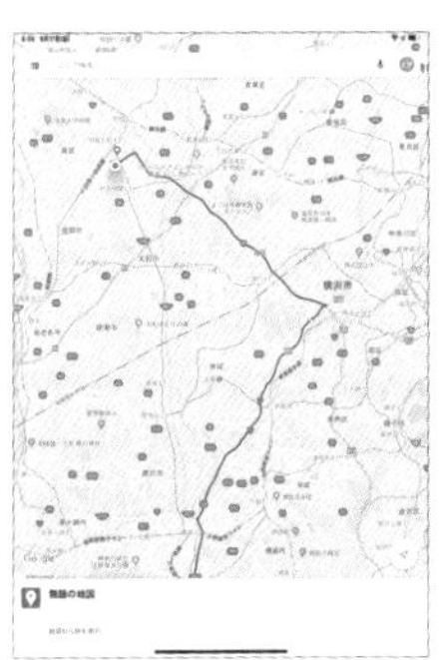

作成が終わったらタブレット版でGoogleマップを起動し、メニューの「マイプレイス」→「地図」へ進むと作成した地図が保存されているので選択しましょう。

ドライブ前に行き先をリスト化! 外出先でチェックする

同じGoogleアカウントでPCと携帯端末のGoogleにログインしておきましょう。PC上で付けておいたGoogleマップのブックマークをスマホやタブレットで簡単に確認することができます。リスト表示できるので、外出先の予定地がたくさんある場合はこの方法がおすすめです。

1 詳細情報画面で「保存」をクリック

PCのGoogleマップで目的地の詳細情報画面を開き、「保存」をクリックしましょう。携帯版とPC版で利用するGoogleアカウントは統一しておきましょう。

2 スマホ版でマイプレイスを開く

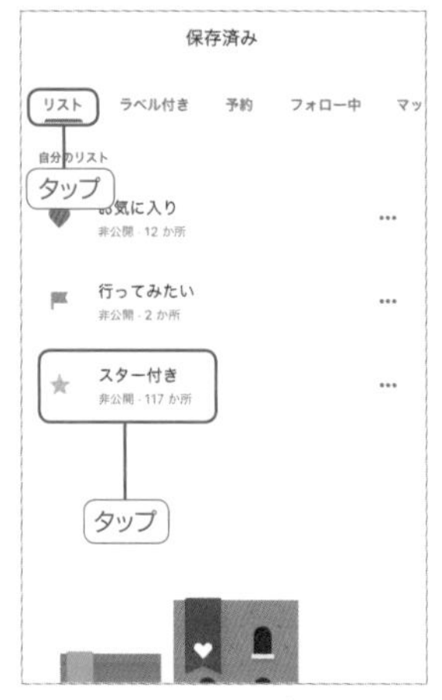

スマホのGoogleマップを開きます。メニューから「保存済み」を開き、「リスト」を選択します。

3 行き先をリスト表示

PC上で保存しておいた目的地がリスト表示されます。地図上には星マークが表示されます。

前に訪れたことのある場所へのルートを表示する

スマホ版Googleマップの「ロケーション履歴」を有効にしておくと、過去に訪れたことのある場所や移動したルート見ることができます。移動した距離や手段も表示されます。目的地の名前も場所も忘れたときに利用しましょう。なお、携帯版は初期設定でオフになっているので有効にしておく必要があります。

1 メニューから「タイムライン」を開く

スマホ版Googleマップのアカウントアイコンをタップし「タイムライン」をタップします。標準ではオフになっています。右上のアイコンをタップします。

2 ロケーション履歴を有効にする

ロケーション履歴では、デバイスを持って訪れた場所が保存されます。このデータを保存するため、Google はデバイスから定期的に位置情報を取得します。このデータは、Google マップや検索などの Google サービスを使用していないときでも保存されます。

インターネットに接続せずにデバイスを使用する場合、再びオンラインになった際にデータがアカウントに保存されることがあります。

すべての Google サービスでこのデータがアカウントに保存されるわけではありませ タップ

このデータにより、Google を使用中かどうか

キャンセル 有効にする

ロケーション履歴管理画面が表示されます。右下の「有効にする」をタップしましょう。ロケーション履歴が有効状態になります。

3 タイムラインを確認する

有効後、スマホを所持してあるきまわったあとメニューから「タイムライン」をタップするとルートが表示されます。

表示方法を切り替えて、交通状況や地形を把握する

Googleマップでは通常の地図表示のほか、航空写真での地図表示や交通状況、路線図、地形などを含む情報を地図上に表示することができます。航空写真は3D形式にすることもできます。

1 現在の交通渋滞をチェック

メニューから「交通状況」を選択すると、現在の交通状況を表示してくれます。赤色の部分が混雑しています。

2 3D表示で地図を立体的に表示可能

メニューの「航空写真」は真上からの写真だけでなく、「ctrl」キーを押しながらマウス操作することで立体的に表示もできます。

地図の表示方法を切り替える

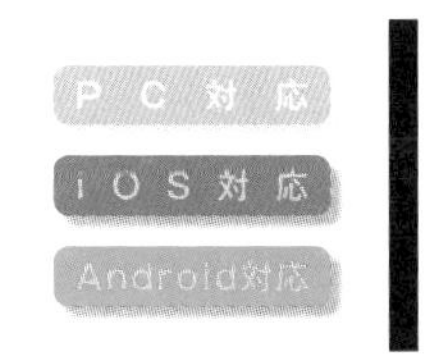

スマートフォン用のGoogleマップアプリでも同様に表示方法の切り替えができます。また、交通状況にくわえて、路線図、航空写真、地形などさまざまな表示方法が利用できます。

地図ボタンをタップして表示方法を選択

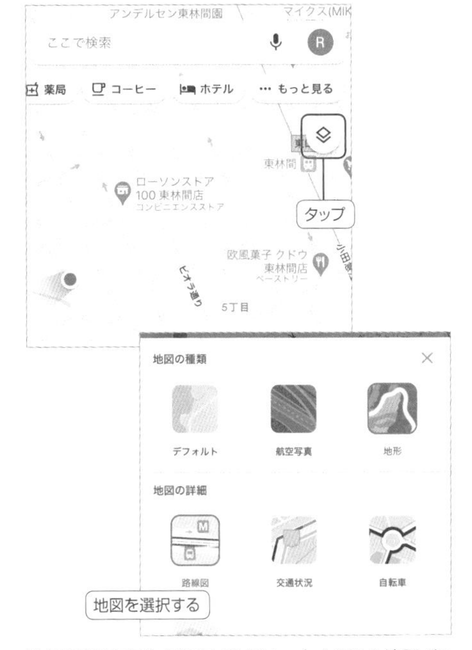

地図の表示方法を変更するには、右上にある地図ボタンをタップしよう。地図の表示方法を選択しましょう。

交通状況

路線図

航空写真

地形

ロングタップすれば施設の名前まで分かる

マップの正確な住所や名称が知りたいときは、その場所をロングタップすることで情報が表示されます。詳細画面からは関連サイトにアクセスしたり電話をかけたりできます。

1 地図上のポイントをロングタップする

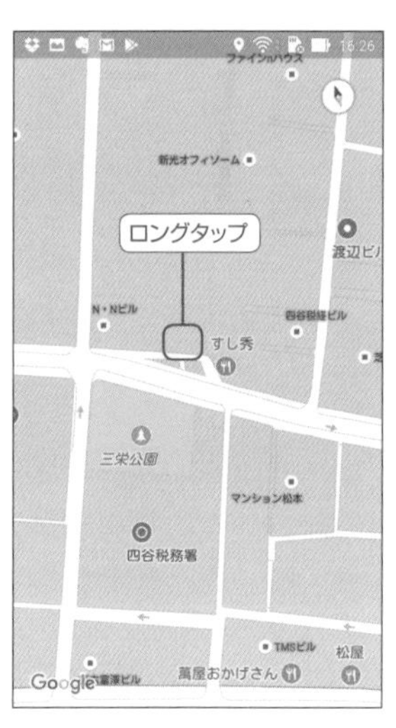

地図上の位置は分かるものの、名称や住所などがわからない場合は、そのスポットをロングタップしましょう。

2 地図上にピンが配置される

赤いピンが地図上に配置され、下に施設の名所が表示されます。タップして詳細を表示しましょう。

3 施設の名称や住所がわかる

施設の名称や住所が表示されました。電話番号が表示される場合もあります。ここからルート検索もできます。

指定した地点付近を写真で見る

Googleマップでは指定した地点の周囲の写真をチェックすることができます。写真をチェックしたい場所を開いたら、画面右下の「画像を表示」をクリックします。その周辺で撮影された写真を一覧表示できます。地図を拡大縮小したり、移動すると写真も自動的に切り替わります。

1 「探索」をクリック

周囲の写真を表示したい場所をGoogleマップで表示させたら、右下の「画像を表示」をクリックします。すると表示している地図と関わりの深い周囲の写真が表示されます。

2 地図を移動させると写真も変化

地図を拡大縮小したり、移動させると地図内容も変化します。

3 写真を全表示する

写真をクリックすると写真が表示されます。右下の「<」「>」で写真を切り替えることができます。その写真の位置情報は左下に表示されます。

タクシーの料金を調べ配車も依頼する

PC対応 iOS対応 Android対応

人気のタクシー配車アプリ「Uber」や「全国タクシー」をスマホにインストールしておけば、Googleマップのルート検索と連携させることができます。指定したルートのタクシー料金がひと目で確認でき、さらに配車依頼もスムーズに行なえます。ただし、対応しているエリアは狭く、都心近郊での利用が中心となります。

1 配車アプリをインストール

まずはUberや全国をインストールしておきましょう。Android、iOSどちらにも対応しています。

2 ルート検索でタクシーを選択

Googleマップでルート検索を実行し、移動手段にタクシーを選択しましょう。なおルートによってはタクシー項目は表示されないことがあります。

3 配車アプリでタクシーを依頼

Googleマップは「Uber」と「全国タクシー」に対応しています。タップするとルートが表示されアプリが起動し、タクシーを呼ぶことができます。

現在地周辺の飲食店や観光スポットを探す

PC対応 iOS対応 Android対応

仕事や旅行中などの出先で、近所のあしい飲食店やおすすめの観光スポットを知りたい、といった要望に応えることができるのもGoogleマップの魅力です。周囲のスポットを簡単に探せます。

1 下部メニューから「スポット」を選択

「マップ」アプリを起動したら、下部メニュー左端にあるスポットをタップしよう。

2 ジャンルを選択する

スポットのジャンルが表示されます。探しているジャンル名を選択しましょう。

3 スポットが一覧表示される

選択したジャンルのスポットが写真付きで一覧表示されます。距離や評価などでフィルタリング表示もできます。

一目でわかるGoogleストリートビューの基本画面

Googleストリートビューでは、道路上で撮影した画像をパノラマ化して全方向を見渡せるようにし、まるでその場を歩いているかのような感覚で地図上を移動できます。

PC対応　iOS対応　Android対応

1 ストリートビューを起動させるには

まず、Googleマップ上の任意の場所で、マップ右下の人型のアイコンをクリックしましょう。すると、ストリートビューで閲覧可能な道路が青く表示されます。

2 表示したい場所をクリック

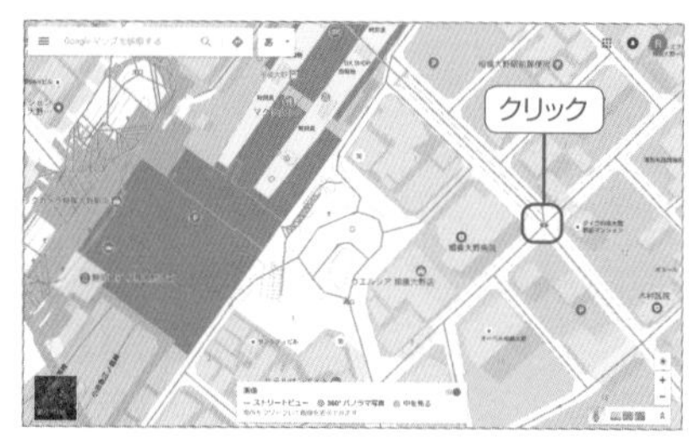

青くなっている道路の上のどこかでふたたびクリックすると、サムネイルが表示され、その場所のストリートビュー画面に切り替わります。

3 ストリートビュー画面

現在地

地図に戻る
「←」をクリックすると、通常の地図表示に戻ります

マウスでの操作
画面上のどこかをクリックしたままマウスを動かすと、表示する方向や角度を変えることができます。クリックするとその地点まで移動します

地図メニュー
地図上から、ストリートビューで見たい場所をすぐに指定できます。また、ストリートビューをやめたい場合は「地図に戻る」をクリックします

ピンを配置
クリックすると地図表示に切り替わり、その場にピンが配置されます。ルート検索や場所の保存ができます

ビューを回転
現在のビューの回転ができます。西向き(左のボタン)と東向き(右のボタン)があります

ズームイン／アウト
ストリートビューの画像を拡大／縮小することができます

画像を隠す
下部のストリートビュー画像を隠すことができます。クリックしてもう一度表示できます

その他のストリートビュー
他のユーザーがGoogle ストリートビューに投稿した画像をクリックして見ることができます。左上の「< >」ボタンで、見たい画像を移動できます

CHECK!

ストリートビューの便利な使い方

事前に現地の情報を調べる

出かける前に現地の道路状況を調べるのに便利です。駅からの道のりを写真で確認したり、駐車場が付近にあるかなどがわかります。

ユーザー投稿の写真を楽しむ

画面下部のユーザーからの投稿画像の中には、ストリートビューではなかなか気づかないようなおすすめスポットが投稿されていることも。

世界中を旅行した気分になる

世界中の名所を検索してストリートビューでアクセスすれば、疑似旅行体験が楽しめます。旅行で行けないような秘境も見ることができます。

一目でわかるGoogle Earthの基本画面

地球上のほぼすべての場所を立体画像で仮想的に体験できる「Google Earth」なら、自宅にいながらにして世界中を自由に旅することができます。以前はパソコンにインストールする必要がありましたが、現在はブラウザ上で利用できます。

PC対応　iOS対応　Android対応

Google Earth(グーグルアース)は、バーチャル地球儀ソフトです。世界中の衛星写真をもとにした地図を地球儀のようにつなげて表示できるだけでなく、地形や建物までも立体で再現し、さらに拡大もできるため、世界中のほぼすべての場所を見たり歩いたりする感覚を味わえます。また、昨年から一新され新機能が追加されました。「Voyger」ではGoogle Earthが厳選する名所の写真を簡単に切り替えて表示することができます。また、これまではPCにソフトをインストールする必要がありましたが、現在はブラウザ上で利用することができます。

検索ボックス
地名や施設名を入力して検索することができます

Voyger
Google Earthの厳選画像コレクションや、宇宙から見た世界中の絶景を集めたEarth View、都市のリアルな街並みの3D地図、最近公開された最新の衛星画像にすばやくアクセスできます

プロジェクト
GoogleEarthのさまざまな地点を使ってストーリーを作成する

地図のスライド
境界線のオンオフなど地上のさまざまな表示設定をカスタマイズできます

設定メニュー
Google Earthの設定メニューです。お気に入りにアクセスしたり、地図のスタイルなどの設定を変更できます

現在位置
ユーザーの現在位置を表示します。

ストリートビュー
地図上に青色の部分が現れ、クリックするとストリートビューに切り替わります

表示切り替え
地図を2D表示にします。もう一度クリックすると3D表示になります

ナビゲーション
クリックすると宇宙にズームアウトし、ドラッグで指定した場所へ移動できます

I'm Feeling Lucky
Googleがおすすめする名所2万カ所からランダムに選ばれた場所を開きます

視点移動
この上でドラッグすると方向や角度を切り替えることができます。ダブルクリックするとナビゲーションとボタンが入れ替わります

測定
始点と終点を設定して距離を測ることができます

Google Earthで観光名所をブックマークする

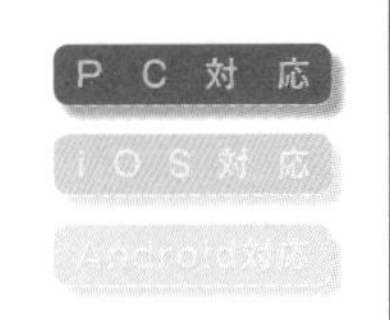

Google EarthはGoogleマップよりも地図を立体的に表示できるのが大きな特徴です。経路や住所を調べるよりも観光名所の実際の外観を閲覧したいときに向いています。また、調べた名所はプロジェクトに登録することができ、登録したスポット間を簡単に移動することができます。

1 検索ボックスでキーワードを入力

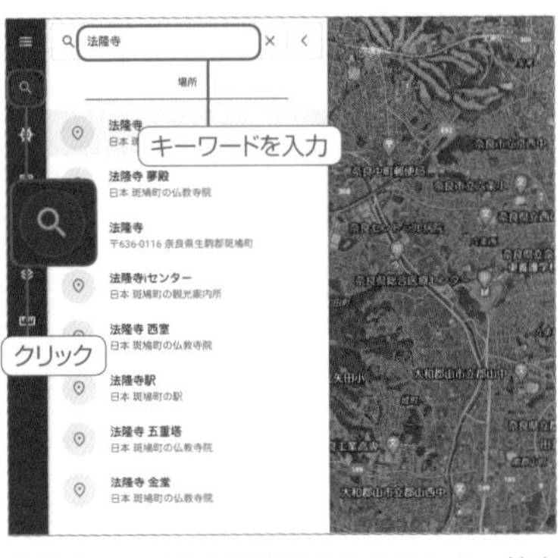

左のメニューから虫眼鏡アイコンをクリック。検索ボックスが表示されるのでキーワードを入力しましょう。

2 プロジェクトに登録する

検索した名所をプロジェクトに登録するには、表示されるカード左下にある「プロジェクトに追加」をクリックしましょう。続いて表示される画面で「保存」をクリックする。

3 プロジェクトを作成する

同じようにほかの都市もプロジェクトに追加しよう。その後、プロジェクトメニューからプロジェクトを開くと保存した場所へ簡単に移動できる。

スマートフォンでGoogle Earthを使う

PC対応
iOS対応
Android対応

スマートフォンでも、専用アプリをインストールすればGoogle Earthを使うことができます。パソコン版と同様にキーワード検索やストリートビューにも対応しています。名所であれば施設内の探索もできます。

1 Google Earthアプリを起動

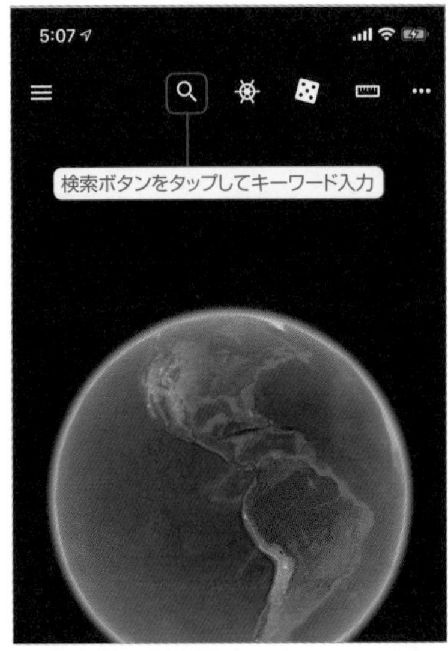

アプリの起動画面です。上部の検索ボタンをタップしてキーワード検索しましょう。ピンチアウト／ピンチインで拡大／縮小もできます。

2 世界の名所を探訪してみよう

自由の女神像を検索してみました。画面をタップして表示される人型アイコンをタップするとストリートビューに切り替わります。

3 ストリートビューで施設内を探索!

ストリートビューで閲覧できる場所は青い点で表示され、タップするとその場所を360度視点で閲覧できます。

Gmailでスマホも タブレットも一元管理

SECTION

4

Gmailの素晴らしさ!

GmailはGoogleが提供している無料のメールサービスです。Googleアカウントを介して複数の端末間での同期が可能なので、端末を選ばず、いつでもどこでもGmail宛てに受信したメールを読むことができます。また、Gmailはすべてのメールをサーバに保存しているので、どの端末機器でメールを閲覧しても既読や未読等の閲覧状況やメールの振り分けなどの設定もすべての端末機器にも反映され、最新の状態で読むことができます。その他、超強力な迷惑メールフィルタ、「ラベル」機能や「アーカイブ」機能に代表されるメールの管理・検索機能、複数のメールアドレスをGmailを介して一元管理できるなど、便利な機能を多数備えています。

パソコン

スマートフォン

会社で使っている他のメールサービスをスマホのGmailで受信するなど、Gmailで一元管理することも可能です。パソコン、スマートフォン、タブレット、どの端末でも閲覧可能です。

基　本　用　語

アーカイブ
受信メールを整理するための機能。受信トレイに溜まった削除したくないメールを受信トレイから表示させなくする。検索すればアクセスでき、読むことができる。

スレッド表示
同じ話題に関するメールをまとめて管理すること。同じ話題というのは、あるメールに対して返信を行い、また返信に対して返信する、といった一連のやり取りのメールなどのこと。

添付ファイル
メールに写真など本文とは別に付けて送るファイルのこと。クリップのマークで添付することができる。

プロバイダーメール
プロバイダ契約や会社のメールアドレスを取得したときに与えられるもの。おもにアカウント情報や受信サーバや送信サーバ情報など。

メイン / ソーシャル / プロモーション
Gmailの受信メールを自動で「メイン」「ソーシャル」「プロモーション」の3つのタブ(ラベル)に振り分けてくれるその各スペース。

一目でわかるGmailの基本画面（パソコン編）

パソコン版Gmailは、ブラウザ上から利用します。パソコンにアプリをインストールする必要はありません。利用しているGoogleアカウントにログインすればすぐに利用できます。

PC対応　iOS対応　Android対応

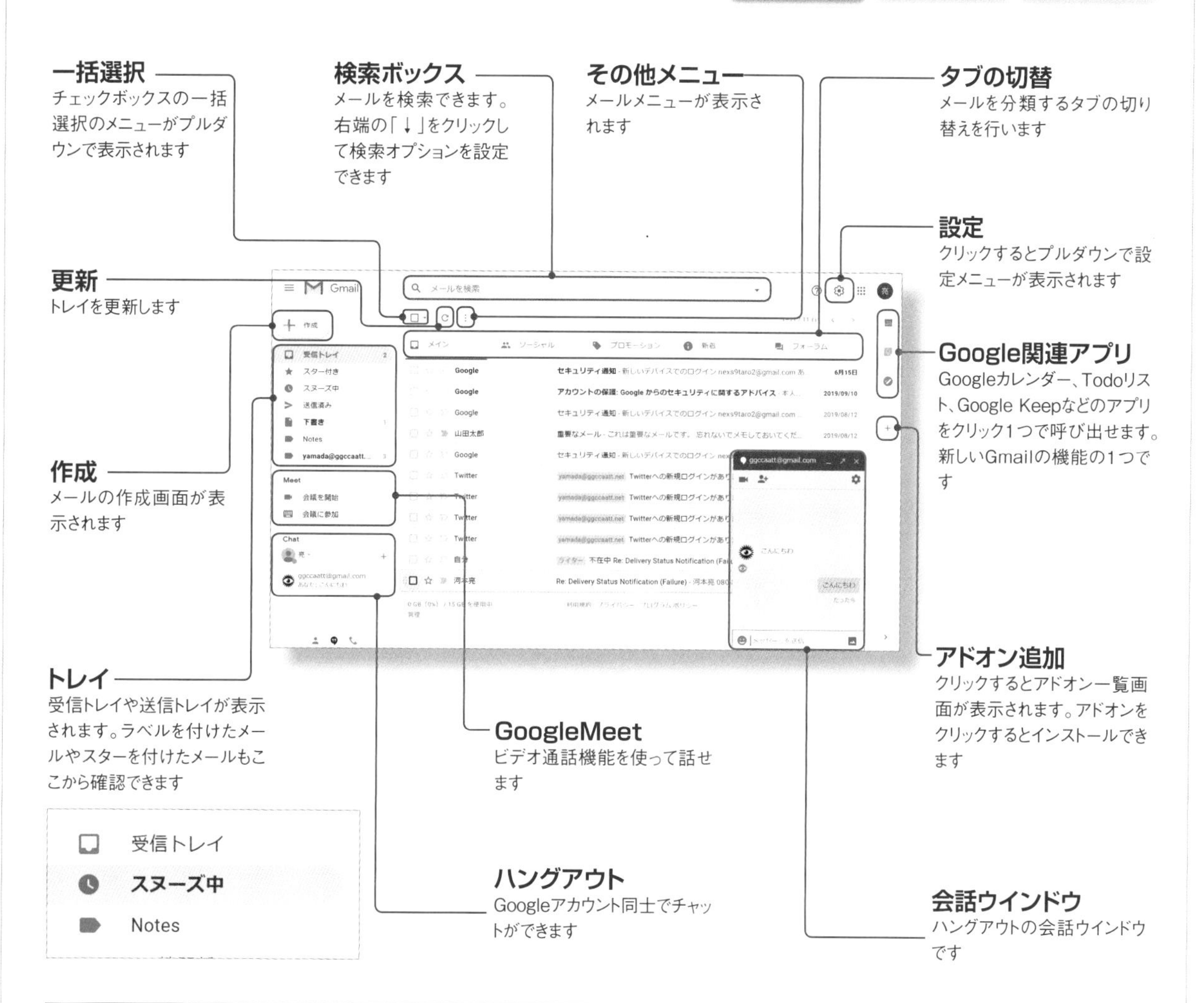

設定画面の各タブ内容をチェックしよう

Gmailで細かな設定変更を行う場合は、いつも「設定」画面にある各タブを利用することになります。各タブ内容の役割を把握しておきましょう。

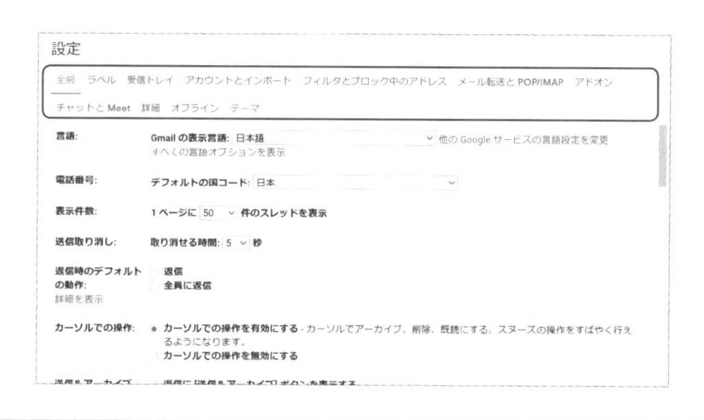

●全般
おもにGmailのレイアウトに関する設定変更ができます。署名、1ページの表示件数、メッセージ内の画像の表示設定、スター、ボタンの表示設定を行います。

●ラベル
トレイに表示されている「重要」「迷惑メール」「ゴミ箱」など各種ラベルの表示設定が行えます。「ソーシャル」「プロモーション」などカテゴリタブの表示設定もできます。

●受信トレイ
受信トレイのレイアウトを変更します。日付順ではなく重要なメールを先頭に表示したり、未読メールを先頭にしたりできます。

●アカウントとインポート
ほかのプロバイダやGmailのメールを受信するようにしたり、ほかのメールアドレスでメールを送信する設定をします。

●フィルタとブロック中のアドレス
フィルタの設定全般を行います。

●メール転送とPOP/IMAP
Gmailに届いたメールをほかのメールアドレスに転送したり、POPやIMAPの設定を行います。

●アドオン
インストールしたアドオンの管理をします。

●チャットとMeet
チャット機能やGoogleMeetの設定をします。

●詳細設定
Gmailをさらに使いこなすための拡張機能にアクセスできます。

●オフライン
オフラインGmailを有効にするか無効にするか設定できます。

●テーマ
Gamilのテーマを変更できます。

一目でわかる Gmailの基本画面 (スマートフォン編)

Gmailはスマホ版やタブレット版も存在しています。こちらはともにブラウザではなく専用のアプリがあります。Android端末なら最初から装備されています。iOS端末はApp Storeからダウンロードしましょう。

タブレット版Gmailの基本画面

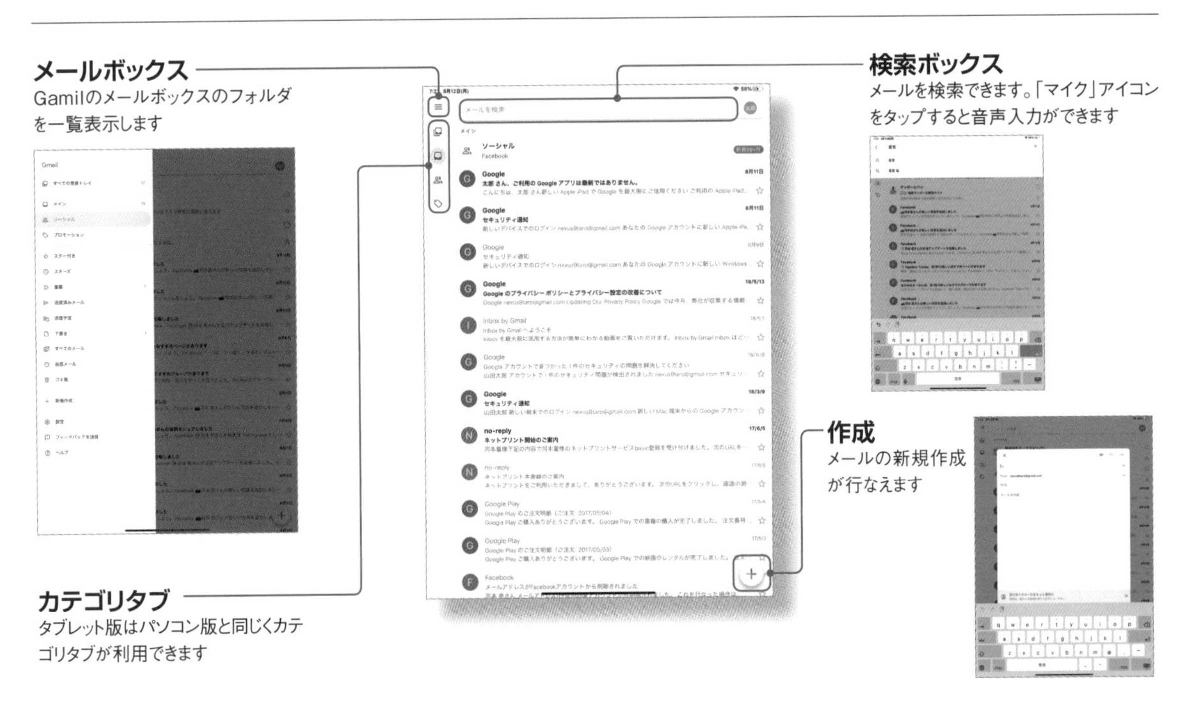

スマホ版Gmailの基本画面

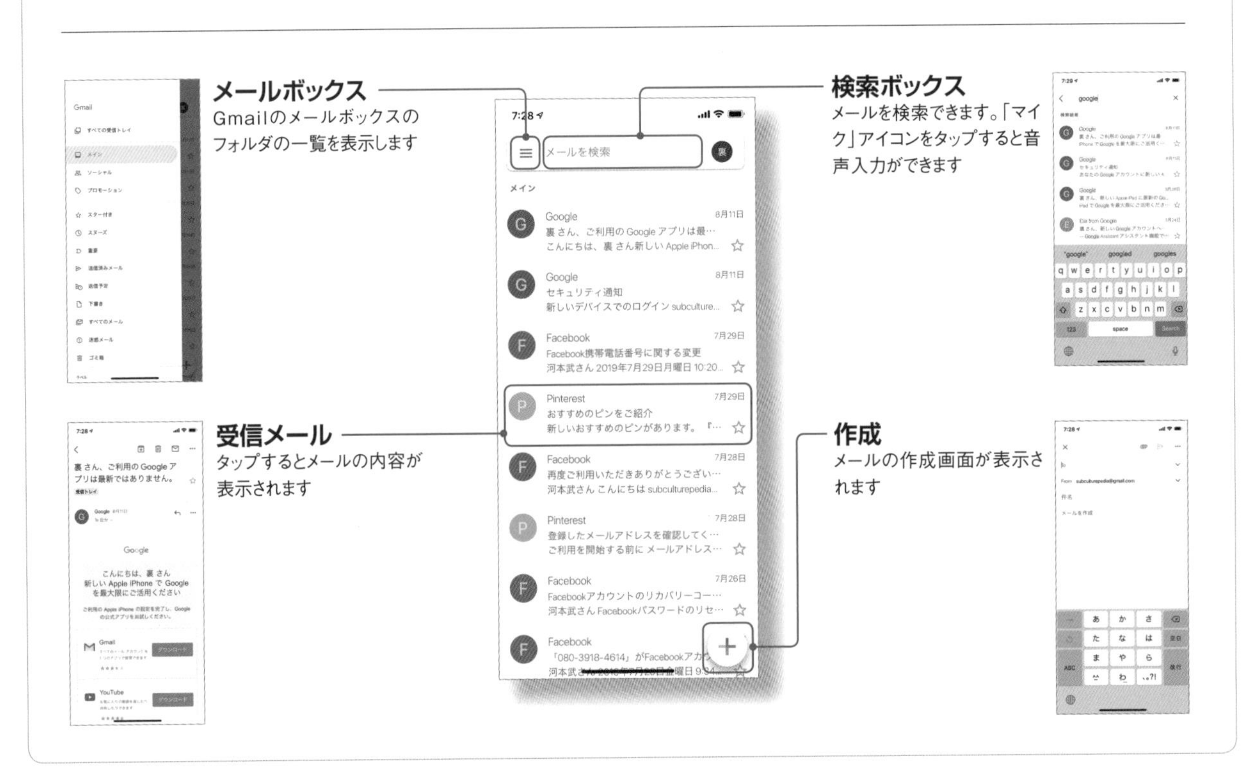

Gmailの基本操作をマスターする (送信編)

Gmailではブラウザ上からメールを作成して送信することができます。ブラウザ上にファイルをドラッグ&ドロップで添付したり、フォントメニューを使ってテキスト装飾もできます。CC/BCCにメールアドレスを入力して複数の人に同時にメールを送信することもできます。

Gmailでメールを送信する

「作成」をクリックしてメールの新規作成を開く

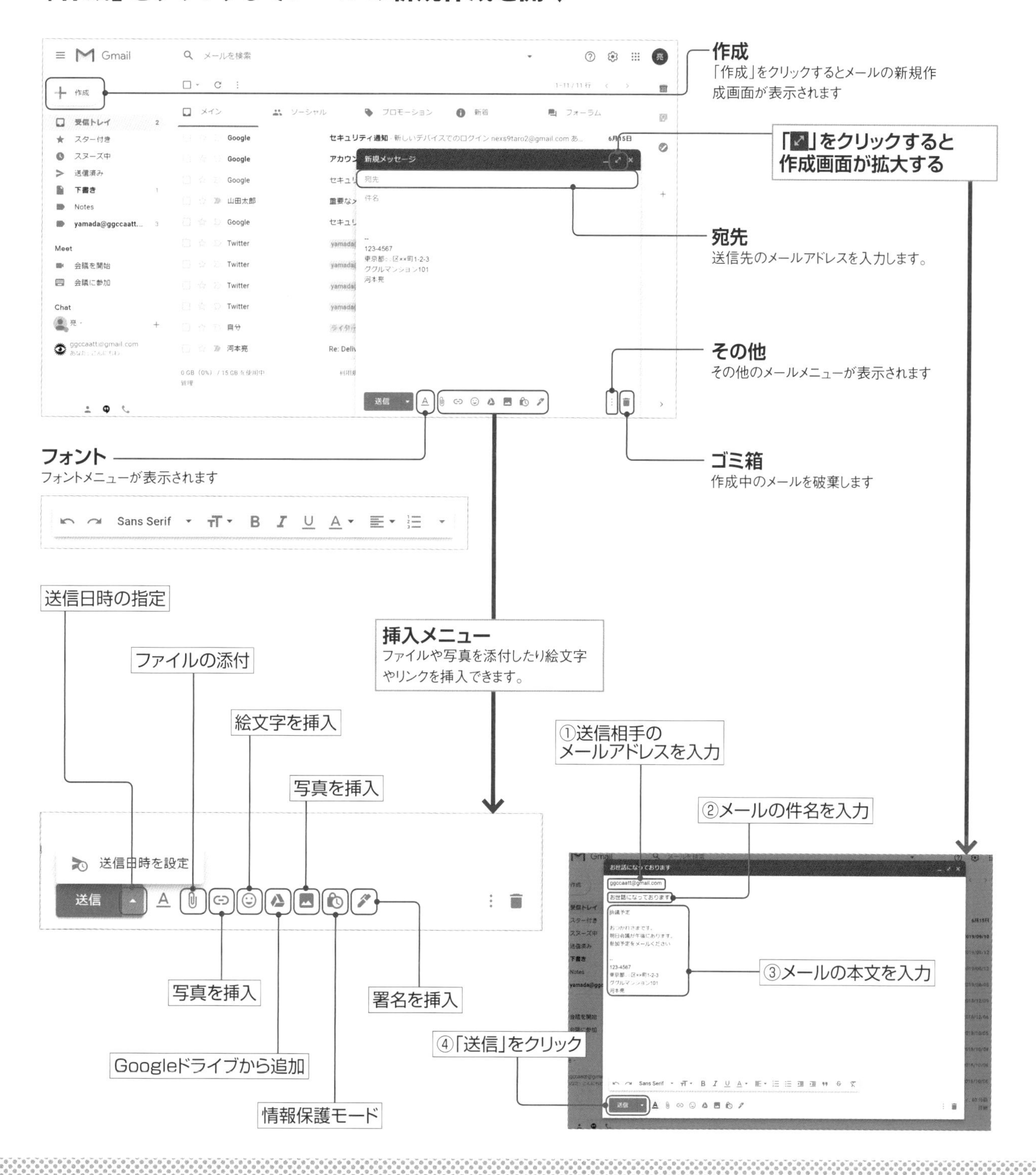

Gmailの基本操作をマスターする（受信編）

Gmailでメールを受信すると受信トレイに表示されます。Gmailのメール閲覧画面には迷惑メールフィルタやアーカイブなどさまざまなメニューが用意されています。各ボタンのおおまかな用途を把握しておきましょう。詳細は次ページ以降で紹介していきます。

Gmailでメールを受信する

閲覧するメールを受信トレイから選ぶ

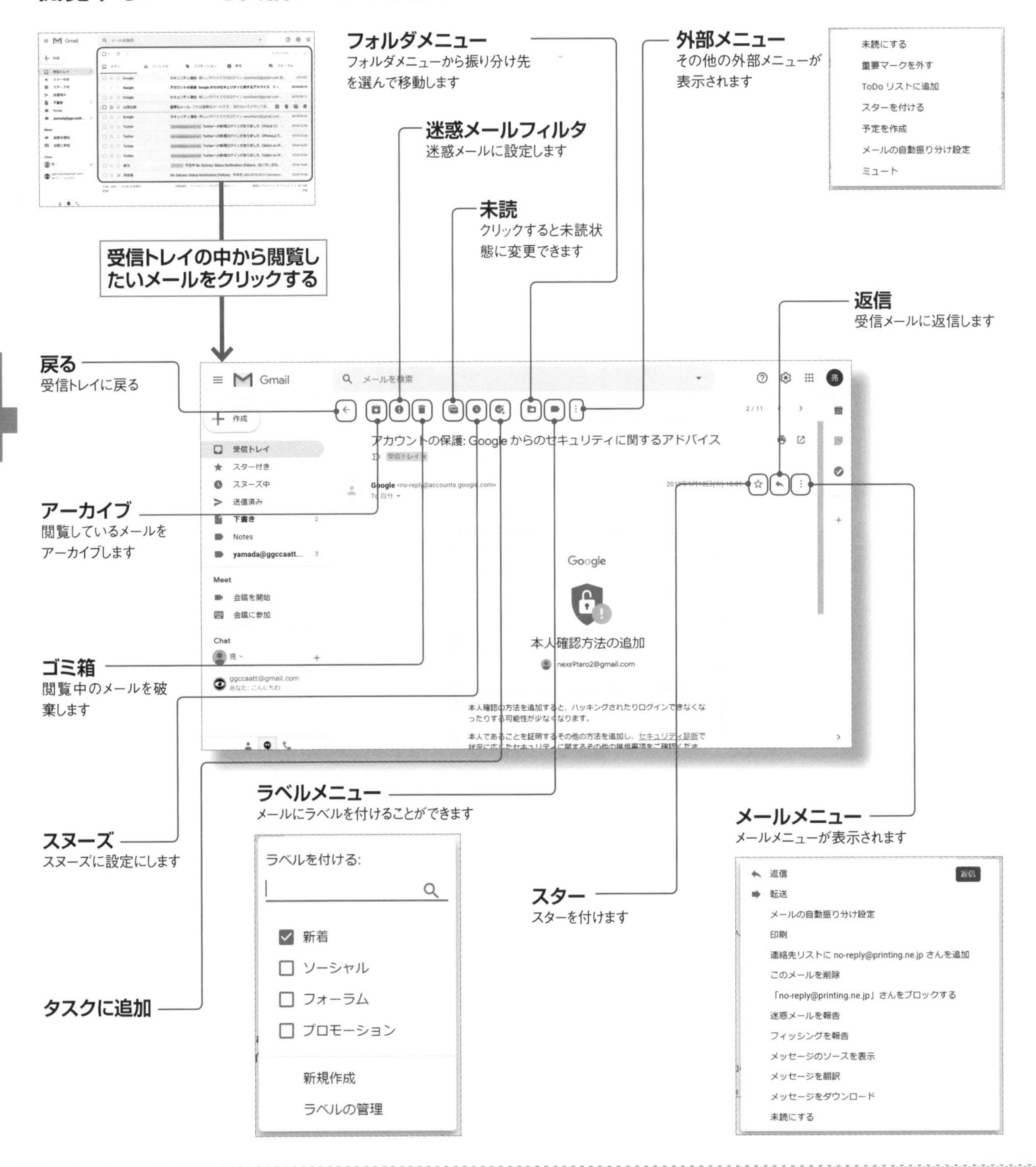

送信メールに写真などを添付する

Gmailでは通常のメール同様、写真や文書などのファイルを添付して送信することができます。メール作成ウインドウで添付したいファイルをドラッグ&ドロップするだけです。うまく添付できない場合は、画面下部にあるアイコンをクリックしましょう。なおGmailはGoogleドライブ上にあるファイルを添付することもできます。画像ファイルの場合はサイズを圧縮してメール容量を節約することもできます。

1 ファイルをドラッグ&ドロップする

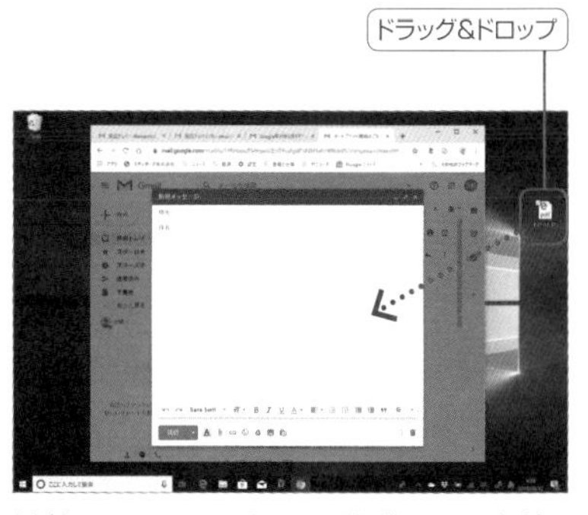

添付したいファイルをメール作成画面に直接ドラッグ&ドロップしましょう。

2 ファイルが添付される

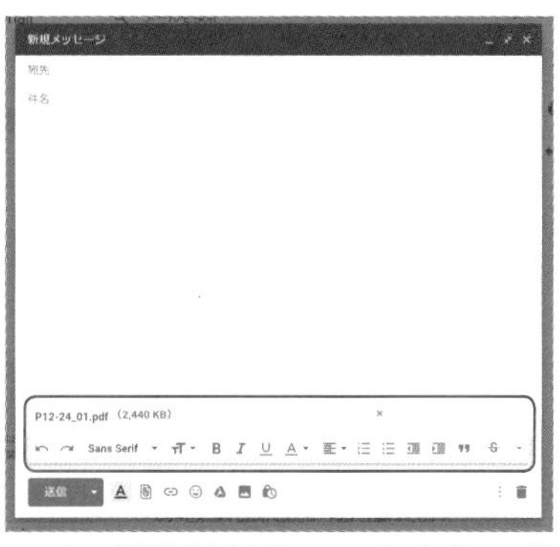

ファイルが添付されました。ファイルタイトルの横にサイズが表示されます。ファイルは複数添付することができます。

3 添付ファイルボタンをクリック

メール作成画面下にある添付ボタンをクリックするとファイル選択画面が表示されます。ここからファイルを添付することもできます。

受信したメールに返信する

Gmailでメールを返信するには、開いたメール本文の下にある「返信」、もしくは右上にある返信ボタンをクリックしましょう。返信用メール作成画面が表示されるので返信用のテキストを入力しましょう。全員に返信する必要があるメールの場合は、「全員に返信」メニューを利用しましょう。

1 返信ボタンをクリックする

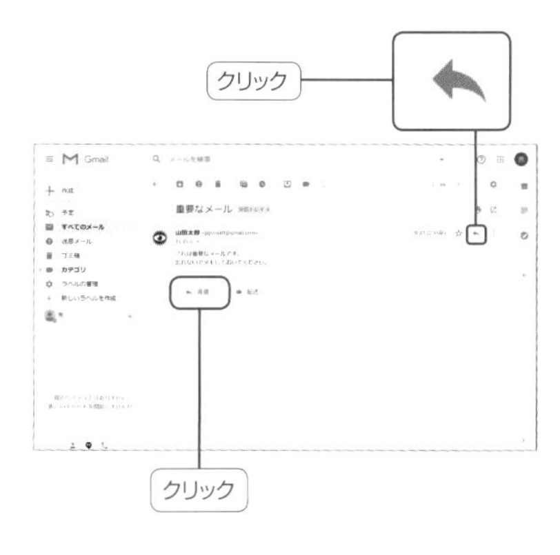

受信したメールの下部にある「返信」、もしくは右上の返信ボタンをクリックしましょう。

2 返信文を入力して送信する

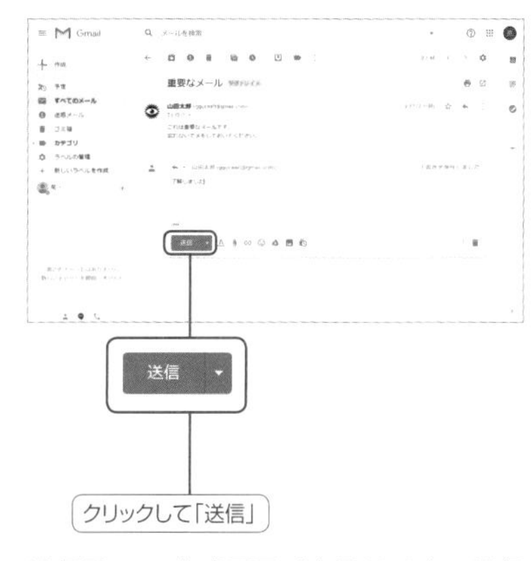

返信用メール作成画面が表示されます。返信メッセージを入力して「送信」をクリックすれば返信できます。

3 複数の人に返信する

複数のメールアドレスに返信する場合は、返信ボタンから「全員に返信」を選択しましょう。なお「転送」からほかのメールアドレスに転送もできます。

一斉メールならアドレス登録かラベルのグループ化で送る

Gmailを使って複数の人にまとめて同じメールを送信する場合は、連絡先(googleコンタクト)をつかいこなしましょう。連絡先にメールアドレスを登録してグループ化しておくことで、複数の決まったメンバーに簡単に一斉メールを送信することができ、毎回一つ一つメールアドレスを登録する必要はなくなります。

連絡先にメールアドレスを登録する

1 連絡先にアクセスする

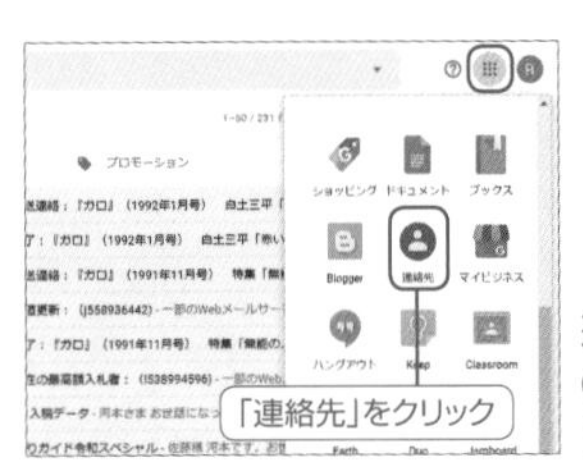

連絡先にを利用するにはGmail右上のGoogleアプリ一覧ボタンをクリックして「連絡先」をクリックします。

2 メールアドレスを登録する

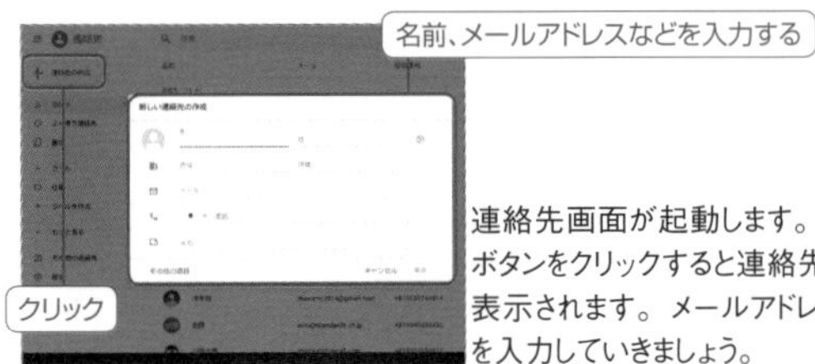

連絡先画面が起動します。左上の追加ボタンをクリックすると連絡先作成画面が表示されます。メールアドレスと名前などを入力していきましょう。

3 どんどん登録していこう

連絡先に登録したメールアドレスは左メニューの「連絡先」から確認できます。登録ができたら同じようにどんどんメールアドレスを登録していきましょう。

4 複数の人にまとめてメールを送信

連絡先に登録した複数のメールアドレスに一斉送信する場合は、対象相手にチェックを入れて、上部の「メールを送信」をクリックしましょう。

ラベルでグループ化してGmailで一斉送信する

1 ラベルを作成する

ラベルを作成するには左メニューから「ラベルを作成」をクリックします。ラベル作成画面が表示されるので、ラベル名を入力して「保存」をクリックします。

2 ラベルを付ける

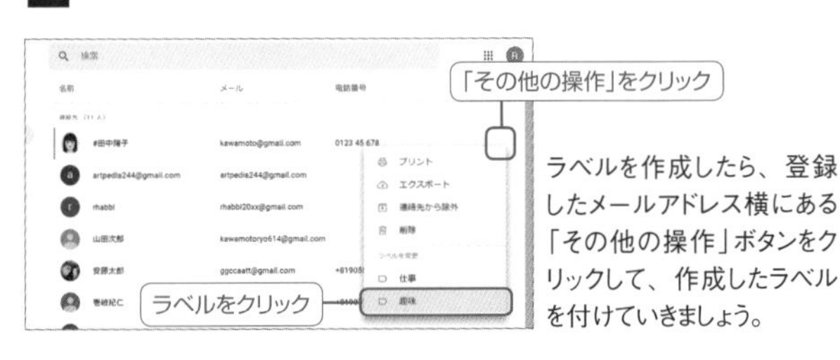

ラベルを作成したら、登録したメールアドレス横にある「その他の操作」ボタンをクリックして、作成したラベルを付けていきましょう。

3 Gmailでメールを作成する

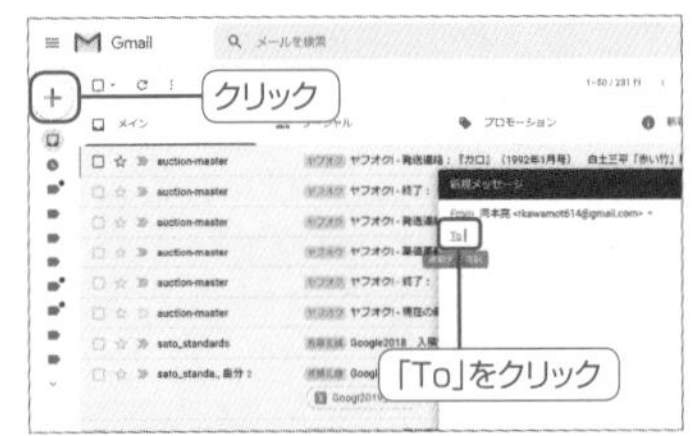

Gmailに戻り「作成」をクリックします。メール作成画面で「To(宛先)」をクリックします。

4 ラベルを指定する

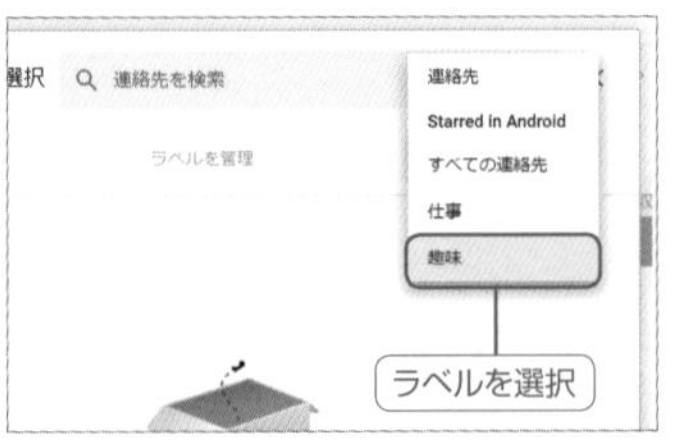

連絡先の選択画面が表示されます。ラベルで作ったグループで一斉送信するにはプルダウンメニューを開き、ラベルを選択しましょう。これで一斉送信が行えるようになります。

全部のメールをGmailだけで一元管理する

Gmailは「@gmail.com」のメールアドレスだけでなく、他に使っているメールアドレス（プロバイダメールなど）に届いたメールを受信して、Gmail上で管理できます。Gmail上からほかのメールアドレスで送信もできます。

1 「歯車」アイコンから「設定」をクリックする

画面右上の「歯車」アイコンをクリックしてメニューを開き、「すべての設定を表示」をクリックします。

2 「アカウント」タブをクリックする

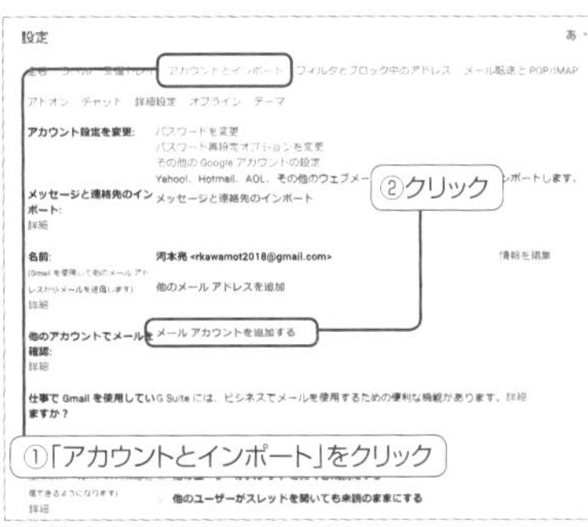

「設定」画面が開いたら、「アカウントとインポート」タブを開いて、「メールアカウントを追加する」をクリックします。

3 追加するメールアドレスを入力する

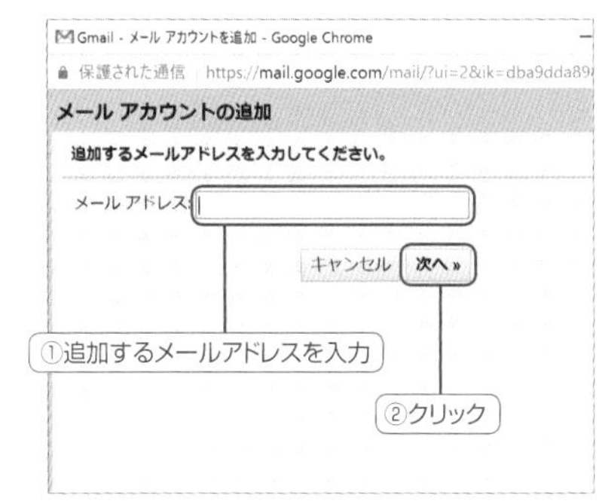

入力ボックスに追加するアカウントのメールアドレスを入力して、「次へ」をクリックします。

4 パスワードなどの必要な情報を入力する

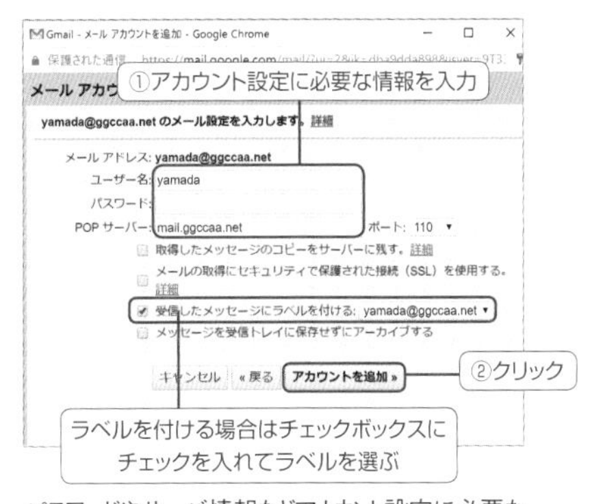

パスワードやサーバ情報などアカウント設定に必要な情報を入力後、「アカウントを追加」をクリックします。

5 アカウントの受信設定が完了する

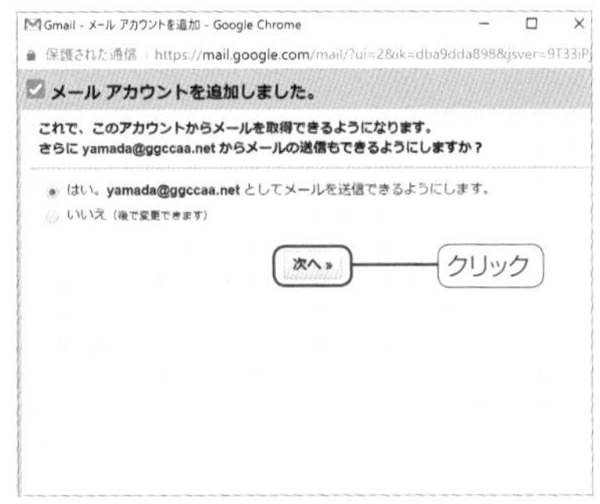

「メールアカウントを追加しました」と表示されると設定は完了です。次に「次へ」をクリックして、設定したアカウントの送信設定を行います。

6 送信者名を決定する

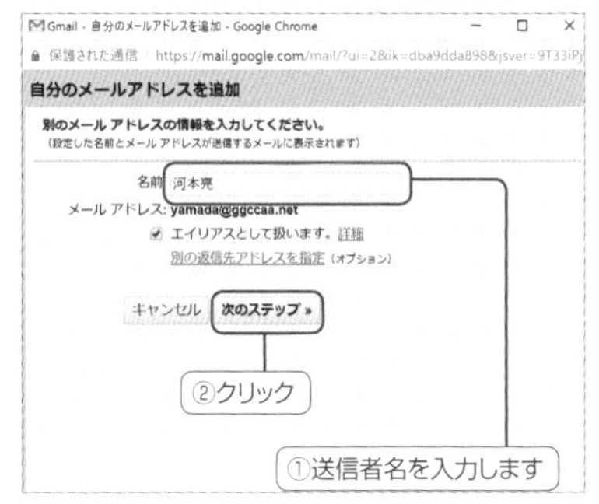

相手が受信した際に送信者の欄に表示される名前を決定します。入力ボックスに名前を入力して、「次のステップ」をクリックします。

7 SMTPサーバ情報を入力する

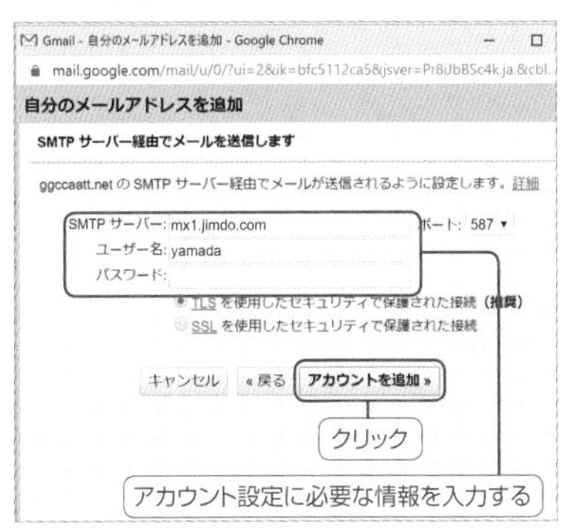

利用するメールサーバのSMTP情報を入力しましょう。「アカウントを追加」をクリックします。

8 確認コードを入力して設定完了

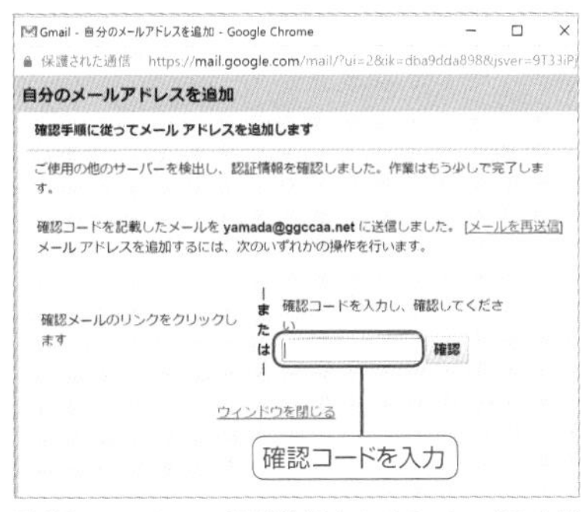

確認メールのコードが送信されるので、ブラウザ上に確認コードを入力して「確認」をクリックすれば登録完了です。

9 アカウントを確認

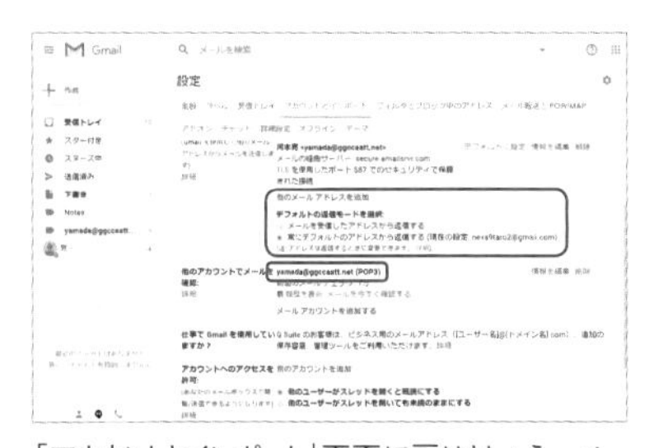

「アカウントとインポート」画面に戻りましょう。メールアカウントが追加されていれば、登録したメールアドレスを使ってGmailでメールの送受信が可能になります。

※パソコンで設定し、同期すれば各スマホのGmailで他のメールを送受信できるようになります。

読みたいメールを検索ですぐに見つける

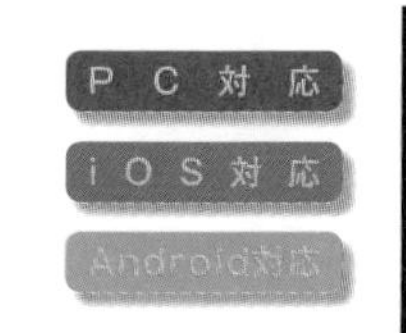

Gmailでは送信者別にフォルダに仕分けするような機能がありません。その代わりに強力な検索機能があります。検索ボックスにキーワードを入力すればOKです。フィルタを使って検索結果を絞り込むこともできます。

1 検索ボックスにキーワードを入力する

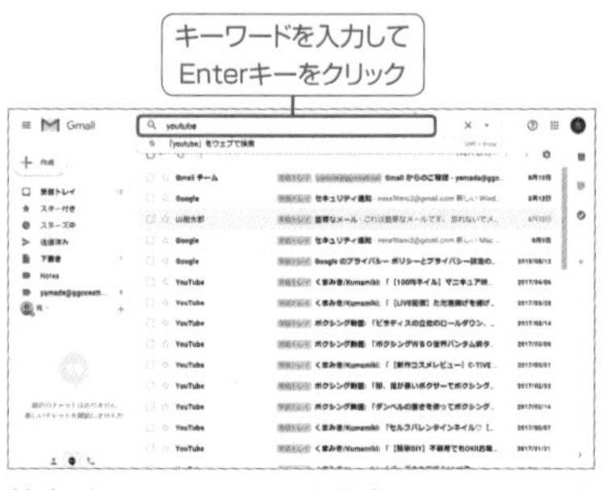

検索ボックスにキーワードを入力して、Enterキーをクリックします。

2 検索結果の一覧が表示される

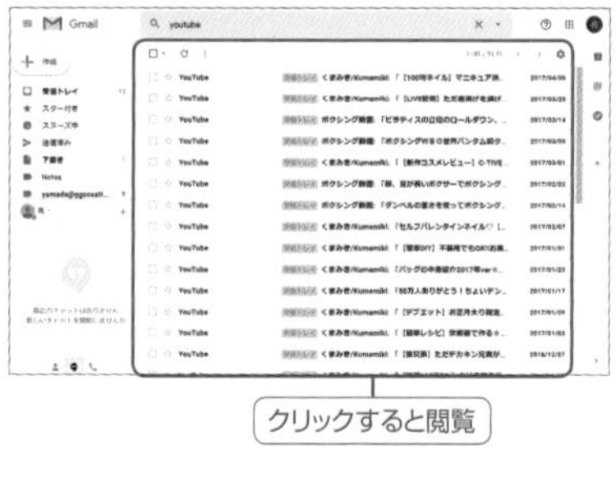

キーワードに該当するメールの一覧が表示されます。メールをクリックすると閲覧できます。

3 パソコン版だと詳細な検索が可能

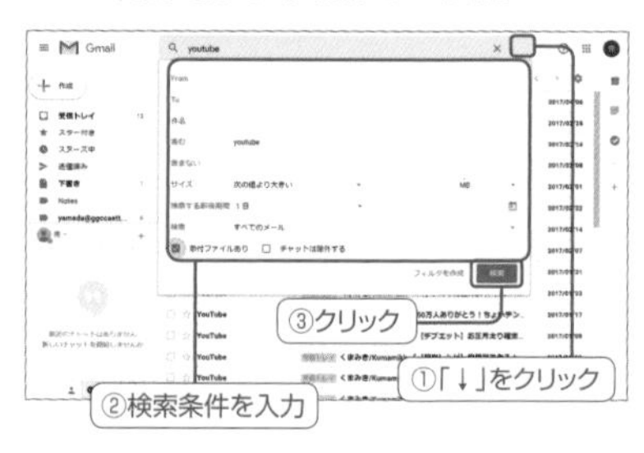

検索ボックスの右にある「↓」をクリックすると、検索条件を絞り込んで、より詳細な検索ができます。

スレッド表示が嫌なら変更しよう

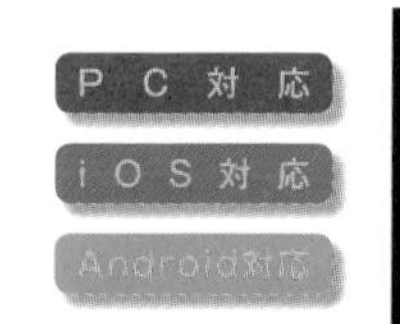

受信トレイを見ると、最初のメールへのすべての返信がひとつのスレッドにまとめるスレッド方式で表示されています。スレッド方式が使いづらいと感じたら変更しましょう。設定画面からスレッド表示をオフにすることができます。

※スマホ版では「設定」→「全般」から設定変更ができます。

1 「歯車」アイコンから「設定」をクリックする

画面右上の「歯車」アイコンをクリックしてメニューを開き、「設定」をクリックしすべての設定を表示。

2 「スレッド表示OFF」にチェックを入れる

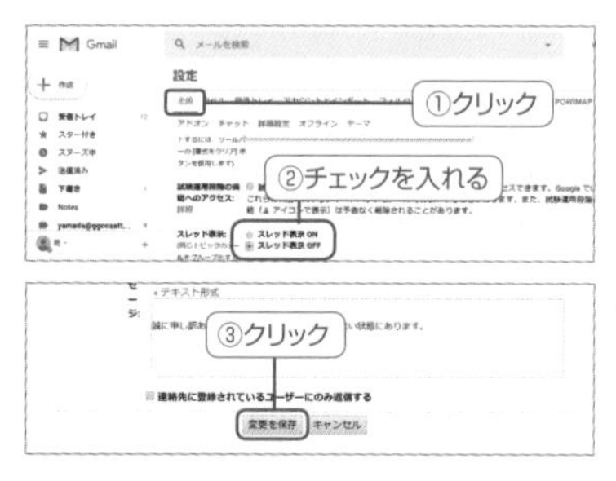

「全般」タブのスレッド表示の項目の「スレッド表示OFF」にチェックを入れ、画面下部にある「変更を保存」をクリックします。

3 スレッド表示のオフ設定が完了

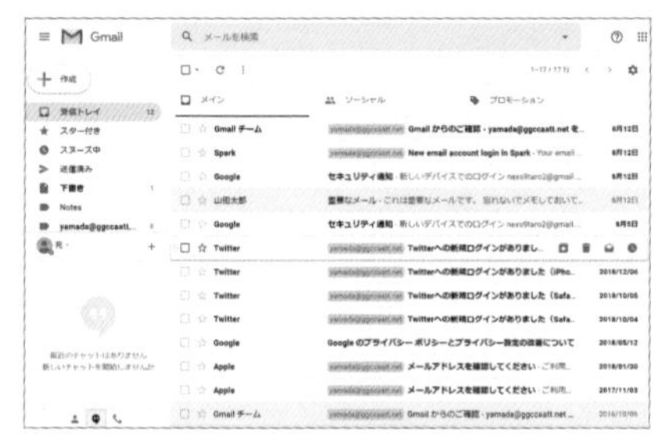

スレッド表示を再設定する場合は、「スレッド表示ON」にチェックを入れると再設定されます。

4 特定のスレッドを非表示にする

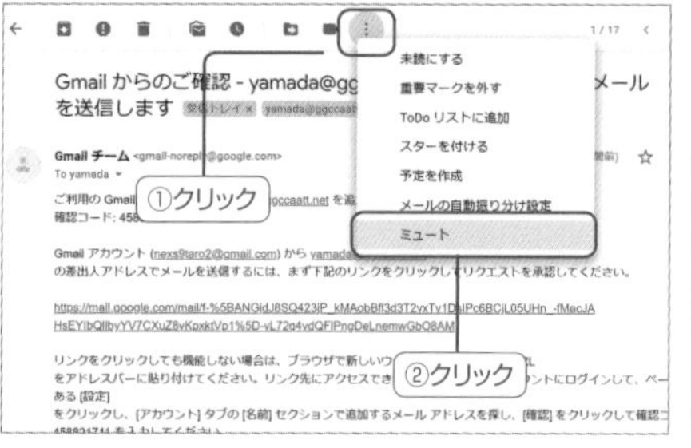

非表示にするスレッドの「その他」をクリックしてメニューを開き、「ミュート」をクリックすると、そのスレッドが非表示になります。

名前や住所を「署名」で表示しよう

毎回メールの文末に署名を書くのは面倒です。署名機能で名前や住所などを設定すると、それらが「署名」として新規でメールを作成する際にメールに記載されるようになります。

1 「歯車」アイコンから「設定」をクリックする

画面右上の「歯車」アイコンをクリックしてメニューを開き、「すべての設定を表示」をクリックします。スマホは設定メニューから「署名」で設定します。

2 署名入力欄に署名を設定する

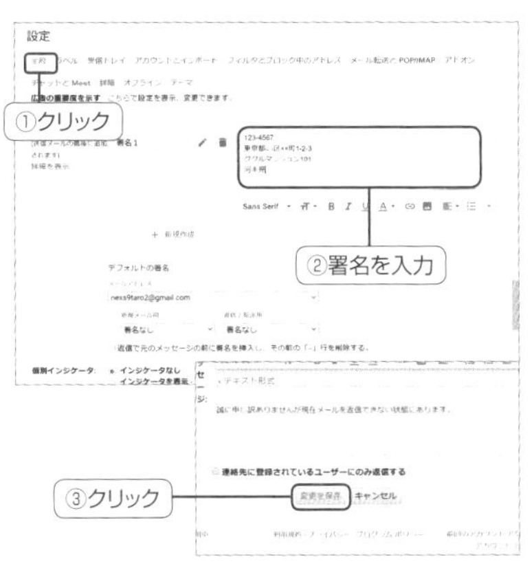

全般タブの「署名」の「新規作成」をクリックし、署名を入力後、「変更を保存」をクリックします。

3 メール作成時に署名が記載される

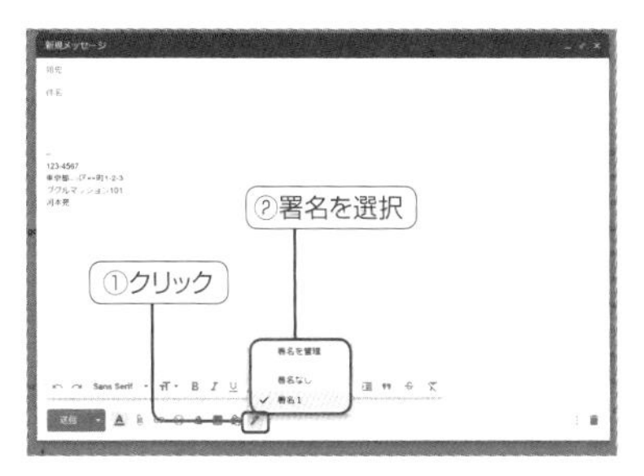

新規でメール作成する際、ツールバーから署名ボタンをクリックし、利用する署名を選択しましょう。

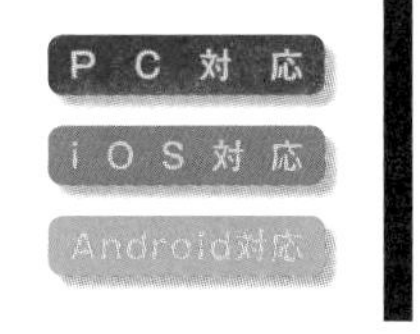

不要なメールを削除する

Gmailの保存容量は標準では15GBと制限があります。不要なメールが貯まってきたら削除しましょう。メールを「ゴミ箱」に移動すると、30日後に自動的に削除されます。複数のメールをまとめて削除する場合は、チェックボックスにチェックを入れてまとめて削除するとよいでしょう。

1 ゴミ箱をクリック

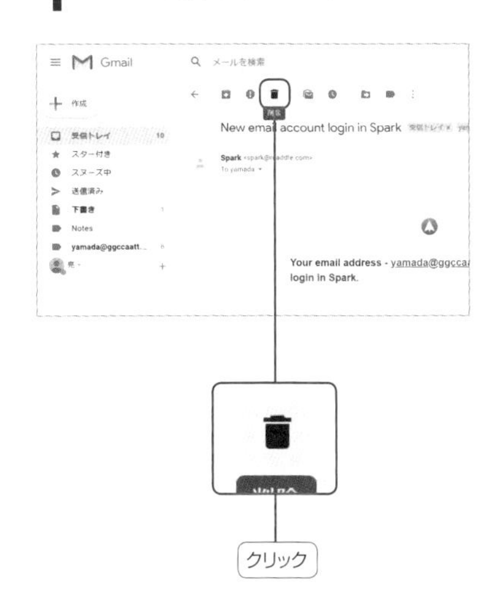

メールを削除するには、メールを開いた状態でゴミ箱ボタンをクリックすればよいです。

2 複数のメールを削除する

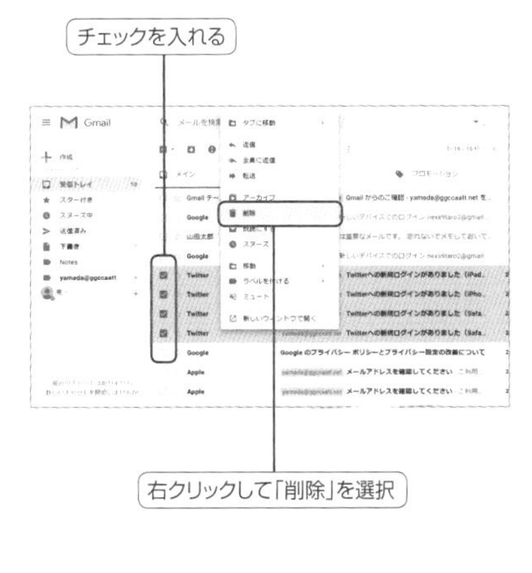

複数のメールを削除するには、メール件名の横にあるチェックボックスにチェックを入れ、右クリックメニューから「削除」を選択しましょう。

3 表示中のメールをまとめて削除

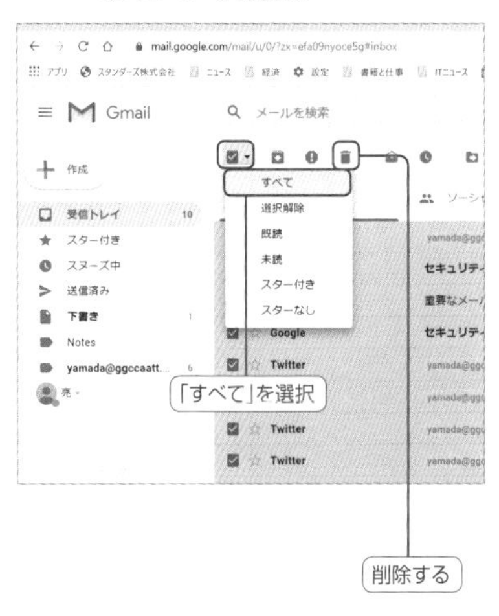

左上にある選択ボタンをクリックして表示されるメニューから「すべて」を選択すると表示中のメールすべてにチェックを入れることができます。

迷惑メールを受信しないようにブロックする

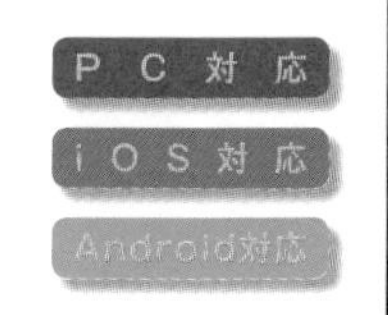

Gmailは強力な迷惑メールフィルタを標準で備えており、ほとんどの迷惑メールを自動的に排除してくれますが、それでも、たまに迷惑メールが届くことがあります。そのようなメールが届かないようにするにはブロックを行いましょう。以降、相手からのメールは自動的に迷惑メールフォルダに振り分けられます。

1 相手をブロックする

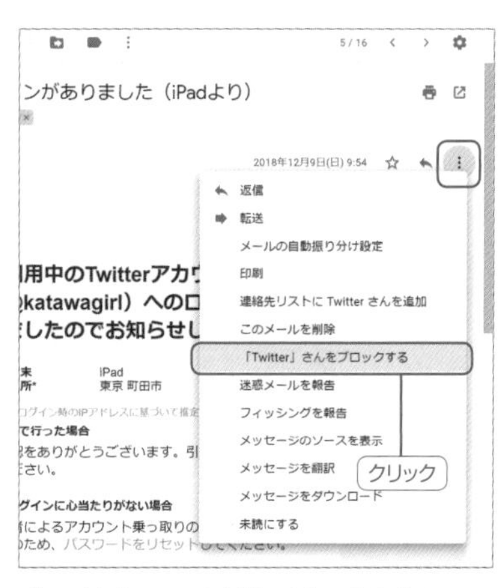

ブロックしたいメールを開いたら、その他メニューを開き「○○さんをブロックする」をクリックしましょう。

2 迷惑メールフォルダに移動する

ブロックした相手は以降、迷惑メールフォルダに自動的に分類されるようになります。

3 ブロックを解除する

ブロックを解除する場合は、迷惑メールフォルダからブロックした相手のメールを開き、「迷惑メールではないことを報告」をクリックしましょう。

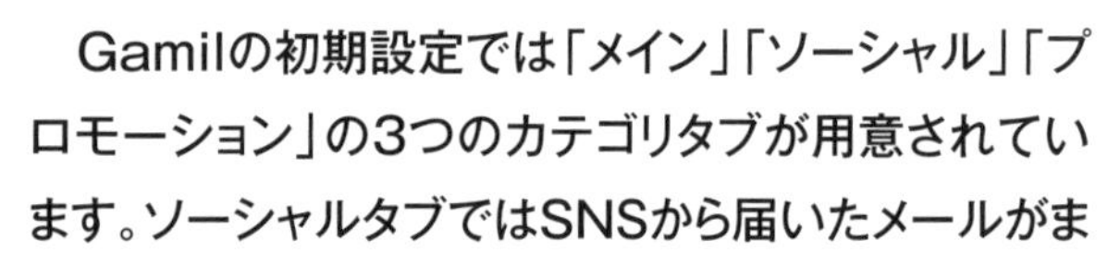

広告やSNSのメールをタブで分けておく

PC対応 iOS対応 Android対応

Gamilの初期設定では「メイン」「ソーシャル」「プロモーション」の3つのカテゴリタブが用意されています。ソーシャルタブではSNSから届いたメールがまとめて表示され、プロモーションでは企業からのダイレクトメールが届きます。また、「新着」や「フォーラム」といったタブも用意されています。

1 カテゴリタブをクリック

メールの上に設置されているタブをクリックすると、そのタブに振り分けられたメールを一覧できます。タブを増やすには、設定メニューの「受診トレイの種類」から「デフォルト」の「カスタマイズ」をクリック。

2 カテゴリタブを追加する

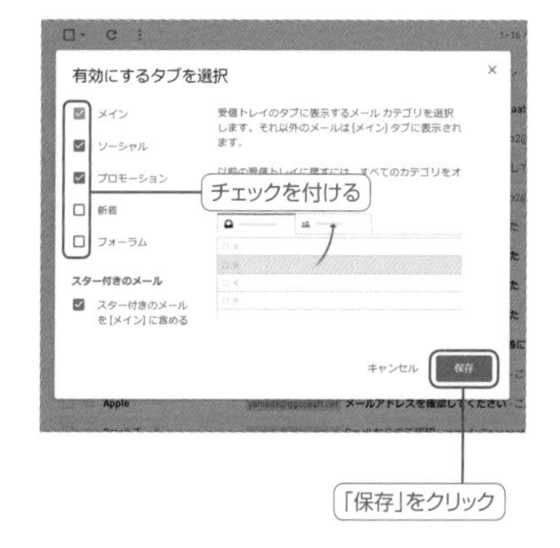

表示したいタブにチェックを入れましょう。逆に非表示にするタブのチェックは外しましょう。「保存」をクリックします。

3 「新着」と「フォーラム」タブ

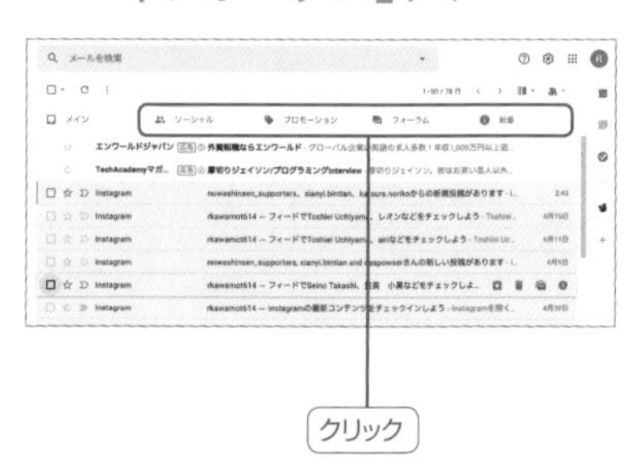

「新着」タブでは確認書、領収書、請求書などが届きます。「フォーラム」ではメーリングリストやGoogleグループからのメールが届きます。

メールをまとめて既読にする

たまった未読メールをまとめて既読にしてしたい場合は、左上にある選択ボタンから「すべて」を選択してチェックを入れ、「その他」から「既読にする」を選択しましょう。これでまとめて既読にすることができます。AndroidやiPhoneではメールの複数選択メニューがないため、このテクニックは利用できません。

1 選択ボタンから「すべて」を選択

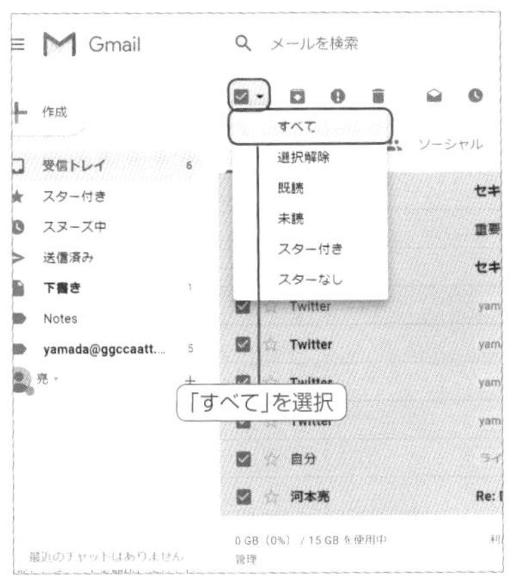

一括既読にしたい受信トレイやラベルを開き、左上の選択ボタンをクリックして「すべて」を選択します。

2 「既読にする」をクリック

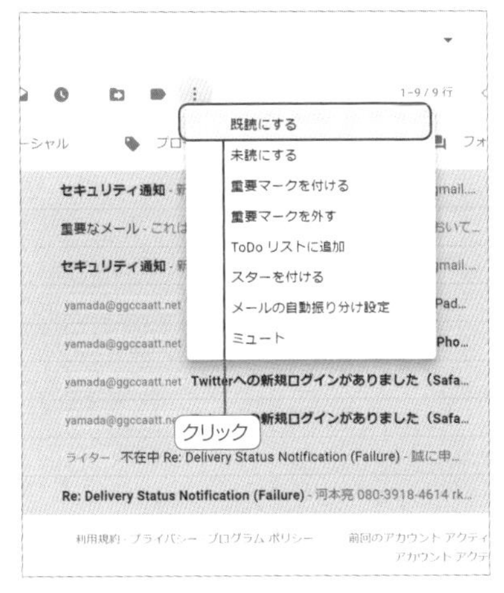

選択状態になったら、「その他」から「既読にする」をクリックしましょう。

3 まとめて既読にできた

受信トレイの未読数の数字がなくなり、既読状態になりました。

Gmailから送っても会社のアドレスが表示されるようにする

会社やプロバイダのメールをGmailで送受信できるのは便利ですが、送信時にGmailアドレスではなく会社やプロバイダのものを表示させたいときがあります。Gmailではメール作成時に会社やプロバイダのメールアドレスを送信元に設定できます。標準で設定するには「アカウントとインポート」と設定変更を行いましょう。

1 メール送信時に「From」から選択する

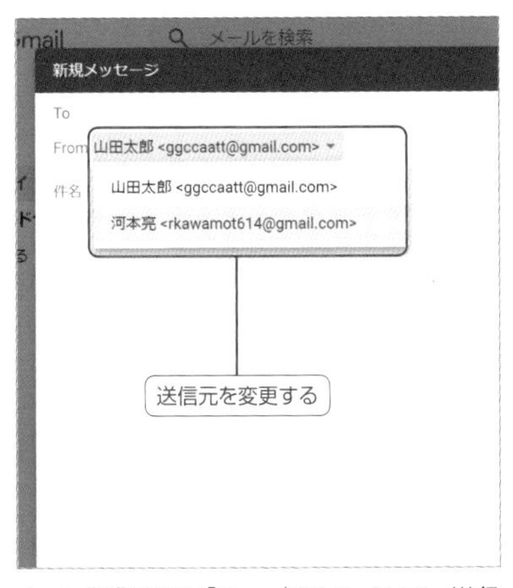

メール作成画面で「From」をクリックして、送信元アドレスを会社やプロバイダのものに変更しておきましょう。

2 設定ボタン→「設定」の場合

標準で送信元をGmailとは別のメールアドレスに変更したい場合は、設定ボタンから「すべての設定を表示」を選択します。

3 デフォルトに設定をする

「アカウントとインポート」タブを開き、Gmail以外のメールアドレス横にある「デフォルトに設定」をクリック。また「メールを受信したアドレスから返信する」にチェックを入れましょう。

送り間違い！メールの送信を取り消す！

Gmailで「送信取り消し」機能を有効にしておくと、誤ってメールを送信したあとでも、一定時間内であれば送信を取り消すことができます。メール送信後に表示される「取り消し」をクリックするだけです。また、あらかじめ設定で取り消し可能な猶予時間を指定しておきましょう。

1 設定画面を開く

設定ボタンから「すべての設定を表示」を選択します。

2 取消設定を有効にする

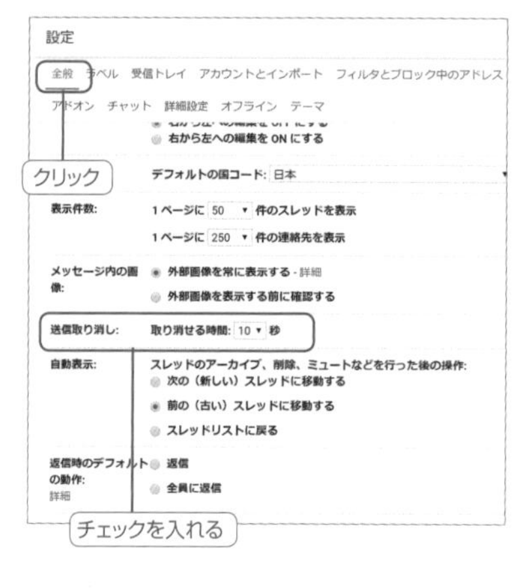

「全般」タブを開きます。「送信取り消し」から取り消し有効時間を指定しましょう。最後に下にスクロールして「保存」をクリックします。

3 送信を取り消してみよう

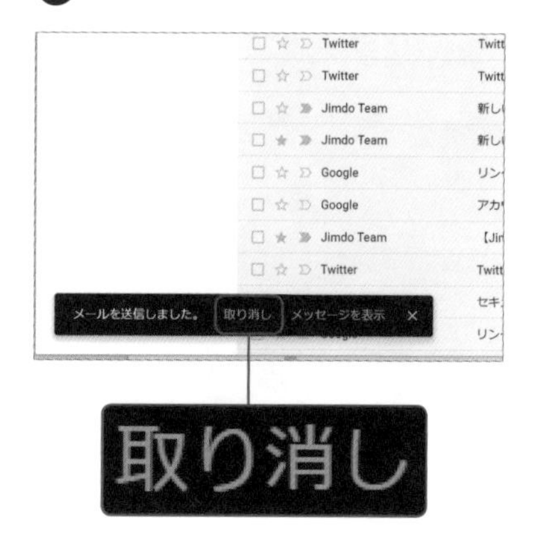

設定有効後、メールを送信すると画面左下に「取り消し」という文字が表示されます。これをクリックすると送信を取り消すことができます。

※スマホ版Gmailの場合は送信後すぐに表示される「元に戻す」をタップすると送信が取り消せます。

プロバイダメールを手動で素早く受信する

PC対応 iOS対応 Android対応

会社やプロバイダのアドレスに送られたメールはGmailと異なり、新着メールの受信にタイムラグが発生してしまいます。今すぐ新着メールを確認したい場合は「メールを今すぐ確認する」機能を利用しましょう。追加している会社やプロバイダのメールアドレスに新着がないか手動でチェックできます。

1 「メールを今すぐ確認する」をクリック

設定画面から「アカウントとインポート」たを開き、「メールを今すぐ確認する」をクリックしましょう。

2 新規メールの取得完了

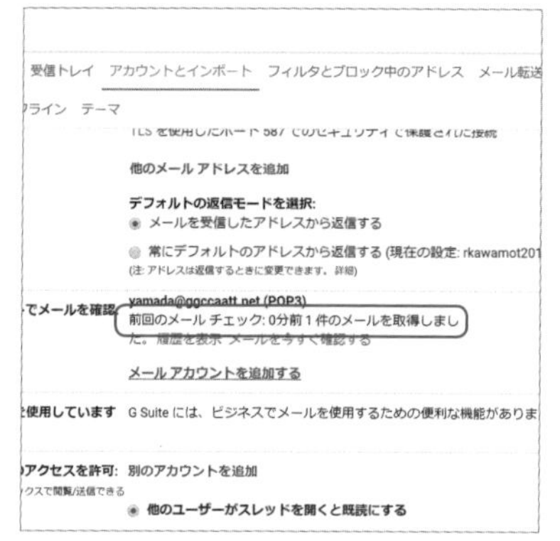

新着メールがあると「○件のメールを取得しました」と表示されます。受信トレイを開くと新着メールを確認できます。

3 新着メール取得履歴を確認

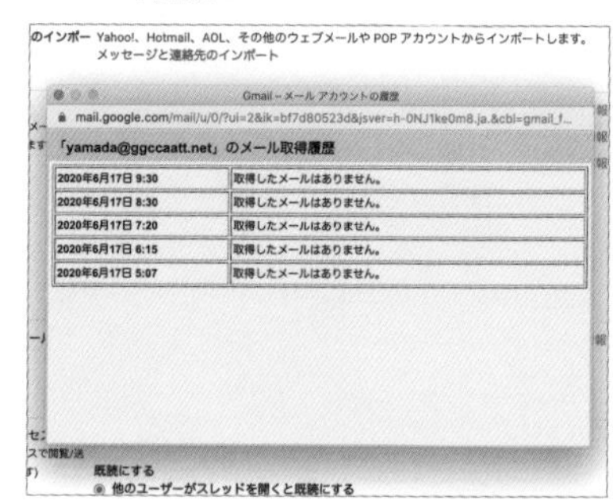

「履歴を表示」をクリックすると、Gmailが新着メールの取得作業を行った時間が表示されます。通常、1時間間隔で新着メールを取得しています。

自動判断してくれる「重要」マークを活用する

メールのやり取りの頻度が高い相手をGmailが自動的に判断して表示してくれる「重要」マークを利用することでメールの検索がスムーズになります。重要マークは自分で付けることもできます。

1 重要度の低いメールのマークを外す

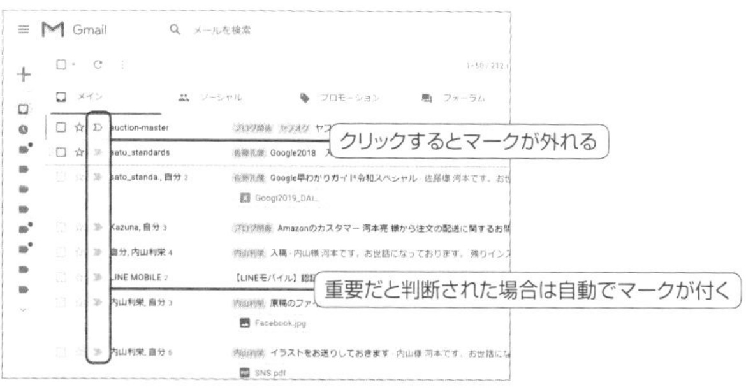

Gmailは自動的に判断して「重要」マークを付けます。重要度の低いメールのマークを外すことで、Gmailの判断の精度を上げることができます。スマホ版は「メニュー」→「重要」で設定します。

2 「重要」フォルダに追加される

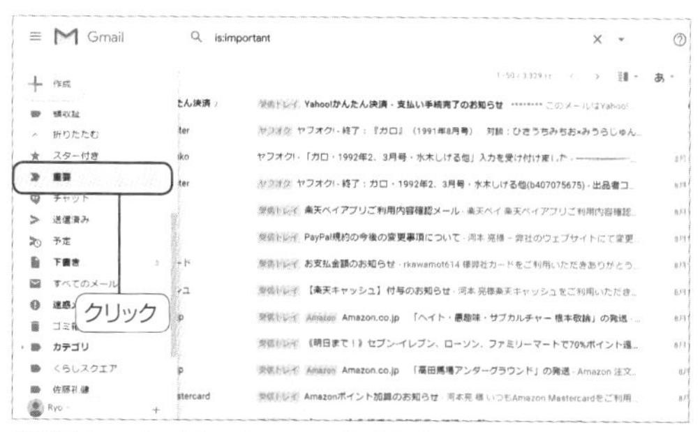

「重要」マークが付いたメールは「重要」フォルダに追加されます。マークを外すとフォルダからも除外されます。

読み終えたら「アーカイブ」へ移動しておく

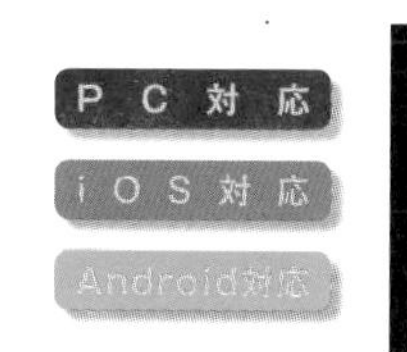

読み終えたメールを受信トレイから外す「アーカイブ」機能を利用すると受信トレイが見やすくなります。アーカイブはゴミ箱と異なり、30日経過しても削除されることはなく、ずっと検索の対象にもなります。

1 「アーカイブ」アイコンをクリックする

アーカイブするメールを開いて、「アーカイブ」アイコンをクリックするとメールがアーカイブへ移動します。スマホ版は受信メールを開いて、「アーカイブ」アイコンをタップします。

2 受信トレイにメールを戻す

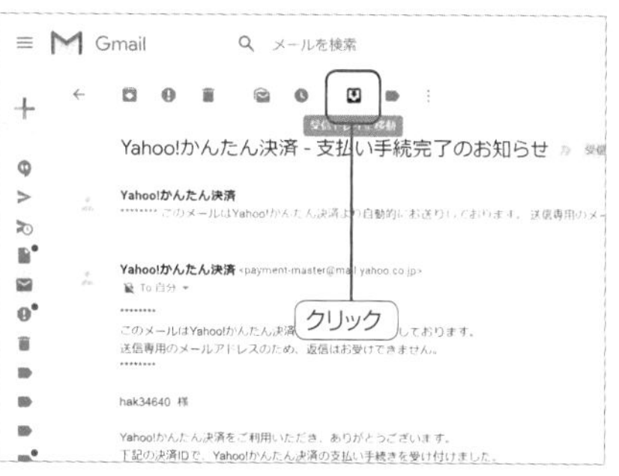

アーカイブしたメールは「すべてのメール」で確認できます。「受信トレイに移動」をクリックすると受信トレイに戻ります。

3 メールを一括選択でアーカイブする

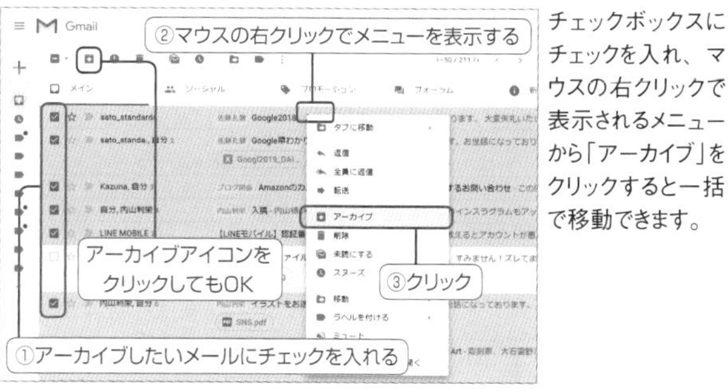

チェックボックスにチェックを入れ、マウスの右クリックで表示されるメニューから「アーカイブ」をクリックすると一括で移動できます。

4 メールを一括選択で受信トレイに戻す

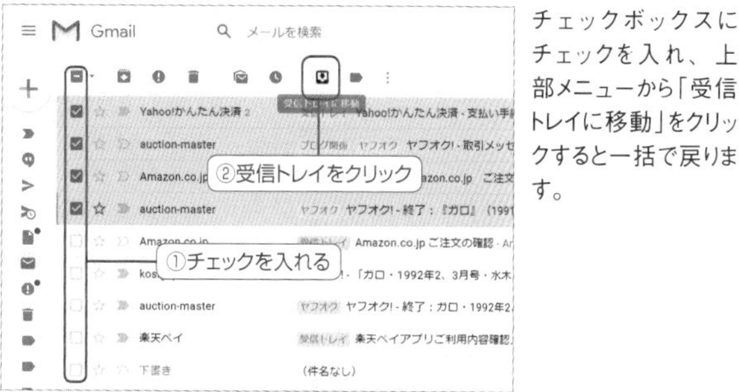

チェックボックスにチェックを入れ、上部メニューから「受信トレイに移動」をクリックすると一括で戻ります。

「フィルタ」機能で自動的にメールを振り分ける

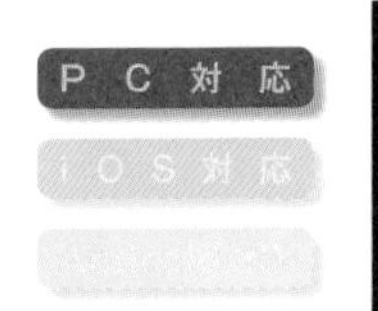

「フィルタ」機能を使うと、アーカイブやラベル、削除、迷惑メールなどの操作を自動的に行ってくれます。かなり細かなフィルタ条件を指定でき、手動でメール分類する必要はなくなります。

「フィルタ」を作成する

1 フィルタに使うメールを選ぶ

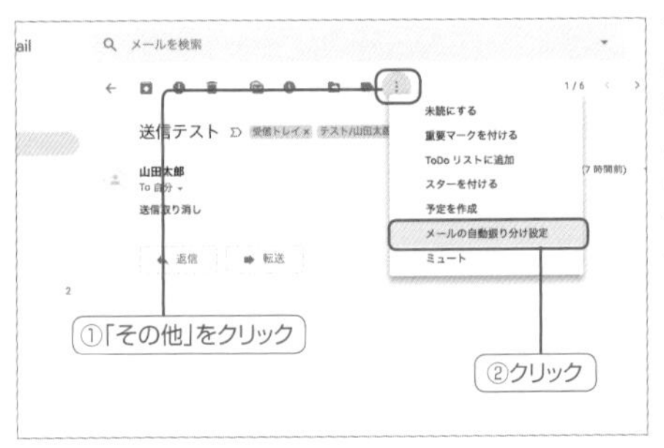

フィルタのベースになるメールを開いて、「その他」メニューの「メールの自動振り分け設定」をクリックします。

2 フィルタの検索条件を入力

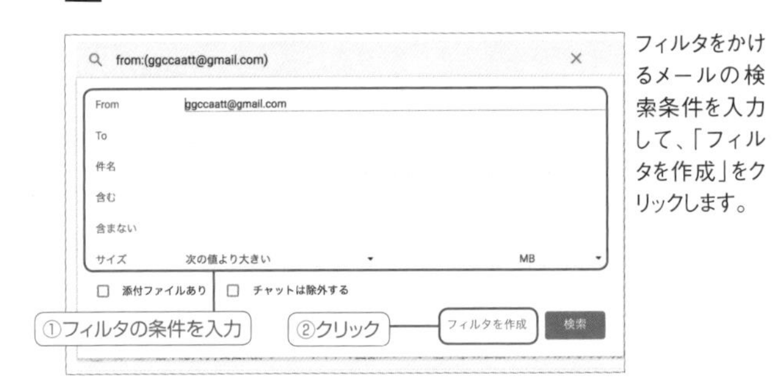

フィルタをかけるメールの検索条件を入力して、「フィルタを作成」をクリックします。

3 フィルタが行う動作を選ぶ

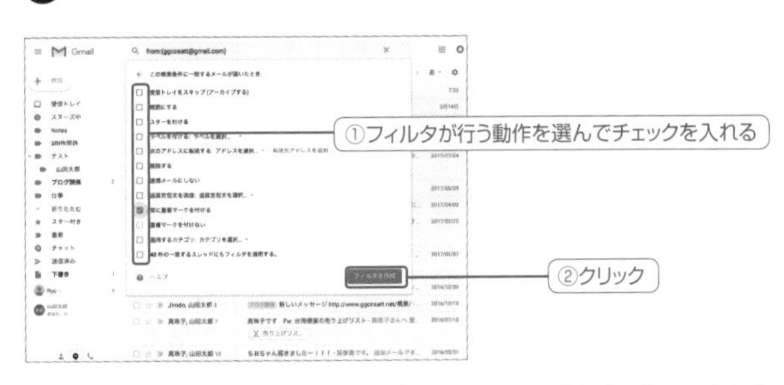

フィルタが行う動作の選んでチェックボックスにチェックを入れ、「フィルタを作成」をクリックします。

4 フィルタの作成が完了

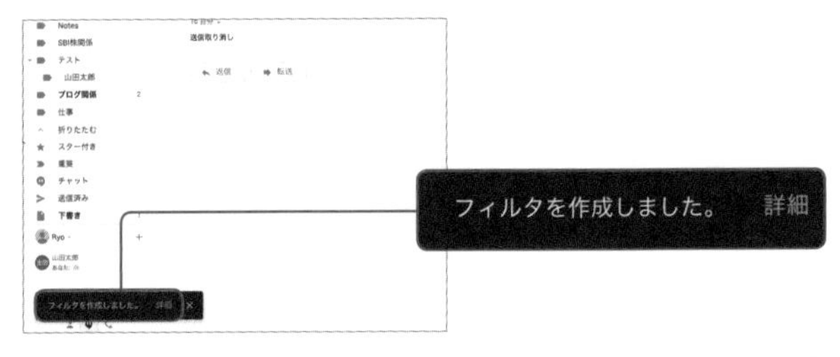

画面上に「フィルタを作成しました」とメッセージが表示されるとフィルタの作成が完了です。パソコンで設定したフィルタは、同期すればスマートフォン用Gmailアプリにも反映されます。

作成した「フィルタ」を管理する

1 「歯車」アイコンから「設定」をクリックする

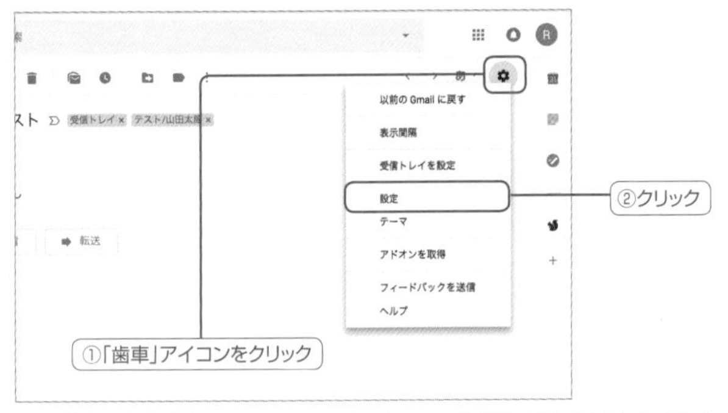

画面右上の「歯車」アイコンをクリックしてメニューを開き、「設定」をクリックします。

2 「フィルタとブロック中のアドレス」タブで設定の変更や削除をする

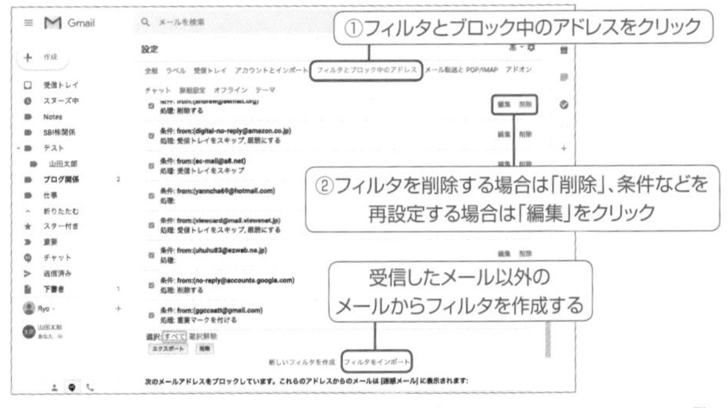

「設定」の「フィルタとブロック中のアドレス」タブをクリックするとフィルタの一覧が表示されます。フィルタの新規作成などもここで行うことができます。

Googleドライブで仕事を共有作業する

SECTION

Googleドライブの素晴らしさ!

Googleドライブは、Googleが提供するクラウドサービスです。同一のGoogleアカウントでログインすれば、パソコン、スマートフォン、タブレットなど端末を選ばず、Googleドライブ内のファイルを管理でき、アップロードしたデータは他のユーザーと共有もできます。容量は15Gバイトまで無料で使えます。Googleドライブ上でドキュメントファイルの作成や編集もできます。作成・編集できる主なファイル形式はワープロ、表計算、プレゼンテーションの3種類です(パソコンではもっと使えます)。Googleドライブ上で作成したファイルはGoogleドライブに保存され、アップロードしたデータと同じく他のユーザーと共有したり、メールで送信できます。

パソコン

スマートフォン

同一のGoogleアカウントでログインすれば、パソコンで作成したドキュメントファイルや編集したファイルをスマートフォンやタブレットで閲覧・編集が可能です。

基本用語

クラウド
データを自分のパソコンやその他端末機器ではなく、インターネット上に保存する使い方やサービスのこと。

Googleドキュメント
クラウド上で動く文書作成アプリ。リンクや画像、図形描画も扱える。マイクロソフトオフィスのワードに相当する。パソコン以外の端末機器では、アプリをインストールする必要がある。

Googleスプレッドシート
クラウド上で動く表計算アプリ。マイクロソフトオフィスのエクセルに相当する。パソコン以外の端末機器では、アプリをインストールする必要がある。

Googleスライド
クラウド上で動くプレゼンテーションアプリ。マイクロソフトオフィスのパワーポイントに相当する。パソコン以外の端末機器では、アプリをインストールする必要がある。

オフィスソフト
ここでは、マイクロソフト社が開発しているビジネス向けのソフトの総称。ワード、エクセル、パワーポイントなどがある。

「同期」と「共有」の違いを理解しよう

複数の端末機器でファイルを同じ状態に保つ「同期」機能とサーバ上のデータを複数のユーザーで利用する「共有」機能の仕組みと違いを理解しておきましょう。

複数の端末機器を同じ状態に保つ「同期」

Googleドライブでは同期機能を利用してファイルを複数の端末機器で同期します。「同期」とは、サーバを経由して複数のデバイス間(パソコンやスマートフォンなど)でデータを常に同じ状態に保つという機能です。例えば、パソコン版のGoogleドライブの内容を更新すると、スマートフォンでもパソコンで行った更新内容が自動的に反映されます。Googleドライブを利用する上で非常に重要な機能なので、その仕組みを理解しておきましょう。

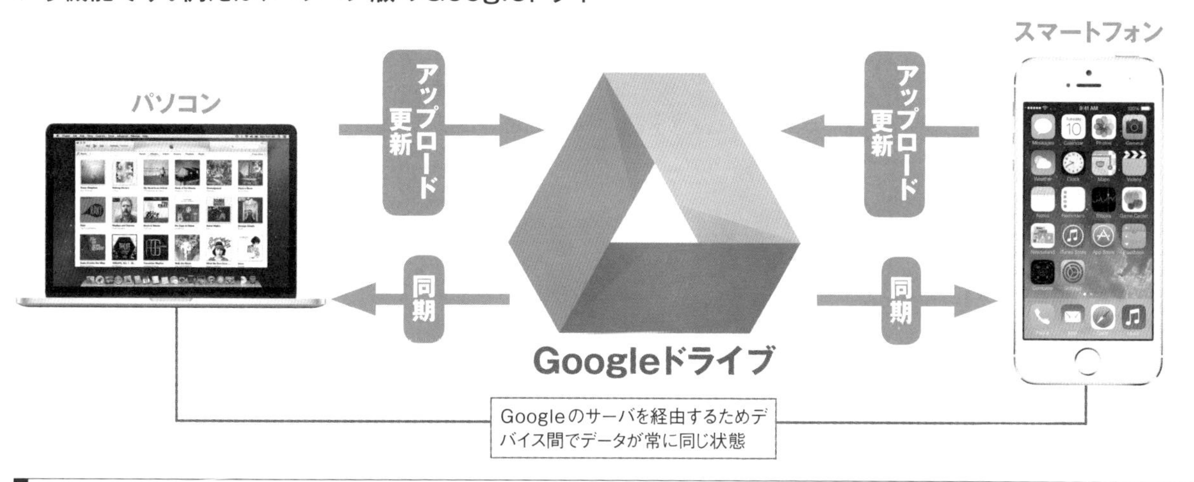

サーバ上のデータを複数のユーザーで利用する「共有」

Googleドライブはほかのユーザーとファイルを共有することもできます。「共有」とは、サーバ上のデータを複数のユーザー同士が利用できるように設定する機能です。例えば、サーバ上のデータを他のユーザーと共有することにより、複数メンバーでの会議の議事録の共同編集やイベントの告知などをよりスムーズに行うことができます。Googleドライブでは不特定多数との共有と招待ユーザーとの共有の2通りの共有方法があります。不特定多数との共有を行う場合は、個人情報を含むデータを公開しないよう注意が必要です。

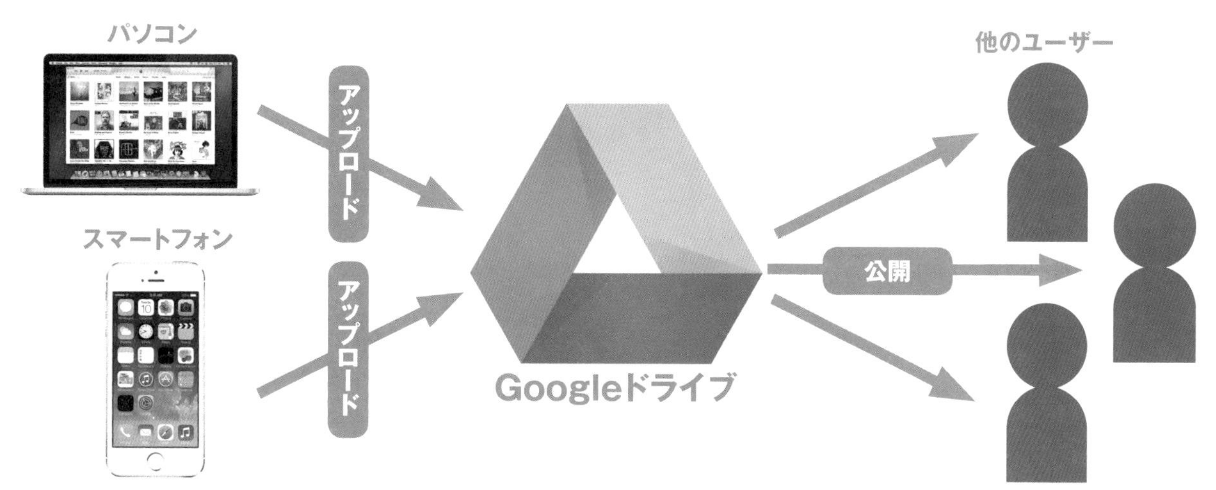

スマートフォンでGoogleドライブを利用する

スマートフォンで「Googleドライブ」アプリを利用します。一部機能に制約があるほかは機能はパソコン版とほとんど変わりません。パソコン版と同じGoogleアカウントでログインする必要があります。

Googleドライブアプリをインストールして「同期」する

スマートフォンでGoogleドライブを利用するにはAndroid端末、iOS端末ともに「Googleドライブ」アプリをインストールする必要があります。まずはAndroid端末はGoogle Play、iOS端末はApp Storeからそれぞれ端末へインストールします。初回起動時に利用しているGoogleアカウントでログインすると同時に同期が完了します。Android端末の場合、端末の「設定」に登録しているGoogleアカウントを初回起動時に指定すれば同期が行われます。

1 「Googleドライブ」アプリを端末にインストールする

Android端末はGoogle Play、iOS端末はApp Storeより「Googleドライブ」アプリをインストールします。

2 iOS端末はアカウントにログインすると同期が完了

iOS端末は、インストールした「Googleドライブ」アプリを起動後にパソコン版と同じGoogleアカウントでログインすると同時に同期が完了します。

3 Androidはアカウントを選んで同期する

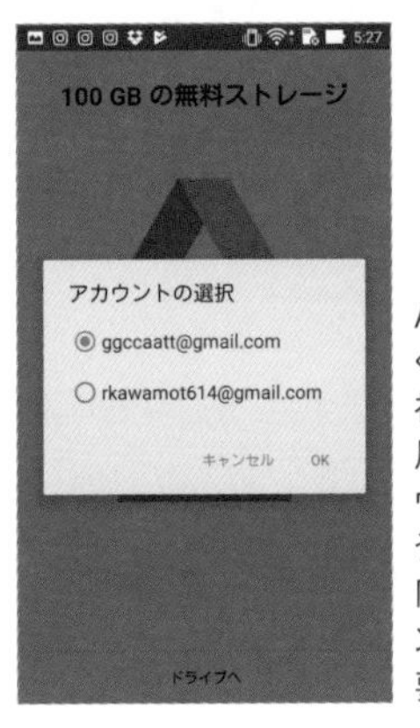

Android版も同じく、Googleドライブ初回起動時に利用するGoogleアカウントを指定しましょう。パソコン版と同じGoogleアカウントを指定する必要があります。

「Googleドキュメント」と「Googleスプレッドシート」をインストール

アプリ版「Googleドライブ」でオフィスファイルを編集するには、「Googleドキュメント」、「Googleスプレッドシート」という専用のアプリを別途インストール必要があるので、事前にインストールしておきましょう。なお、アプリ版「Googleドライブ」でパワーポイントファイルを編集するには「Googleスライド」を利用する必要があります。

1 端末にアプリをインストールする

Android端末はGoogle Play、iOS端末はApp Storeより「Googleドキュメント」、「Googleスプレッドシート」をインストールします。

2 ファイル上からインストールする

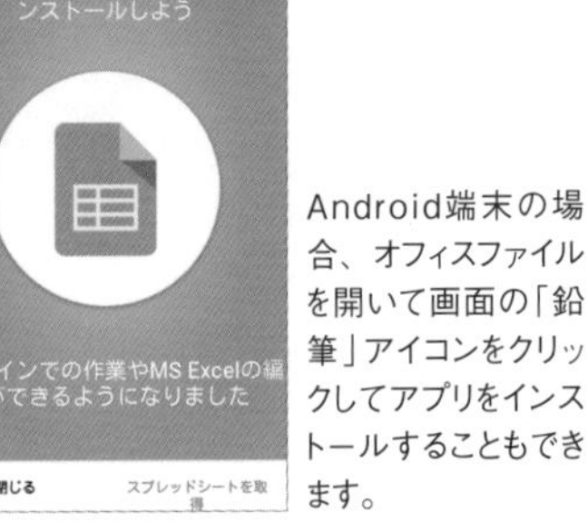

Android端末の場合、オフィスファイルを開いて画面の「鉛筆」アイコンをクリックしてアプリをインストールすることもできます。

一目でわかるGoogleドライブの基本画面（パソコン編）

ブラウザからGoogleドライブにアクセスするとメイン画面が表示され、マイドライブにアップロードされているファイルが一目でわかるようになっています。

PC対応

ファイル作成
クリックするとファイルやフォルダのアップロード、新規フォルダ作成、Googleドキュメント、Googleスプレッドシート、Googleスライドなどの作成がブラウザを通じてできます

検索ボックス
Googleドライブ内のファイルを検索することができます

表示切り替え
クリックするとリスト表示とギャラリー表示に切り替えることができます

設定
Googleドライブの表示設定や言語設定の変更。保存容量などの確認、連携しているアプリの解除などができます

詳細
選択しているフォルダやファイルの詳細情報や更新履歴を表示します

クイックアクセス
機械学習を利用することでユーザーが検索する前に目的のファイルを予測して表示します

パソコン
「バックアップと同期」で指定したパソコン内の任意のフォルダ内容を同期できます

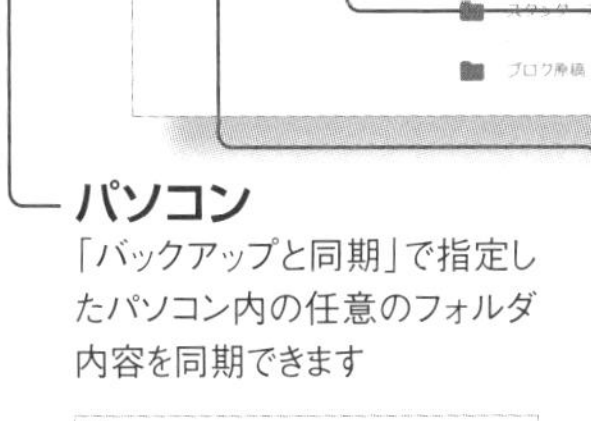

共有アイテム
Googleドライブ内のファイルを検索することができます

マイドライブ
ホームフォルダ名です。ほかのフォルダを開くとそのフォルダ名と階層構造が表示されます。またプルダウンメニューからファイルやフォルダのアップロード、新規フォルダ作成、Googleドキュメント、Googleスプレッドシート、Googleスライドなどの作成がブラウザを通じてできます

保存容量
Android端末のバックアップファイルが表示されます

CHECK!

PC用Googleドライブは「デスクトップ版ドライブ」をダウンロードする

PC上でGoogleドライブを利用するには、「デスクトップ版ドライブ」をダウンロードしましょう。インストールするとGoogleドライブの同期フォルダが作成されます。またバックアップと同期はGoogleフォト機能も搭載しており、PC上の写真を自動でGoogleフォトにアップロードすることができます。

1 「設定」からアクセス

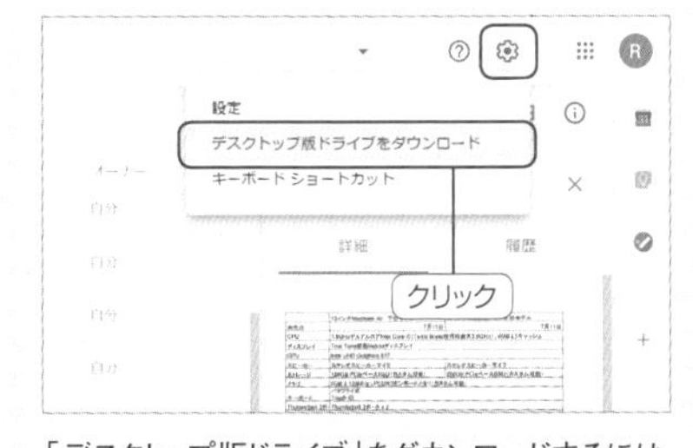

「デスクトップ版ドライブ」をダウンロードするには、Googleドライブ右上にある設定ボタンをクリックして「デスクトップ版ドライブをダウンロード」をクリック。

2 「パーソナル」をクリック

「バックアップと同期」のページが開きます。パーソナルの「ダウンロード」をクリックすると、アプリケーションがダウンロードできます。

一目でわかるGoogleドライブの基本画面（スマホ&タブレット版）

Googleドライブはスマホやタブレットから利用することもできます。インストールしておけばパソコンやGoogleサーバ上にあるファイルを同期でき非常に便利です。

P C 対 応　i O S 対 応　Android対応

メニュー
タップするとメニューが表示されます。最近使用したアイテム、ゴミ箱、バックアップファイル、設定などへアクセスできます

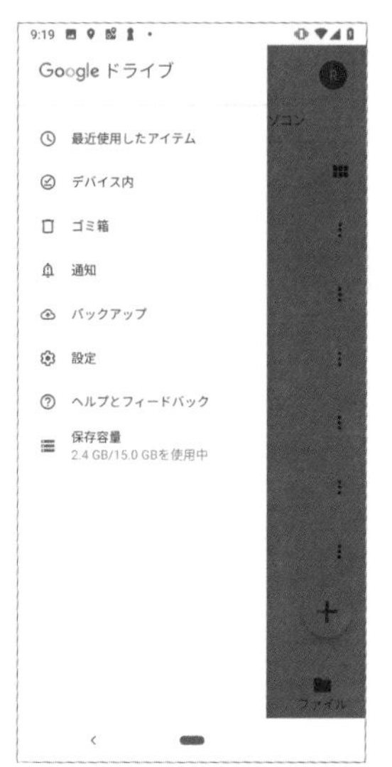

検索ボックス
Googleドライブ内のファイルを検索するのに利用します。ファイル形式を絞り込むことができます

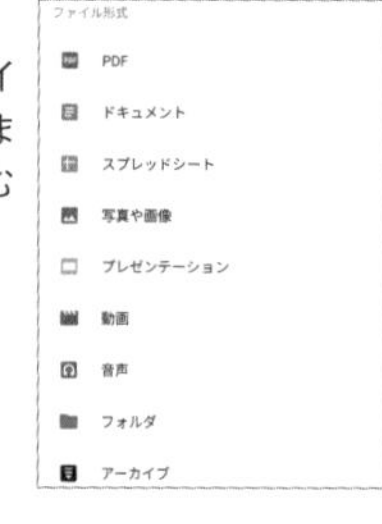

ファイルメニュー
タップするとファイルメニューが表示されます。共有リンクのコピー、ファイルのコピー、スターの追加、ほかのアプリへの送信などはここから行えます。

数秒前に開いたファイル

13-01.xlsx

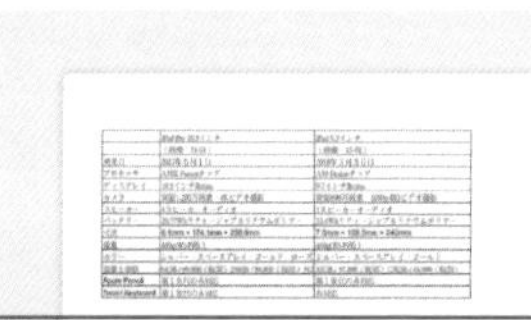

数秒前に開いたファイル

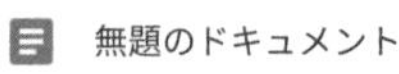

新規作成
ファイルのアップロード、フォルダ、スキャン、Googleドキュメント、Googleスプレッドシート、Googleスライドの作成が行なえます

ファイル
タップするとファイラー画面に切り替わりドライブ上のファイルを名前順に並び替えることができます。またサムネイル形式でファイルを一覧表示できます

お気に入り
お気に入りに登録しているファイルを一覧表示します

ホーム
この画面です。最近使用したファイルを上から順にプレビュー形式で表示されます。

共有
共有中にあるファイルを一覧表示します

「ドキュメント」「スライド」「スプレッドシート」「フォーム」「図形描画」を作成できる

Googleドライブはブラウザ上から「ドキュメント」「スライド」「スプレッドシート」「フォーム」「図形描画」などのドキュメントファイルを作成できます。さらに外部アプリと連携して利用することができます。

Googleドライブで作成できるファイルの種類

ドキュメント

Microsoft OfficeでいうところのWordのような文書を作成できます。文字のフォントやサイズ、レイアウトなども設定できます。

スプレッドシート

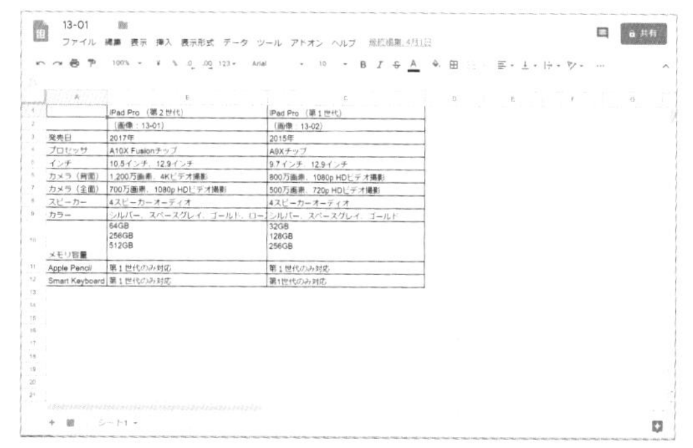

Microsoft OfficeでいうところのExcelのような表計算ができます。グラフの作成や画像の挿入など、Excelと同じような機能を搭載しています。

スライド

Microsoft OfficeでいうところのPowerPointのようなプレゼン用スライドを作成できます。

図形描画（パソコン版のみ）

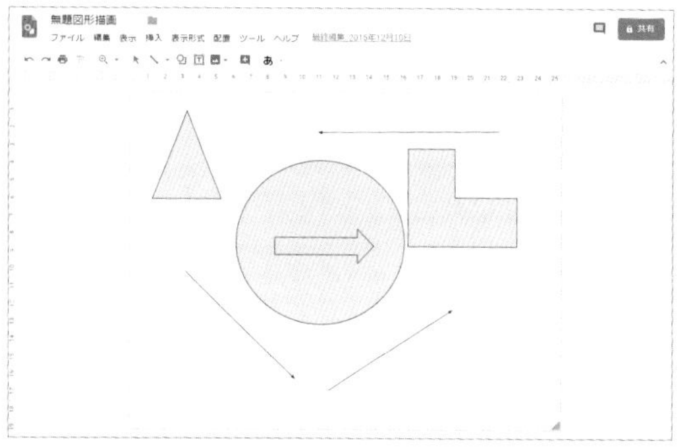

フリーハンドにも対応したイラスト作成機能です。図形やテキストはもちろん画像の挿入も可能です。ただし、スマホ版には未対応です。

フォーム（パソコン版のみ）

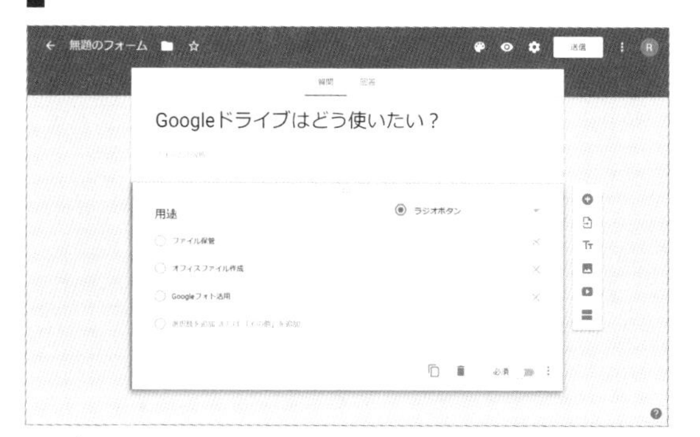

テンプレートを使用したアンケートフォームの作成が可能です。解答はスプレッドシートにまとめられます。この機能もパソコン版のみとなっています。

その他（パソコン版のみ）

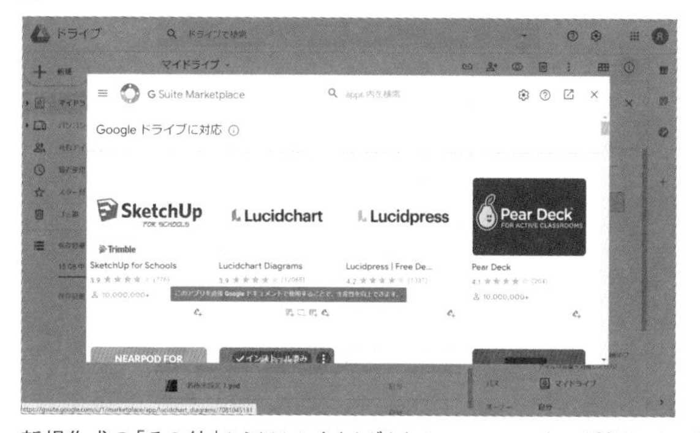

新規作成の「その他」からほかにもさまざまなGoogleサービスが利用できます。アプリを追加からさらに利用サービスを増やすこともできます。

Googleドキュメントで書類を作成する

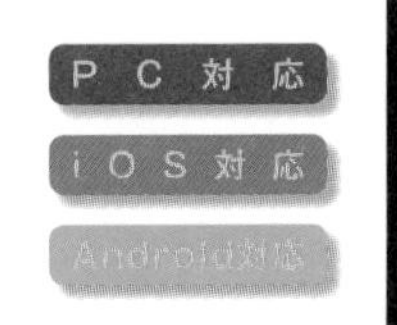

Googleドキュメントはブラウザ上で利用できる文書作成アプリです。Microsoftオフィスのワードに相当し、テキストや画像、図形を組み合わせてさまざまな文書を作成できます。作成した文書はGoogleドライブ上に自動で保存されるほか、ダウンロードすることもできます。

Googleドキュメントで新規文書を作成しよう

1 新規作成画面を表示

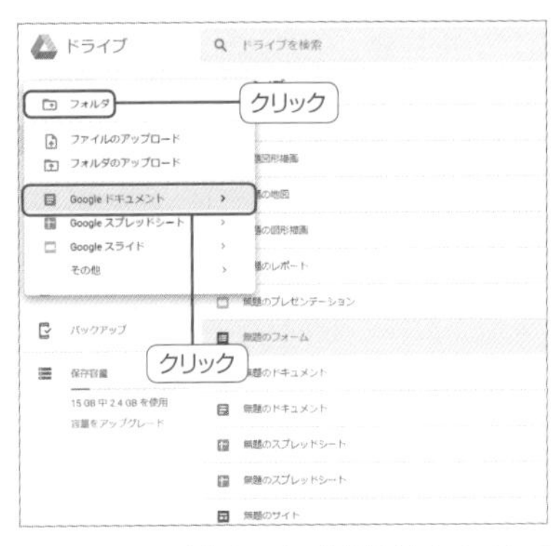

Googleドライブ左上にある「新規」をクリックして「Googleドキュメント」を選択すると、無題のドキュメントと呼ばれる新規作成画面が表示されます。

2 ワードと同じような文書作成ができる

使い勝手はワードとよく似ています。テキストの大きさや色、書体、行揃えなど変更したり画像をドラッグ&ドロップで登録して文書を作成していきましょう。

3 ワード形式に変換してダウンロード

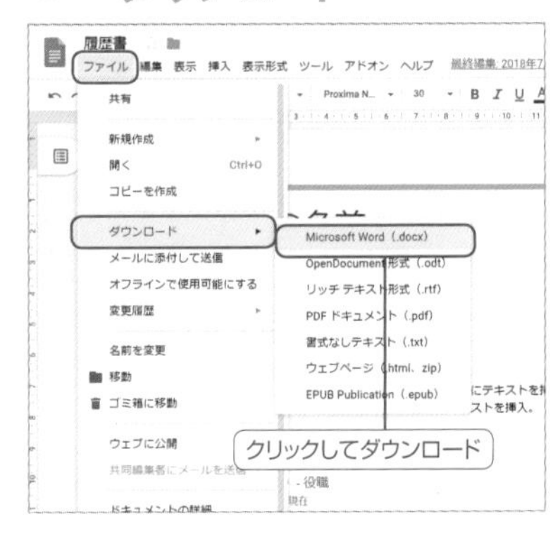

作成した書類はGoogleドライブ上に自動で保存されますが、ワード形式でダウンロードすることもできます。メニューの「ファイル」から「ダウンロード」→「Microsoft Word」を指定しましょう。

書類にさまざまなオブジェクトを挿入する

Googleドキュメントでは書類内にGoogleドライブに保存しているスプレッドシートをインポートして貼り付けたり、図形を描いて挿入したり、表を挿入することもできます。操作方法もワードとそっくりなので、直感的に利用できるでしょう。ワードでおなじみのワードアートも利用することができます。スマホ版は一部機能制限があります。

1 Googleスプレッドシートを貼り付ける

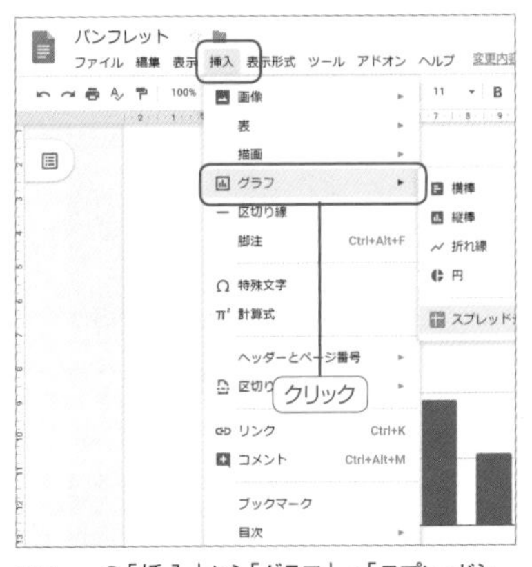

メニューの「挿入」から「グラフ」→「スプレッドシートから」を選択すると、Googleスプレッドシート内のグラフを選択して貼り付けることができます。

2 表を挿入する

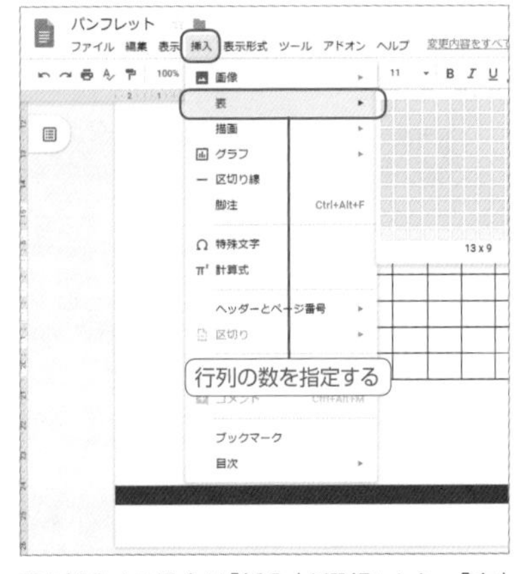

表を挿入する場合は「挿入」を選択します。「表」で行列数を指定して挿入することができます。

3 図形を描いて挿入する

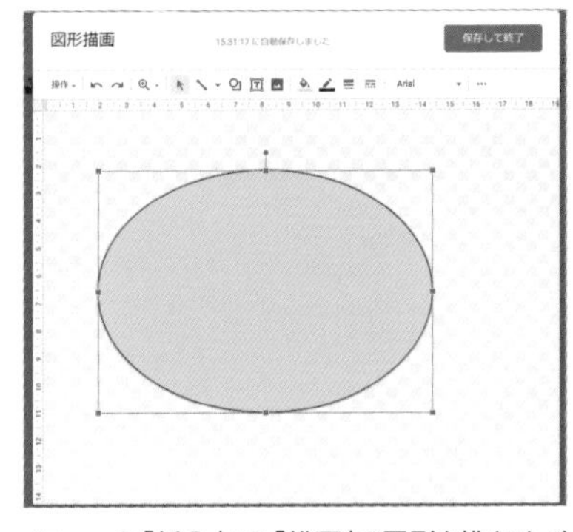

メニューの「挿入」から「描画」で図形を描くことができます。フリーハンドのほか、図形、写真、テキスト、矢印などを挿入することができます。

Googleスプレッドシートで表計算を行う

Googleスプレッドシートは単純な数式計算から高度なデータベース処理まで、さまざまな活用ができるアプリです。Microsoftのエクセルとほぼ同等の機能が搭載されており、インターフェースもよく似ており非常に使いやすいです。作成したファイルはエクセルファイル形式でダウンロードすることができます。

新規の表を作ってみよう

1 新規作成画面を表示

Googleドライブ左上にある「新規」をクリックして「Googleスプレッドシート」を選択すると、無題のドキュメントと呼ばれる新規作成画面が表示されます。

2 エクセルと同じような表を作成できる

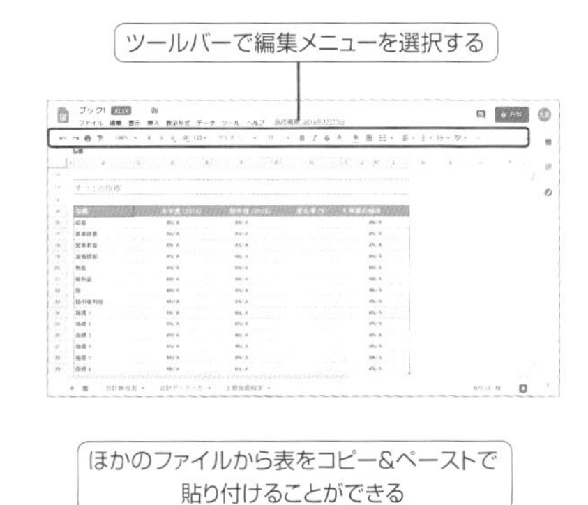

エクセルとほぼ同じような機能を搭載しています。ほかのスプレッドシートやエクセルファイルから表をコピーして貼り付けることができます。

3 エクセル形式に変換してダウンロード

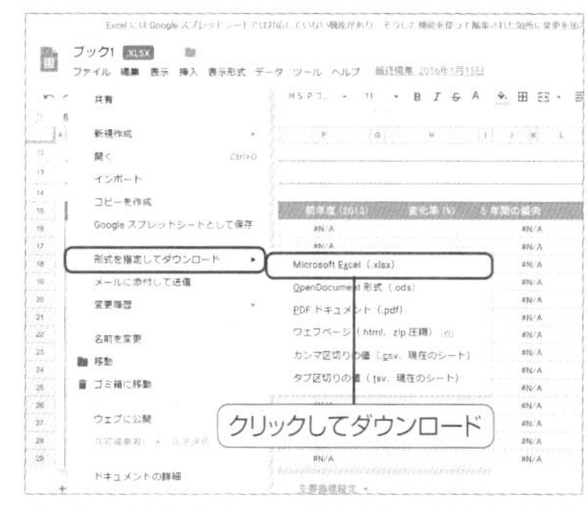

作成した書類はGoogleドライブ上に自動で保存されますが、エクセル形式でダウンロードすることもできます。メニューの「ファイル」から「形式を指定してダウンロード」→「Microsoft Excel」を指定しましょう。

Googleスプレッドシートの便利機能を使いこなす

Googleスプレッドシートは、単純な表作成だけでなく表を元にしてグラフを作成したり、SUM(合計)やAVERAGE(平均)など関数を使った表計算など高度な機能を備えています。独自の関数が搭載されているなどエクセルより優れた部分も多数あります。

1 「挿入」メニューからグラフを挿入

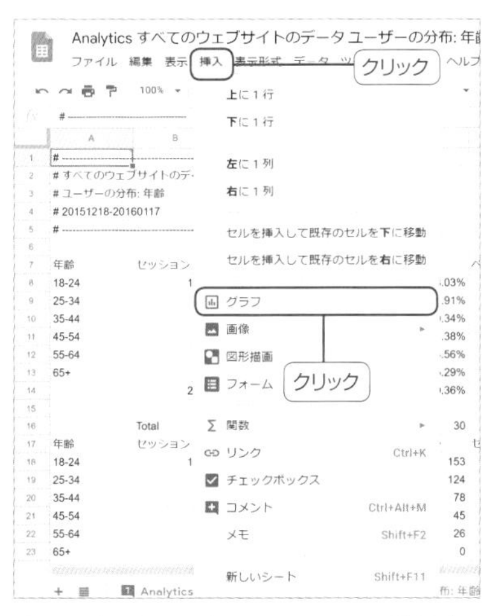

グラフは表を範囲選択して、メニューの「挿入」から「グラフ」で作成できます。

2 グラフを編集する

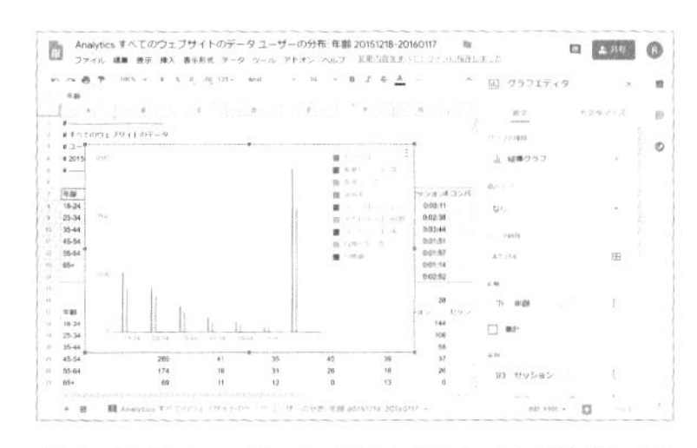

グラフはグラフエディタで細かくスタイルを編集できます。円グラフや棒グラフ、折れ線グラフ、散布図などが利用できます。

3 高度な関数にも対応している

GoogleスプレッドシートはSUM、AVERAGE、MAX、IFといった基本的な関数がほぼ使えます。メニューの「ヘルプ」→「関数リスト」で利用できる関数をチェックしましょう。

Googleドライブにファイルをアップロード/ダウンロードする

Googleドライブにファイルをアップロードしておくと、出先でネットカフェに飛び込んでファイルを続けて作業できたり、他のユーザーと共有できます。

Googleドライブにファイルをアップロード/ダウンロードする

1 「新規」をクリックする

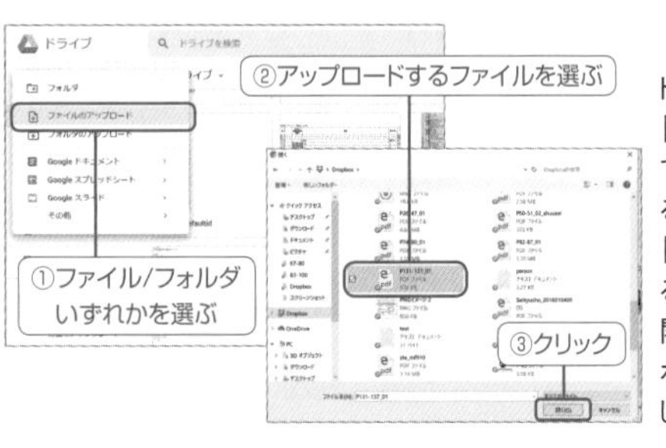

トップ画面にある「新規」をクリックして、アップロードするファイルを選んで「開く」をクリックするとアップロードが開始されます。スマホ版は「+」をタップします。

2 アップロードが完了する

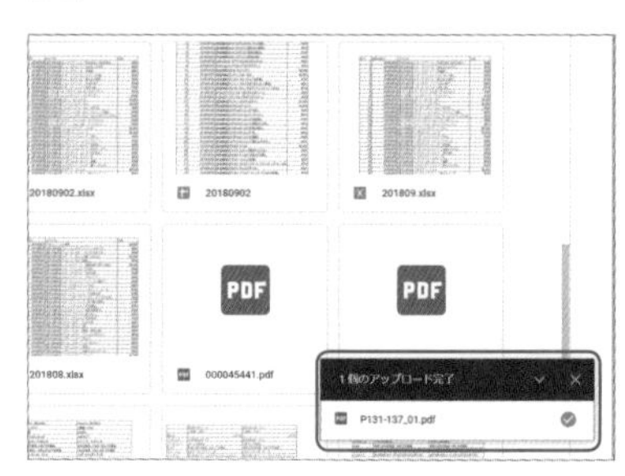

ブラウザ上にファイルをドラッグしてもアップロードが開始されます。アップロード完了すると、ブラウザ上にアップロード完了のメッセージとタブが表示されます。

3 アップされたファイルをダウンロードする

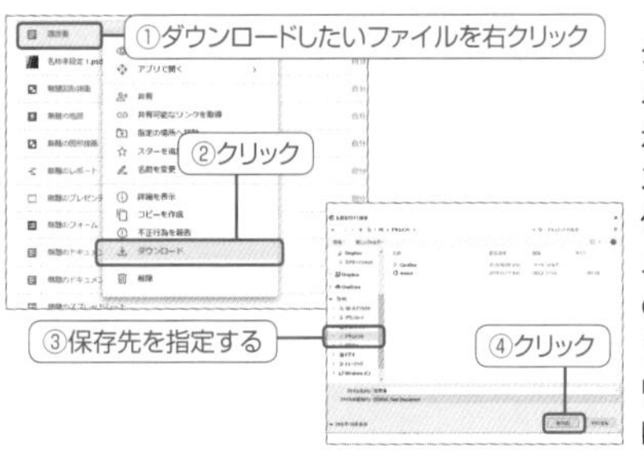

ダウンロードしたいファイルを右クリックすると表示されるメニューの「ダウンロード」をクリックして、保存先を指定します。スマホ版はファイル名の後ろに表示されている「…」をタップして「アプリで開く」や「ダウンロード」を選択しましょう。

4 ダウンロードが完了する

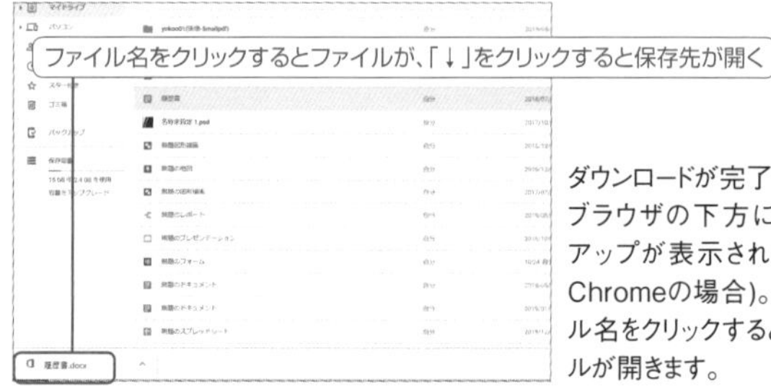

ダウンロードが完了すると、ブラウザの下方にポップアップが表示されます(*Chromeの場合)。ファイル名をクリックするとファイルが開きます。

オフィスファイルを編集可能にする

PC対応
iOS対応
Android対応

Googleドライブ上でオフィスファイルを編集する時は、オリジナルのファイル形式とは別にそれぞれGoogleドキュメント、Googleスプレッドシート、Googleスライドに変換します。保存時は元の形式で自動保存できます。

1 右クリックメニューからファイルを変換する

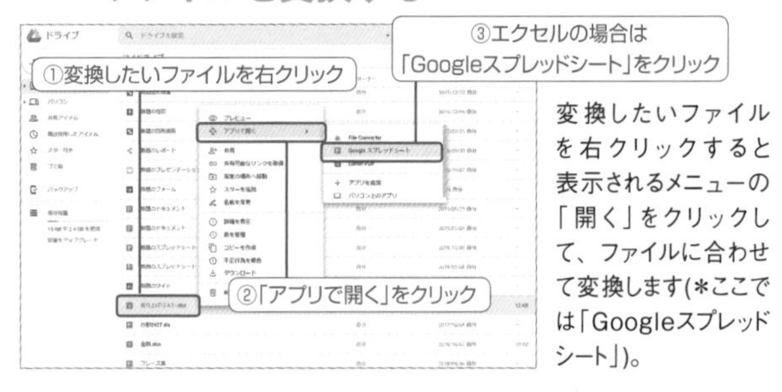

変換したいファイルを右クリックすると表示されるメニューの「開く」をクリックして、ファイルに合わせて変換します(*ここでは「Googleスプレッドシート」)。

2 Google形式で編集する

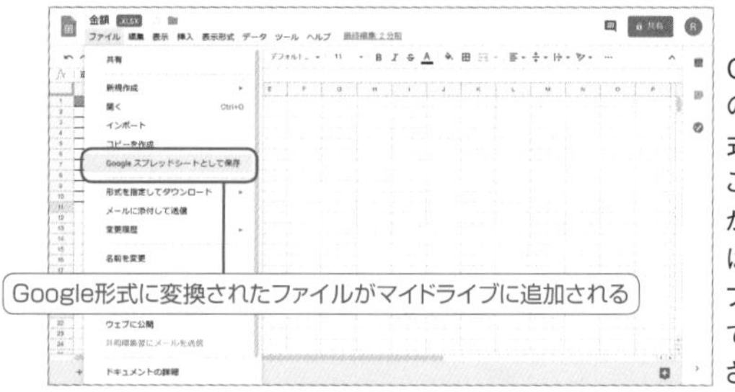

Google独自のファイル形式で編集することになりますが、保存時は自動で元のファイル形式で上書き保存されます。

フォルダでファイルを整理する

ファイルをホームフォルダばかりにアップロードしていると、ファイルがどこにあるのか分かりづらくなります。定期的にフォルダを作成してジャンルや用途ごとにファイルを分類しましょう。Googleドライブではフォルダには好きな名前を付けることができます。ファイルはブラウザ上でドラッグ&ドロップ操作で移動できます。

1 フォルダを作成する

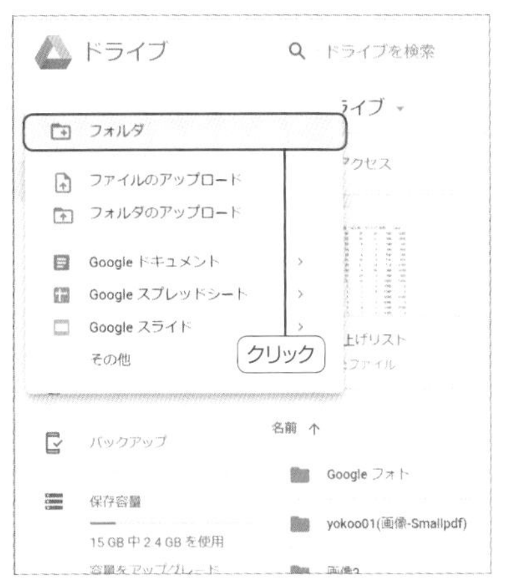

フォルダを作成するには「新規」をクリックして「フォルダ」を選択します。

2 フォルダに名前を付ける

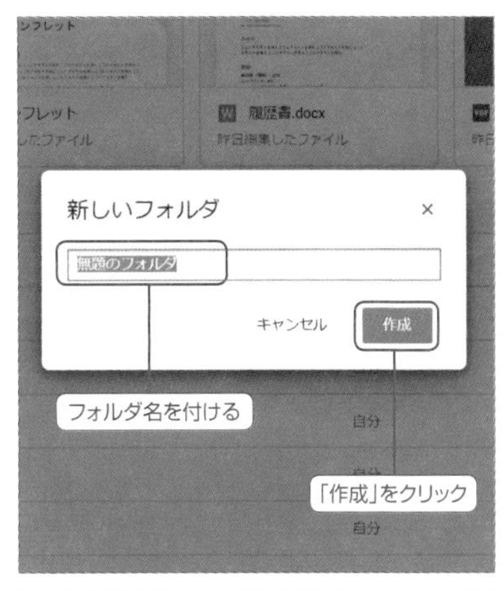

フォルダ名作成画面が表示されます。フォルダに名前を付けて「作成」をクリックしましょう。フォルダ名はあとで自由に編集できます。

3 ファイルをドラッグ&ドロップで移動

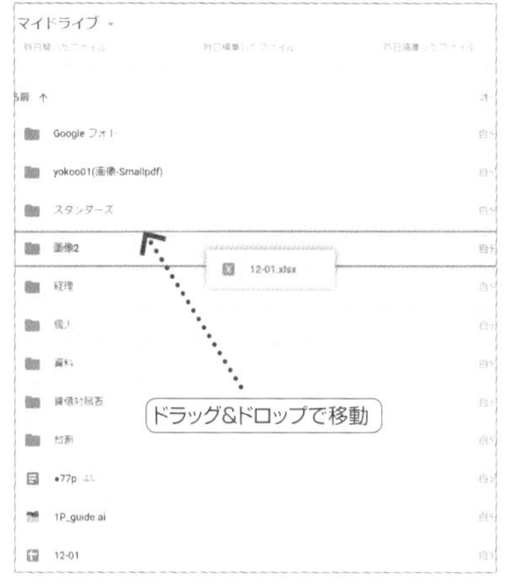

ファイルを作成したフォルダにドラッグ&ドロップで移動しましょう。右クリックの「移動」からフォルダを指定して、移動することもできます。

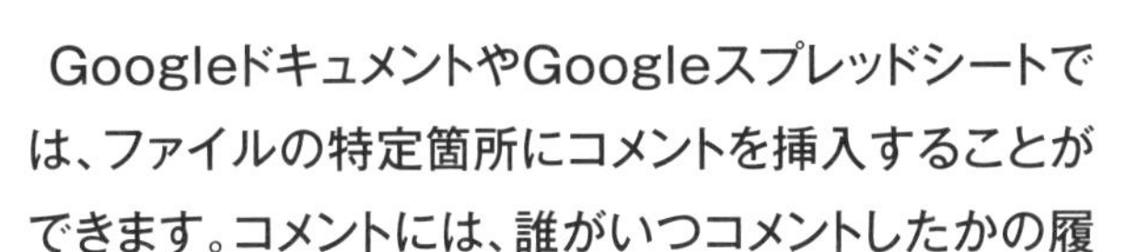

ファイルの特定箇所にコメントを付ける

PC対応
iOS対応
Android対応

Googleドキュメントや Googleスプレッドシートでは、ファイルの特定箇所にコメントを挿入することができます。コメントには、誰がいつコメントしたかの履歴が記録され、共有しているユーザーもコメントに返信することができます。複数のメンバーで共有を行っているなら積極的に使ってみましょう。

1 右クリックからコメントを選択する

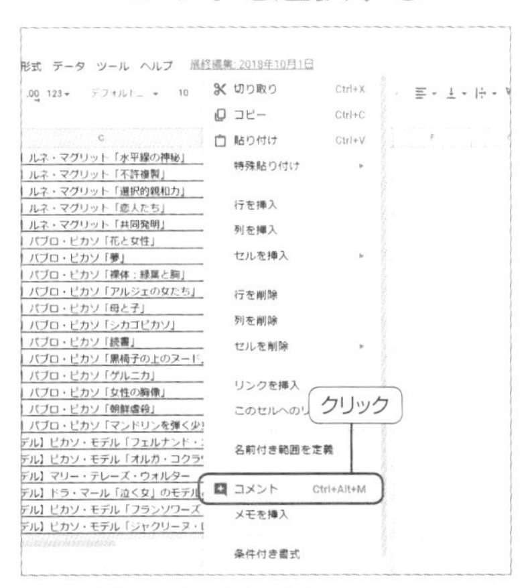

コメントを挿入したいばしょを右クリックしてメニューから「コメントを挿入」をクリックしましょう。

2 コメントを付ける

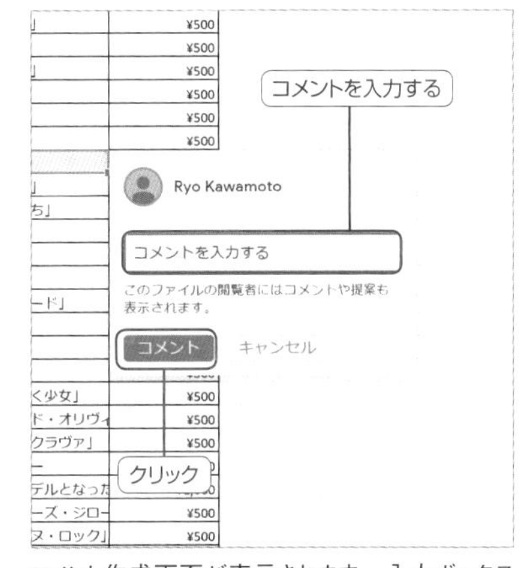

コメント作成画面が表示されます。入力ボックスにテキストを入力して、「コメント」をクリックしましょう。

3 コメント履歴を見る

画面右上の「コメント」をクリックすると、コメントの履歴をが一覧表示されます。コメントをクリックするとその場所に移動できます。

ファイルが増えてきたら ファイルを検索して開こう

Googleドライブは便利なので、ファイルがどんどん増えてきます。そうなった場合に特定のファイルを閲覧したい時は、検索ボックスにキーワードを入力して検索をしましょう。素早く目的のファイルが見つかります。

1 検索ボックスに キーワードを入力する

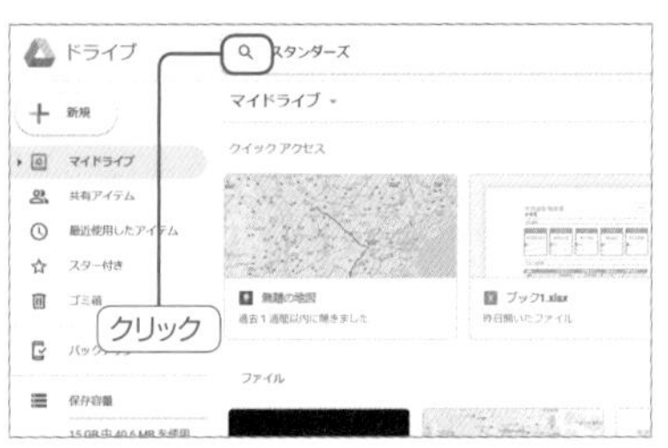

画面の上部にある検索ボックスにキーワードを入力して、「虫眼鏡」アイコンをクリックします。

2 検索結果の一覧が 表示される

キーワードに該当する検索結果の一覧が表示されます。ファイルをクリックするとファイルの編集ができます。

3 パソコン版は より詳細な検索ができる

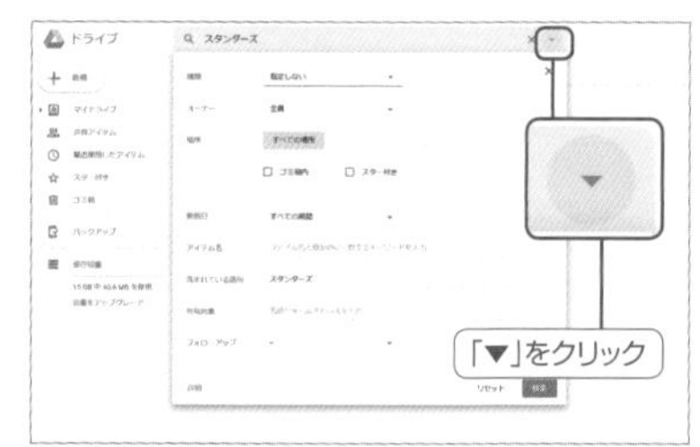

検索ボックスの左にある「▼」をクリックすると、より詳細な検索ができます。

Googleドライブを オフラインで使う

PC対応 iOS対応 Android対応

PCに「バックアップと同期」をインストールしていればインターネットに接続していない状態(オフライン)でもGoogleドライブ上のファイルを利用できます。Chromeで「Googleオフラインドキュメント」をインストールしましょう。

1 「設定」画面を開く

Googleドライブ右上にある設定アイコンをクリックして、「設定」をクリックします。

2 オフライン表示を有効にする

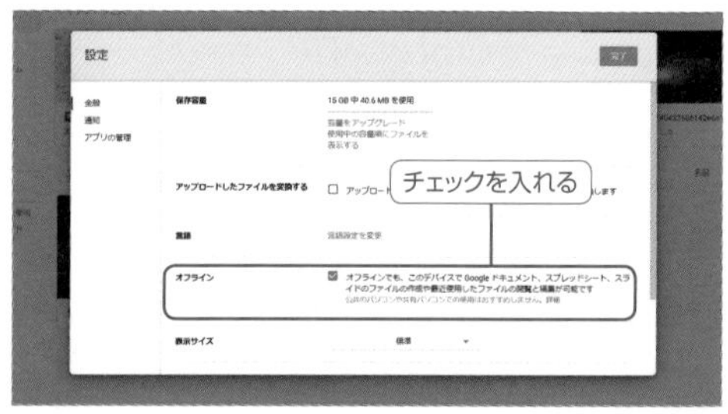

設定画面の「オフラインでも、このデバイスで〜」にチェックを入れ、「完了」をクリックします。

3 「Googleオフラインドキュメント」を インストール

Chromeで「Googleオフラインドキュメント」のページにアクセスします。右上の「CHROMEに追加」でChromeにインストールします。

4 オフラインでファイルを表示する

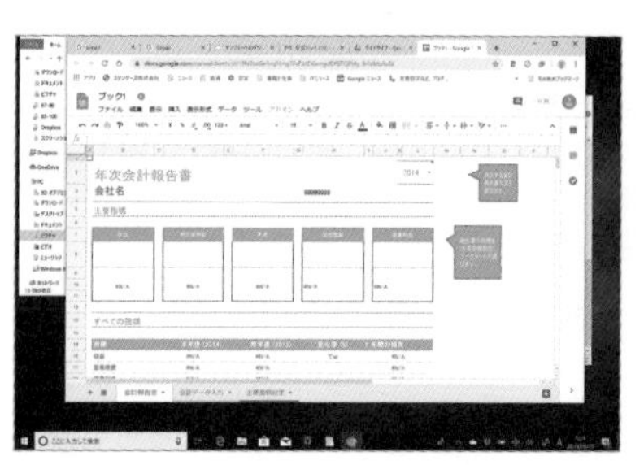

インストール後、オフライン状態でもChromeでGoogleドライブにアクセスしてファイルを表示・編集することができます。

アップロードしたファイルを共有する

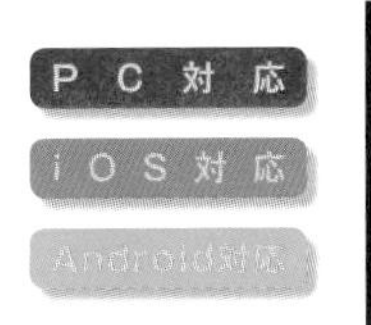

Googleドライブにアップロードしたファイルは他のGoogleドライブユーザーと共有できます。共有したファイルは閲覧だけではなく編集も可能です。チームやグループで共同作業をするときに便利です。

1 右クリックから「共有」を選択する

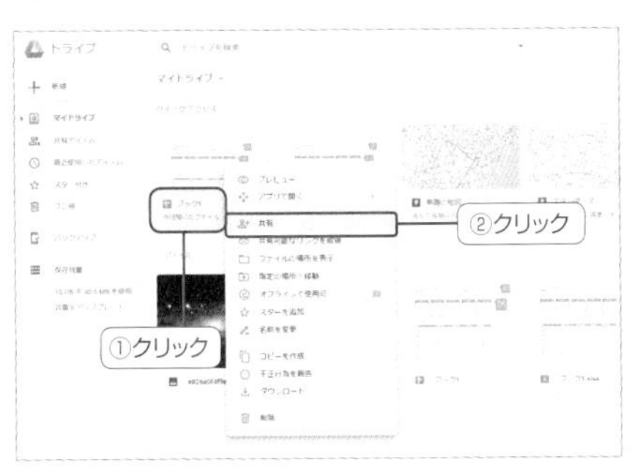

ほかのユーザーと共有したいファイルを右クリックして「共有」を選択します。

2 「共有ボタンをクリック

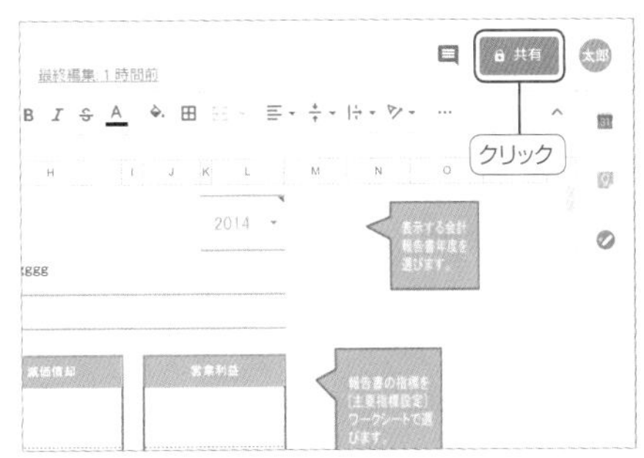

ファイルを開いた状態からでも共有操作はできます。右上にある「共有」ボタンをクリックします。

3 共有相手のメールアドレスを入力

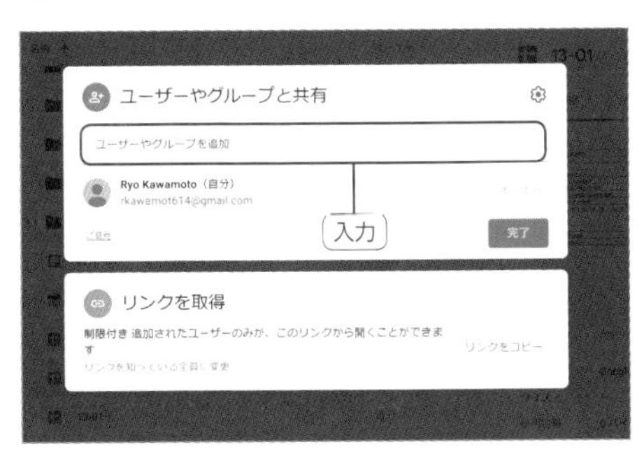

共有設定画面が表示されます。共有したいユーザーのメールアドレスを入力しましょう。複数入力できます。

4 設定ボタンをクリック

オーナー権限の設定を変更するには、右上にある設定ボタンをクリックします。

5 共有設定を変更する

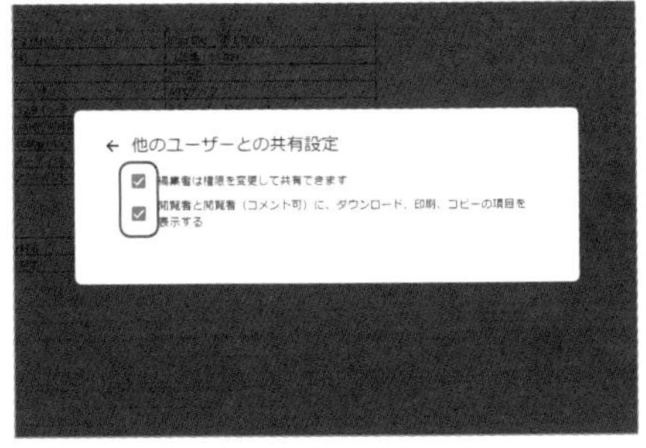

ここでは編集者によるアクセス権を設定したり新しいユーザーの追加を勝手にできないようにできます。設定したら「←」をクリックします。

6 編集権限を設定する

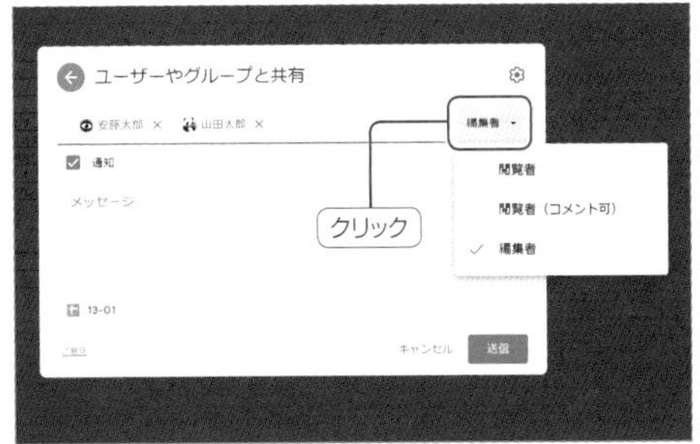

招待者に対する編集権限を設定しましょう。ユーザー名横のボタンをクリック。編集権を与えるなら「編集者」にチェックを入れましょう。

7 招待者にメールが届く

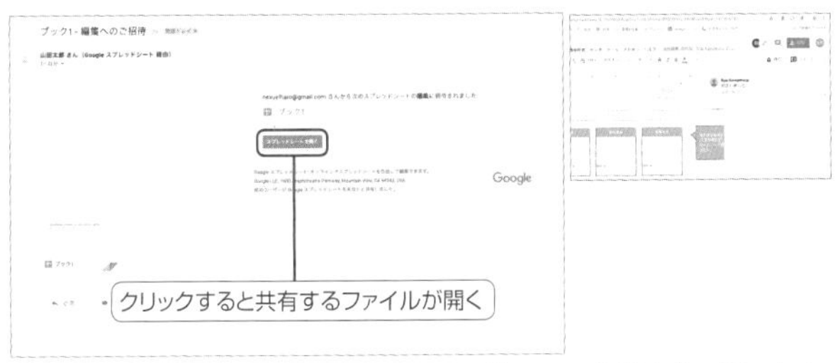

ファイルを共有するユーザーにGoogleから招待メールが届きます。届いたメールのファイル名をクリックすると共有するファイルが開きます。

8 共有したファイルにコメントをする

複数のユーザーと共有したファイルの「コメント」をクリックすると、ファイル上にスレッドが作成され、ファイル上でユーザー同士でチャットができます。

誰でもアクセスして閲覧できる共有リンク機能を使おう

Googleドライブに保存している特定のファイルを誰でも閲覧できるようにしたい場合は共有リンクを作成しましょう。作成したURLにアクセスすればGoogleアカウントを持っていないユーザーでも閲覧・編集できます。

1 共有ボタンをクリック

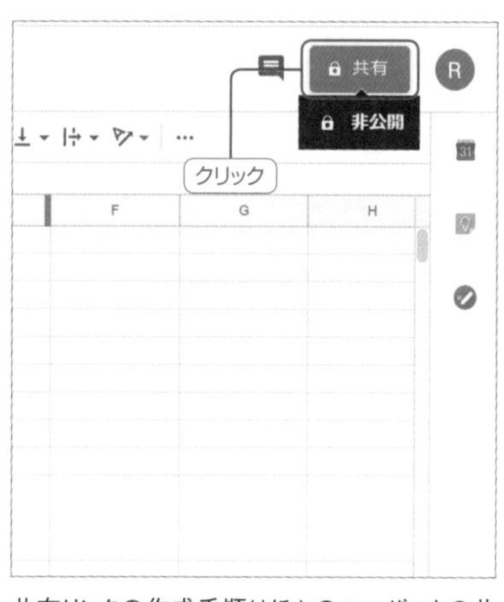

共有リンクの作成手順はほかのユーザーとの共有時と同じです。右クリックから「共有」を選択するか、ファイル右上の「共有」をクリックします。

2 リンクを取得する

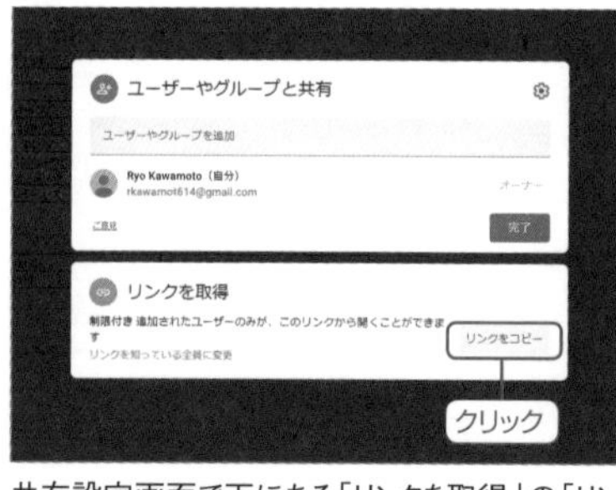

共有設定画面で下にある「リンクを取得」の「リンクをコピー」をクリックしましょう。クリップボードの共有リンクがコピーされます。

3 編集できるように変更する

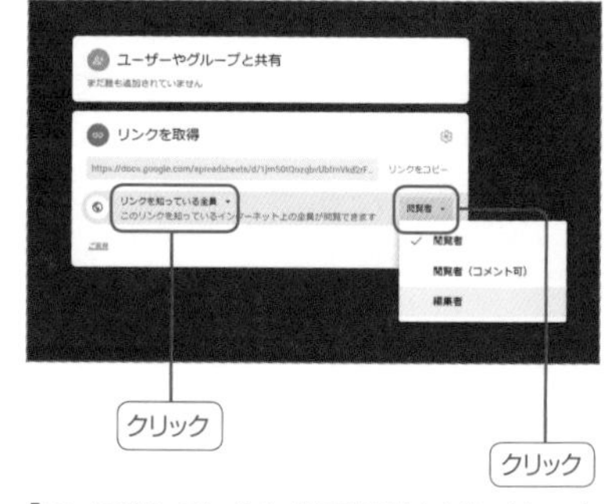

「リンクを知っている全員に変更」をクリックし、右のメニューから編集権限の設定ができます。標準では閲覧しかできない設定になっています。

メンバーのみアクセスできる共有フォルダを作成する

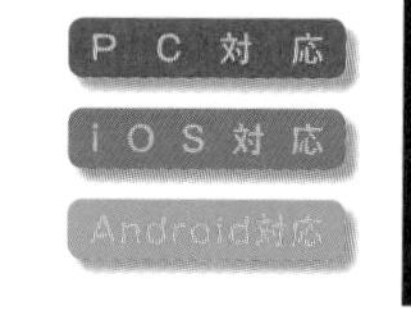

Googleドライブでは、ファイル共有のほかに特定のメンバーのみがアクセスできる共有フォルダを作成することができます。共有フォルダではメンバー間で相互ファイルをやり取りするといった使い方ができます。ただし、共有フォルダを利用するにはメンバー全員がGoogleアカウントを所持している必要があります。

1 共有用フォルダを作成する

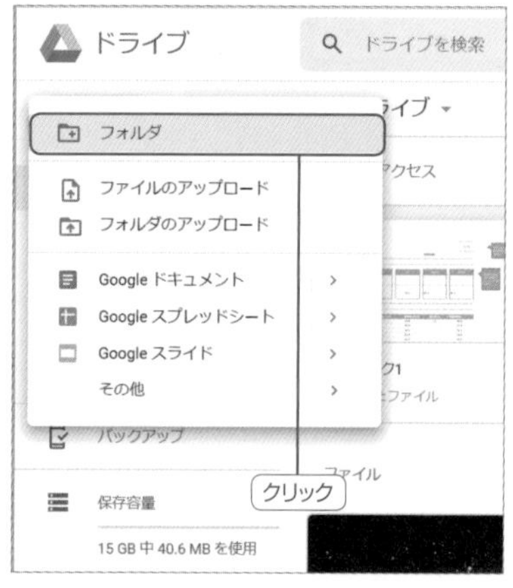

共有用のフォルダを作成しましょう。「新規」から「フォルダ」をクリックして、共有用フォルダに名前を付けましょう。

2 共有設定を行う

作成したフォルダを右クリックして「共有」を選択。ユーザー欄に共有相手のメールアドレスを入力して「送信」をクリックして招待しましょう。

3 共有フォルダをチェック

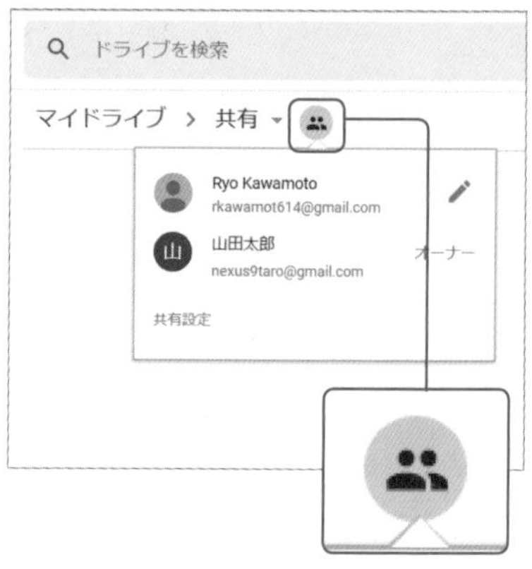

共有設定は完了。共有状態にあるフォルダはフォルダの中に人形アイコンが追加されます。共有を解除する場合は人形アイコンをクリックして共有設定画面から共有を解除しましょう。

共有して作業しているときは「変更履歴」を参照すると便利

パソコン版Googleドライブで複数のユーザーと共有して作成編集しているファイルは、その変更履歴を作業しているファイル上に表示することができます。どのユーザーがどの箇所を編集したのか詳細が分かります。

1 「ファイル」タブから「変更履歴を表示」をクリック

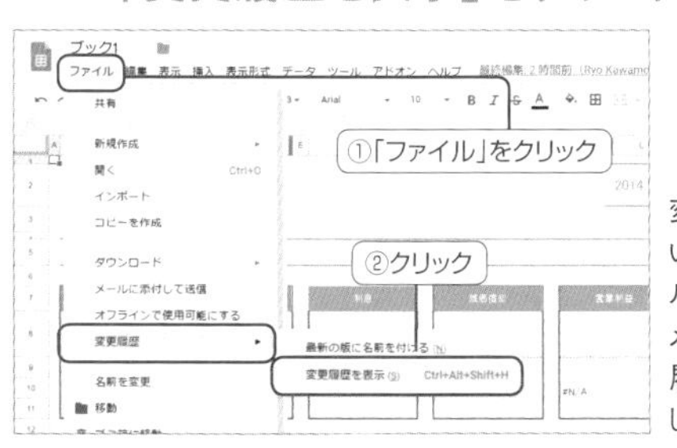

変更履歴を表示したいファイルの「ファイル」タブをクリックして、メニューにある「変更履歴を表示」をクリックします。

2 変更履歴が表示される

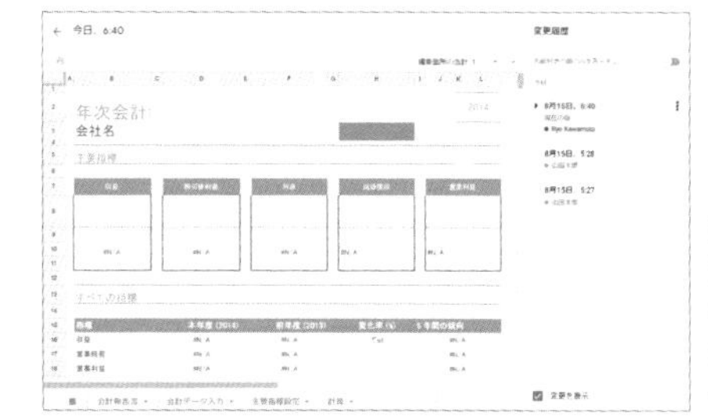

画面の右側に変更履歴の一覧が表示されます。「←」をクリックすると履歴の一覧が閉じます。

「変更履歴」からファイルを復元する

PC対応

誤ってファイルを削除したり、上書き保存した場合はメニュー内のゴミ箱よりファイルを救出したり、変更履歴よりファイルの「復元」を行うことで元に戻すことができます。

誤って上書き保存したファイルを「復元」する(パソコン版のみ)

1 復元したいファイルの変更履歴を開く

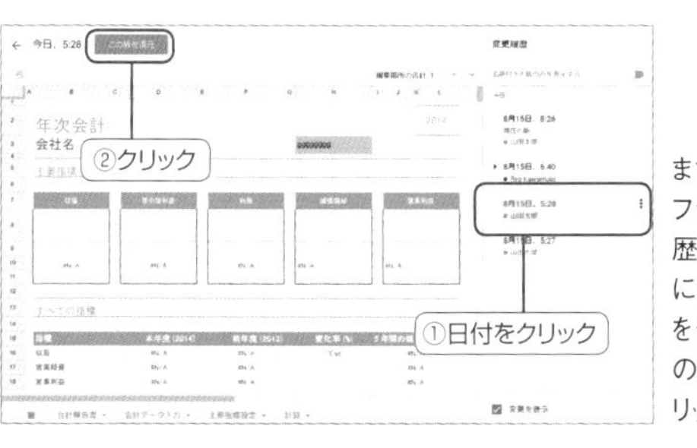

まずは復元したいファイルの変更履歴を開きます。次に復元したい日付をクリックして「この版を復元」をクリックします。

2 ファイルが復元される

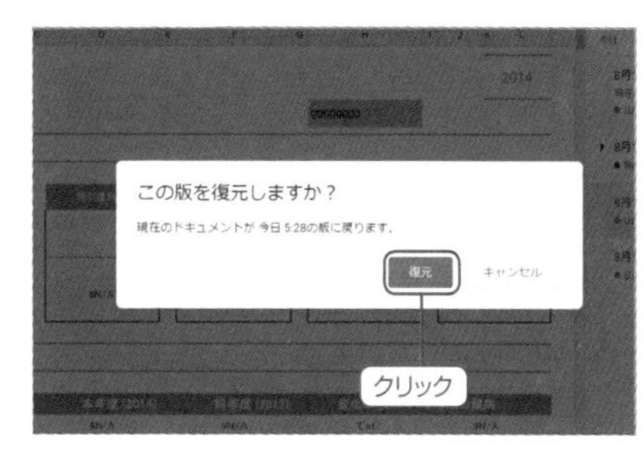

「復元しますか」と聞かれるので、「復元」をクリック。するとその日時のファイル状態に復元することができる。

誤って削除したファイルを救出する

1 「ゴミ箱」をクリックする

画面左側のフォルダー一覧の「ゴミ箱」をクリックすると、ドライブ上から削除したファイルの一覧が表示される。

2 救出したいファイルにチェックを入れる

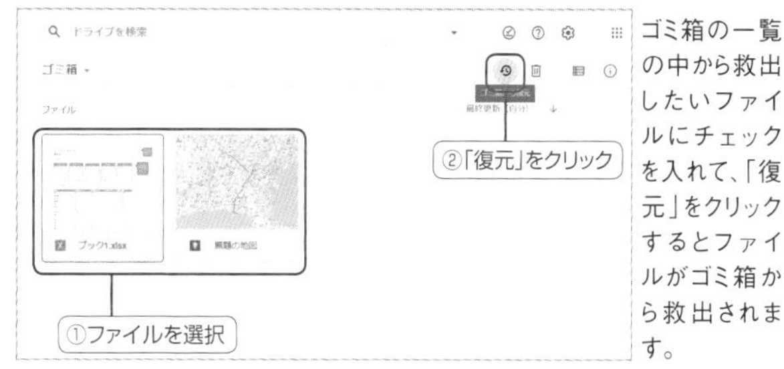

ゴミ箱の一覧の中から救出したいファイルにチェックを入れて、「復元」をクリックするとファイルがゴミ箱から救出されます。

Googleドライブとパソコンを自動で同期するように設定する

Googleドライブはパソコン内のファイルと同期することもできます。同期するには「バックアップと同期」をインストールしましょう。「Googleドライブ」フォルダが作成され、このフォルダ内にファイルを保存すると常に自動同期できるようになります。

Googleドライブフォルダを作成しよう

1 ソフトをダウンロードする

「バックアップと同期」のサイトにアクセスしたら、「バックアップと同期」をダウンロードをクリックしてソフトのプログラムをダウンロードしましょう。

2 インストールする

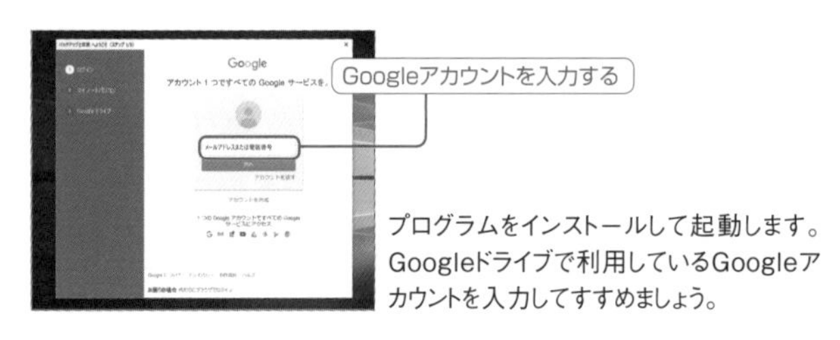

プログラムをインストールして起動します。Googleドライブで利用しているGoogleアカウントを入力してすすめましょう。

3 Googleドライブフォルダの場所を設定する

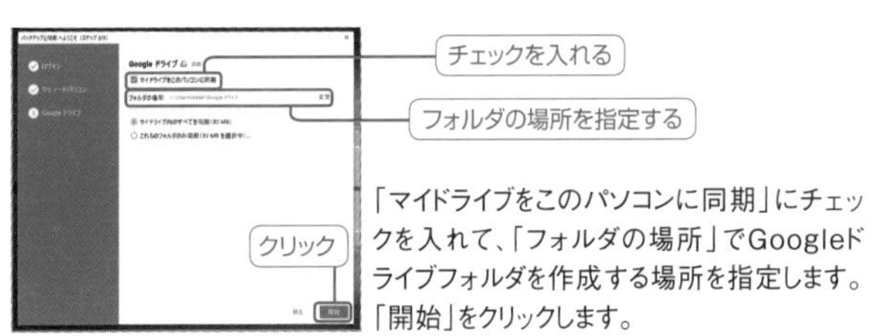

「マイドライブをこのパソコンに同期」にチェックを入れて、「フォルダの場所」でGoogleドライブフォルダを作成する場所を指定します。「開始」をクリックします。

4 Googleドライブフォルダが作成される

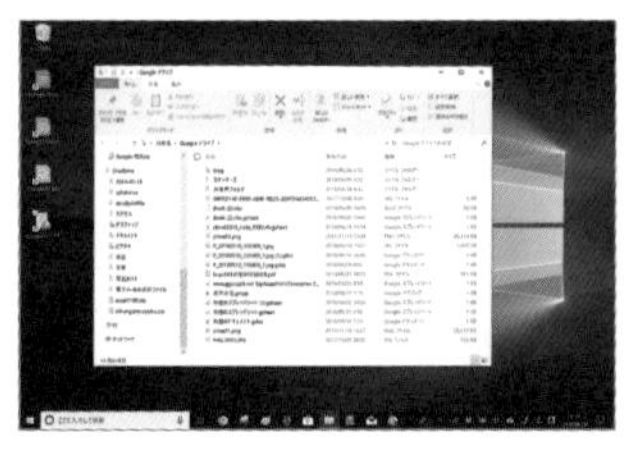

デスクトップにGoogleドライブフォルダのショートカットが作成されます。クリックするとGoogleドライブが開き同期されます。

指定したフォルダだけをパソコンと同期させたい

「バックアップと同期」を導入するとクラウド上にあるすべてのファイルが同期されてしまい、環境によってはパソコンのストレージ容量を圧迫してしまいます。そんな時は指定したフォルダのみ同期するようにしましょう。Googleドライブ内の指定したフォルダのみ同期できます。容量の少ないノートパソコンユーザーは覚えておくと便利です。

1 「バックアップと同期」の設定画面を開く

タスクバーにあるバックアップと同期のアイコンをクリックし、右上の設定ボタンをクリックして「設定」をクリックします。

2 Googleドライブの設定

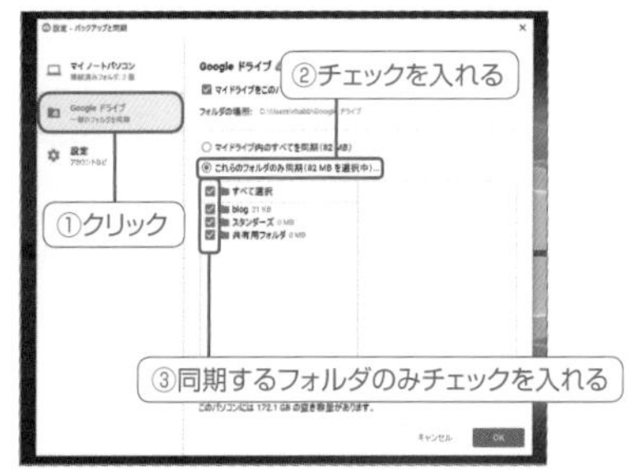

「Googleドライブ」をクリックし、「これらのフォルダのみ同期」にチェックを入れます。続いて同期するフォルダのみチェックを入れて「OK」をクリックしましょう。

3 選択したフォルダだけ表示された

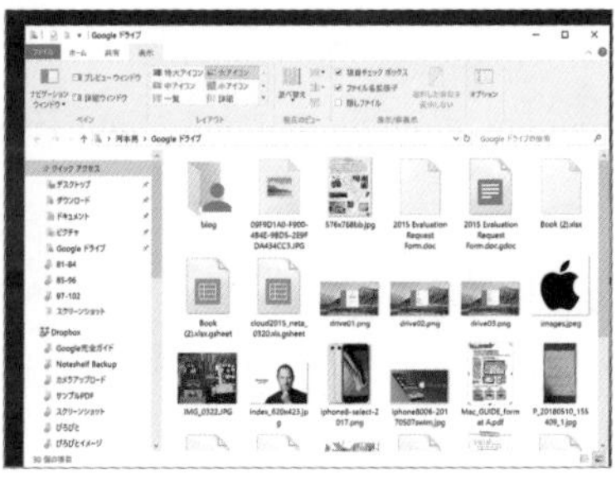

するとチェックを入れておいたフォルダのみ残り、ほかのフォルダはPC上から削除されます。

PC内の指定したフォルダをGoogleドライブにバックアップする

「バックアップと同期」にはパソコン内にある指定したフォルダをGoogleクラウドにアップロードする機能があります。Googleドライブのフォルダとは別にバックアップしたいフォルダがある場合に利用しましょう。

また、指定したフォルダ内のすべてのファイルをバックアップするか、写真と動画ファイルのみバックアップするかなどファイル形式を絞ることもできます。

1 Googleドライブの設定を開く

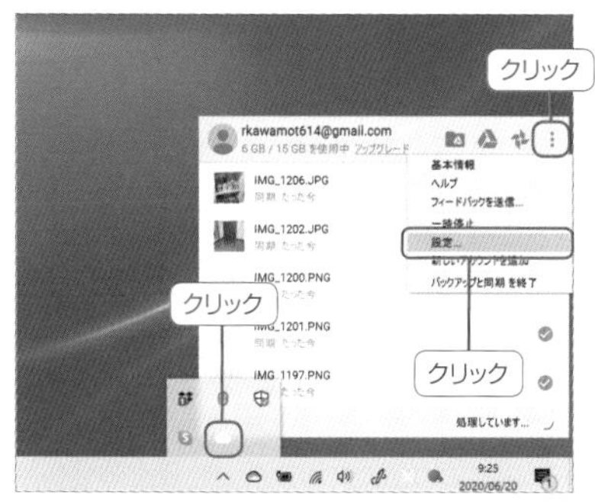

タスクトレイに常駐しているGoogleドライブのアイコンをクリックし、右上の設定ボタンをクリックし、「設定」を選択しましょう。

2 バックアップするフォルダを指定する

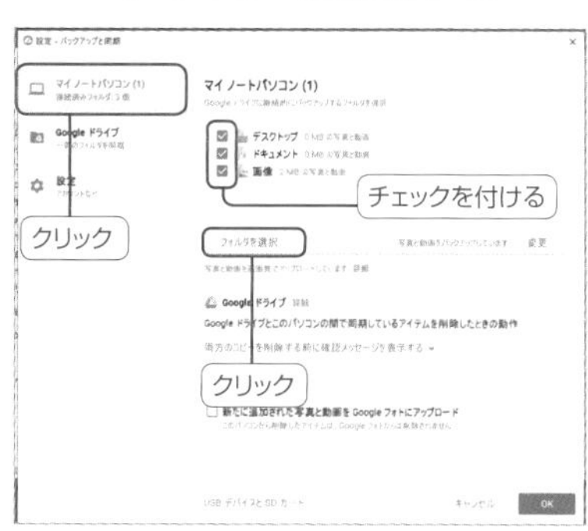

「マイパソコン」をクリックし、「フォルダを選択」からGoogleドライブにバックアップしたいフォルダを登録してチェックを付けよう。

3 ファイル形式を指定する

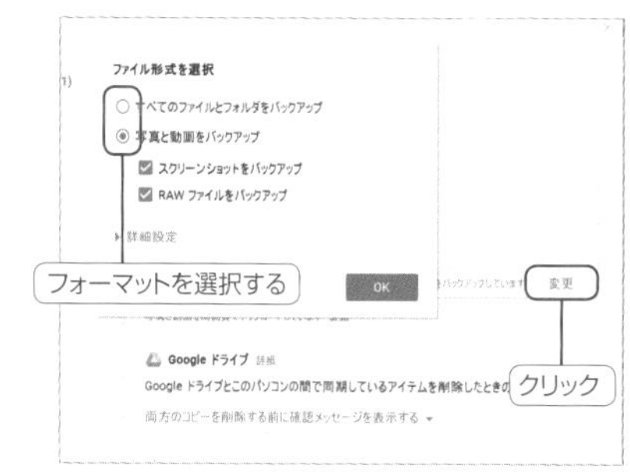

右側の「変更」をクリックするとバックアップするファイル形式を指定できる。写真と動画だけバックアップするなら「写真と動画」をバックアップにチェックを入れよう。

紙の資料をスマホでPDFにする

スマホ版Googleドライブならではの機能としてスマホのカメラで撮影した写真をGoogleドライブにアップロードする機能があります。撮影すると自動的に余白をトリミングしてくれるだけで、手動でトリミング範囲を調整したり、カラーの調整が行えます。PDFで出力できるので書類をスキャンして保存するときに向いています。ただし、iOS版はトリミング機能やカラー調整はできません。

1 新規作成から「スキャン」を選択する

作成ボタンをタップして表示されるメニューで「スキャン」を選択します。

2 書類を撮影する

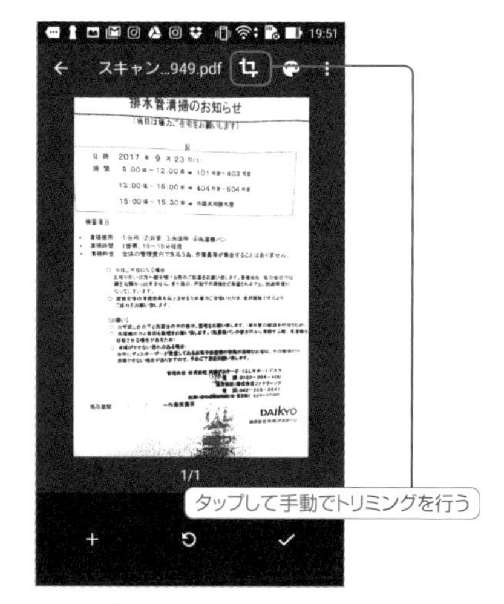

カメラが起動するので書類を撮影しましょう。自動的に周囲の余白がトリミングされます。上にあるトリミングボタンで手動でトリミング範囲を指定できます。

3 カラーの調整

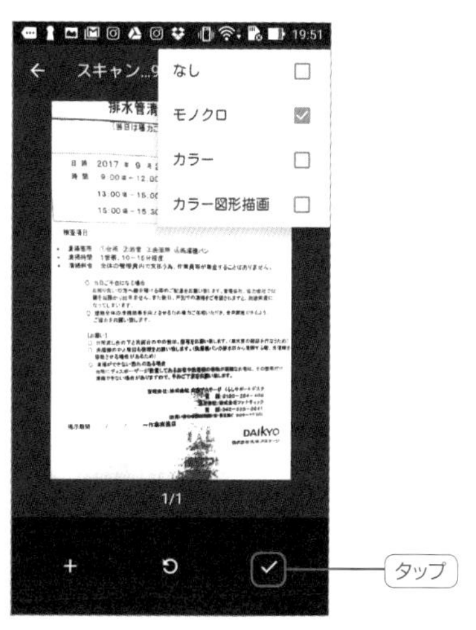

カラーの調整も行えます。調整が終わったら右下の完了マークをタップすれば、Googleドライブにアップロードされます。

Gmailの添付ファイルをドライブに保存する

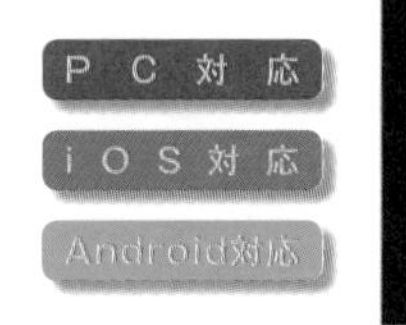

Gmailに添付されたファイルは直接Googleドライブに保存することができます。添付ファイルが保存されたメールを開いて、添付ファイル上に表示されるGoogleドライブアイコンをクリックすると保存されます。また、ファイルをクリックするとGoogleドキュメントやGoogleスプレッドシートで編集ができます。

1 「ドライブに追加」をクリック

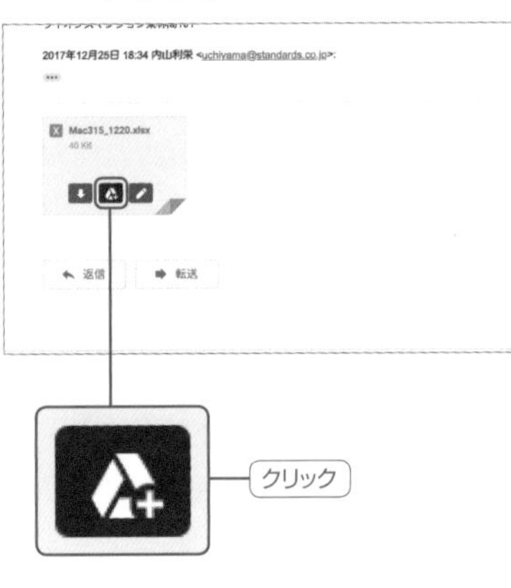

メールを開いたら添付ファイルにカーソルを置き、表示されるアイコンからGoogleドライブの「ドライブに追加」をクリックします。

2 あGoogleドライブに保存される

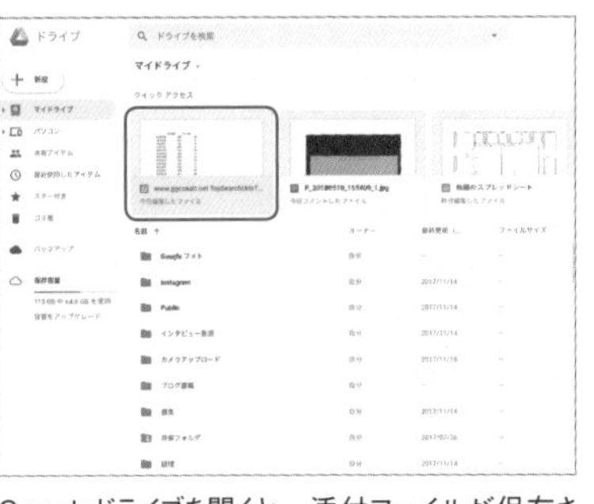

Googleドライブを開くと、添付ファイルが保存されました。

3 Googleアプリで直接編集

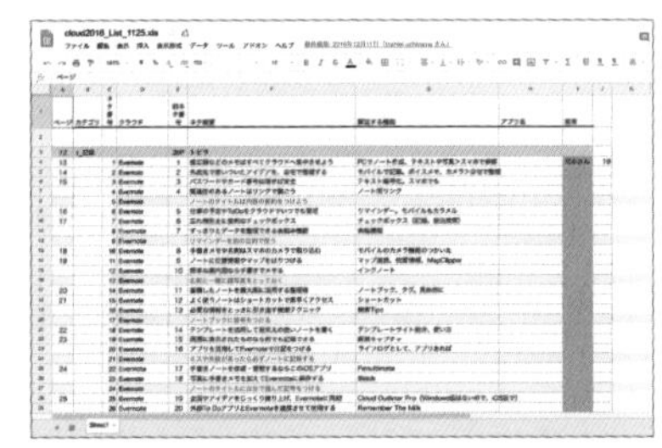

手順1の画面でファイルをクリックするとGoogleドキュメントやGoogleスプレッドシートが開き、閲覧・編集ができます。

有料で15GB以上に容量を増やす

PC対応 iOS対応 Android対応

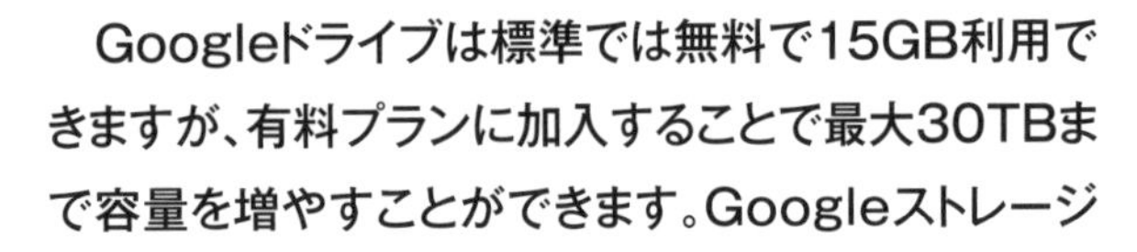

Googleドライブは標準では無料で15GB利用できますが、有料プランに加入することで最大30TBまで容量を増やすことができます。Googleストレージの容量はGoogleフォトやGmailなど各種Googleサービスと共用のためすぐにいっぱいになりがちです。使い勝手が良ければ追加購入するのもよいでしょう。

1 「容量を購入」をクリック

Googleドライブの左メニュー一番下にある「保存容量を購入」をクリックします。

2 ドライブストレージ画面

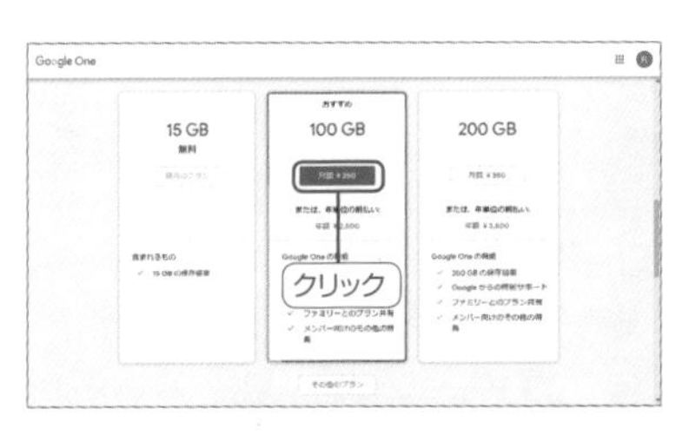

ドライブストレージ設定画面です。現在の使用量が表示されます。プランから容量の金額をクリックして購入ができます。

3 容量と月額料金

容量	月額料金
100GB	250円
2TB	1300円
10TB	1万3000円
20TB	2万6000円
30TB	3万9000円

Googleカレンダーで楽しくスケジュール管理

SECTION

Googleカレンダーの素晴らしさ!

Googleカレンダーは Googleが提供している無料オンラインカレンダーです。パソコン〜スマホ間でスケジュールを同期できるので、例えばパソコンで登録したスケジュールをリアルタイムでスマホで閲覧・編集できるといったように、両方の端末機器でスケジュールを共有することができます。また、仕事やプライベートなど複数のカレンダーを使い分けできます。さらに友人などと複数名での共有に対応している「マイカレンダー」と呼ばれる機能も搭載してます。その他、日・週・月で表示を切り替えたり、予定の時間になると通知されたり、予定と一緒に住所やURLを登録できるといった機能が搭載されています。

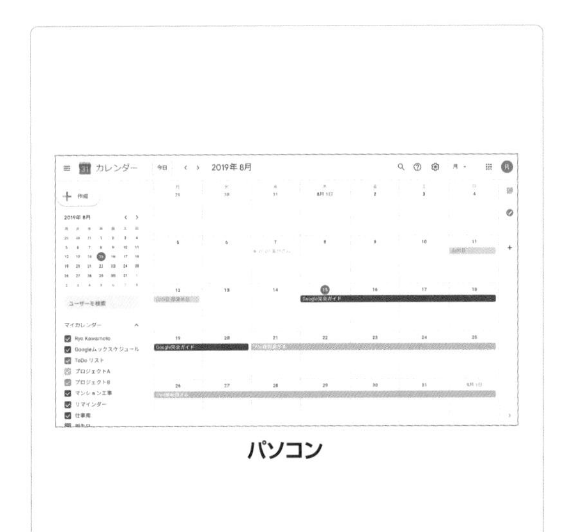

パソコン

スマートフォン

パソコン〜スマホ間でスケジュールを同期すると、両方のデバイスでスケジュールを共有することができます。パソコンで登録したスケジュールをスマホで閲覧・編集できるようになります。

基本用語

ToDoリスト
するべきことを書き出したもの。締め切りが比較的曖昧でスケジュールに組み込むまでもない、やるべきことがリストアップされる。スケジュールに組み込むべきリストはタスクリストといわれる。

オフライン
インターネットにつながっていない状態のこと。または、ネットのサービスからログアウトした状態をいうこともある。

共有する
同一のカレンダーを複数人で、ネットワーク経由で、使えること。カレンダーでは特に手軽で便利な機能。

ドラッグ&ドロップ
ドラッグは引きずる、ドロップは落とす、下におくという意味。パソコンではマウスを使えば容易。スマホなどでは、アプリアイコンなら長押ししたまま移動する。

リマインダー
リマインダーは、予定通知機能のこと。カレンダーと連動して、予定や約束を記憶し、事前設定の時刻になると自動で連絡してくれる。予定を忘れるということをリマインダーによって防ぐことができる。

一目でわかるGoogleカレンダーの基本画面

Googleアカウントでログイン後にChromeなどからGoogleカレンダーにアクセスしましょう。ブラウザ上から直接予定を入力したり編集することができます。

PC対応　iOS対応　Android対応

パソコン編

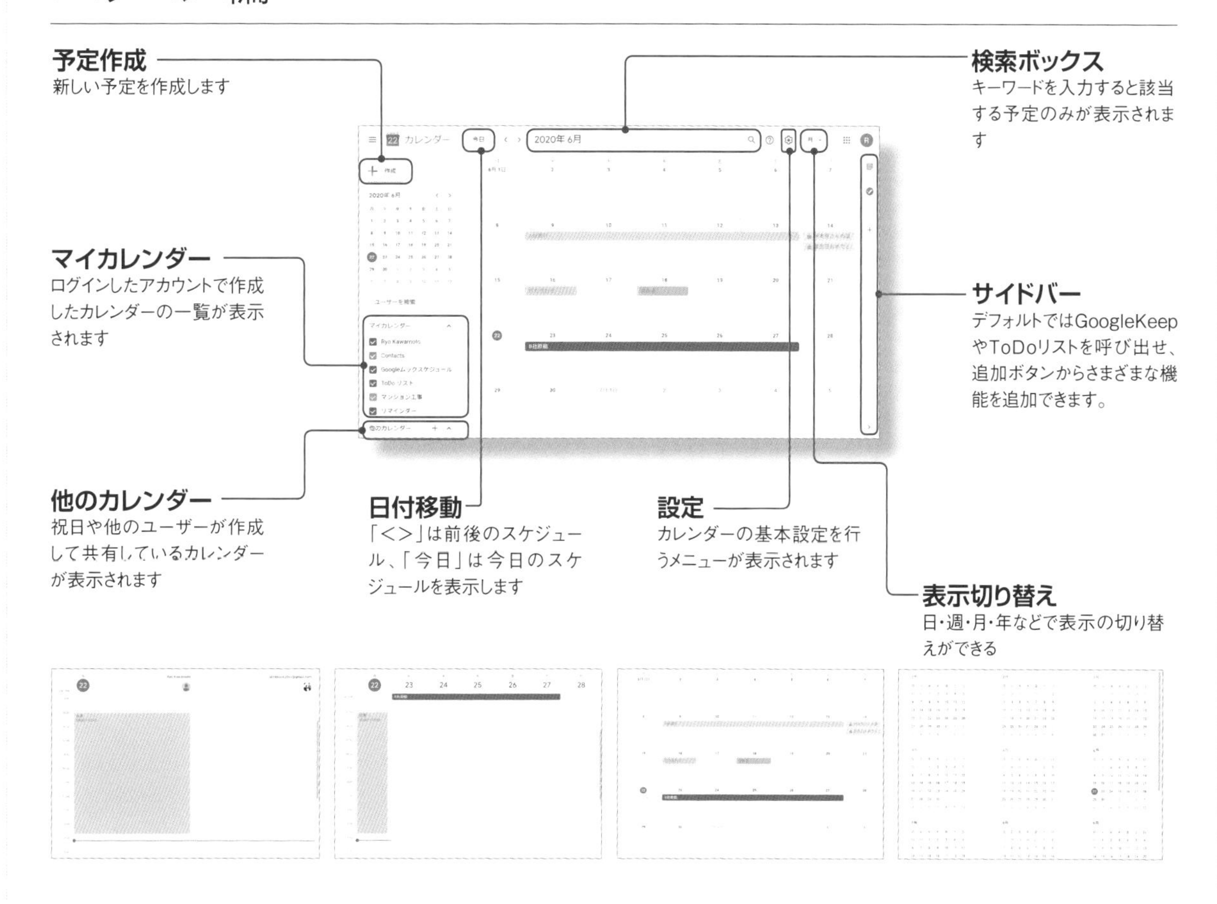

スマートフォン編

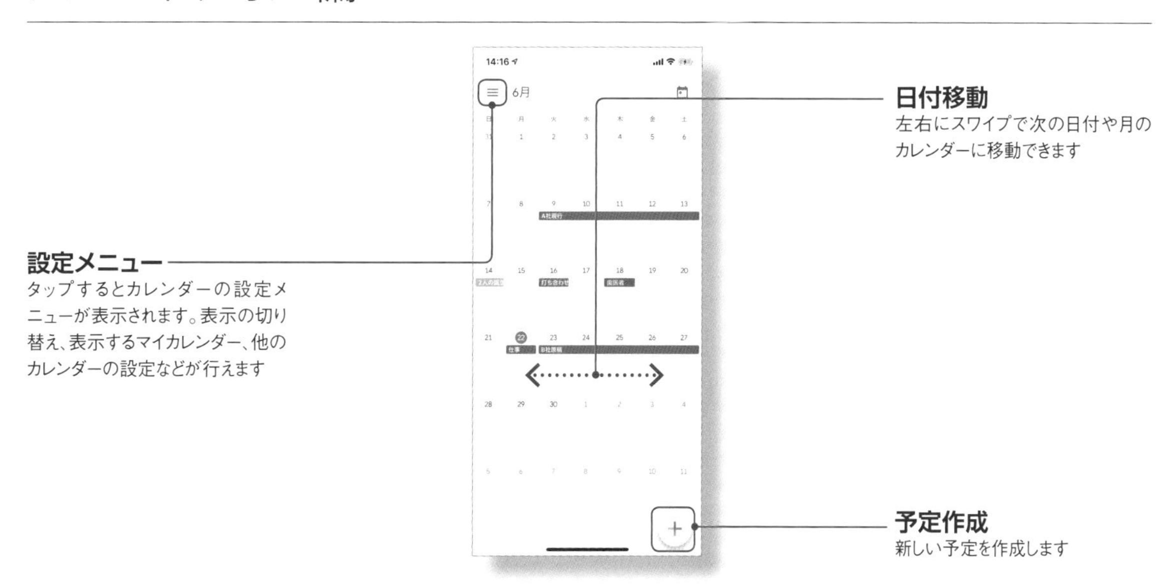

予定を登録してみよう

Googleカレンダーは「作成」をクリックするか、カレンダー上の予定を入れたい日時を選択すると予定を登録することができます。詳細設定では日付・時刻や通知方法など細かな設定ができます。

パソコン版のスケジュール登録方法

1 予定を入れたい日付か「作成」をクリックする

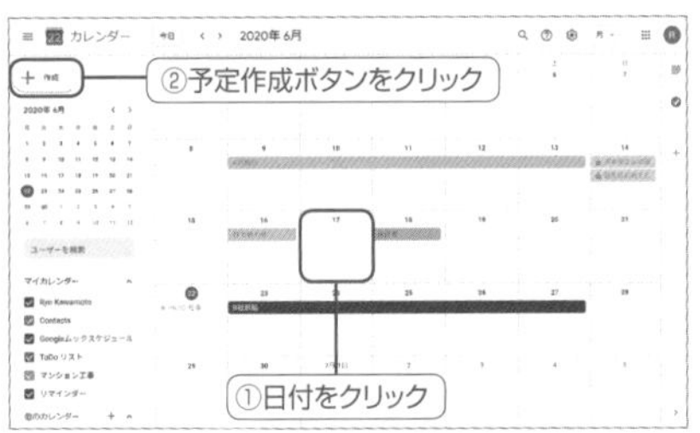

予定を入力するには、日付をクリックするか右下の予定作成ボタンをクリックします。

2 予定を新規作成する

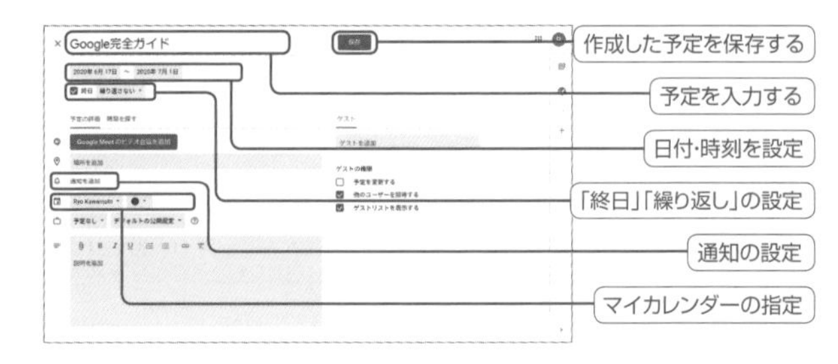

3 設定した予定を変更する

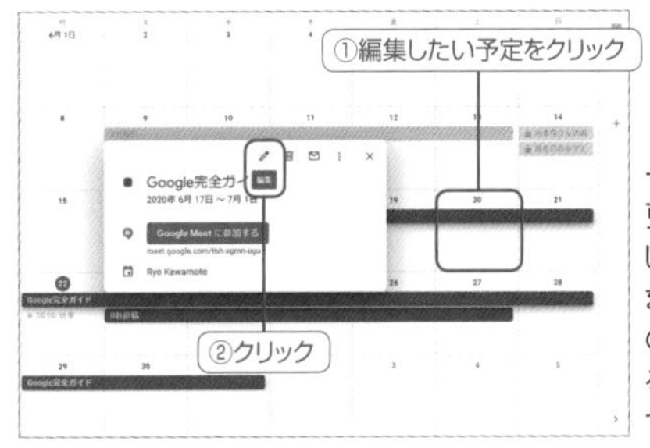

一度設定した予定を変更する場合は、変更したい予定をクリックします。表示されるタブの「編集」をクリックすると編集画面が開きます。

4 設定した予定を削除する

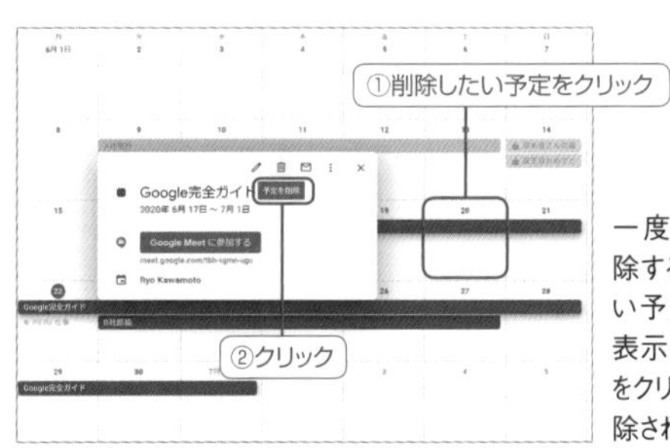

一度設定した予定を削除する場合は、削除したい予定をクリックします。表示されるタブの「削除」をクリックすると予定が削除されます。

スマートフォン版のスケジュール登録方法

1 予定作成ボタンをタップ

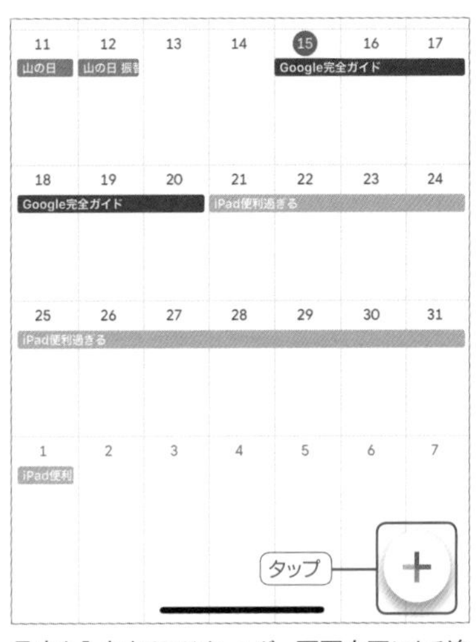

予定を入力するにはカレンダー画面右下にある追加ボタンをタップします。

2 予定をタップ

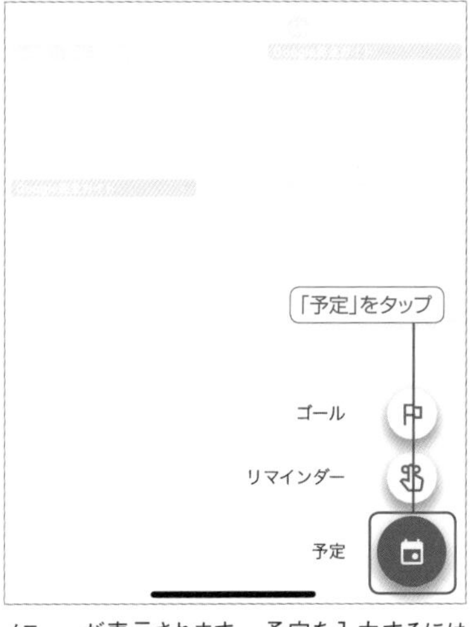

メニューが表示されます。予定を入力するには「予定」をタップします。

3 予定を入力する

予定入力画面が表示されるので、予定を入力しましょう。

SECTION 6 Googleカレンダーで楽しくスケジュール管理

仕事やプライベートで複数のカレンダーを使い分ける

パソコン版のGoogleカレンダーは複数のカレンダーを使い分けることができます。作成したカレンダーは「マイカレンダー」に保存され、家族や友人と共有することができます。内容ごとに作成しておきましょう。

カレンダーを新規で作成する

1 マイカレンダーの右の「↓」をクリックする

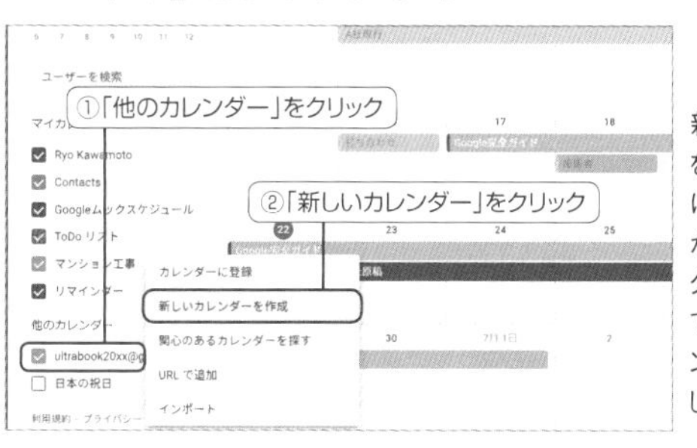

新しくカレンダーを作成するには、左メニューから「他のカレンダー」を選択して、「新しいカレンダー」をクリックします。

2 カレンダーの詳細を入力

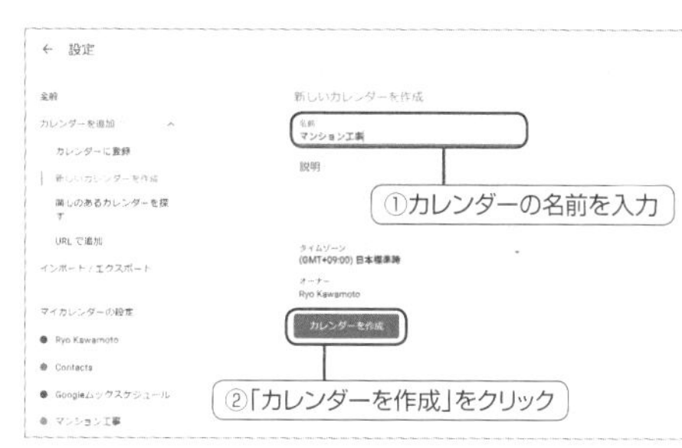

カレンダーの新規作成の画面でカレンダー名や説明などを入力します。入力後に「カレンダーを作成」をクリックするとカレンダーの新規作成が完了です。

3 カレンダーの表示を変更する

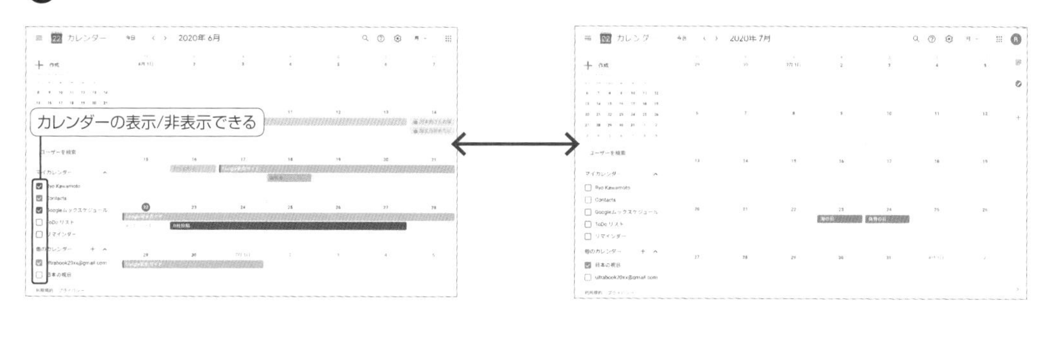

マイカレンダーのカレンダー名の前の色をクリックして、マイカレンダーの表示/非表示を調整します。スマホ版はカレンダーの作成はできませんが、表示切り替えはできます。

マイカレンダーを共有する

1 カレンダーの右にある「×」をクリックする

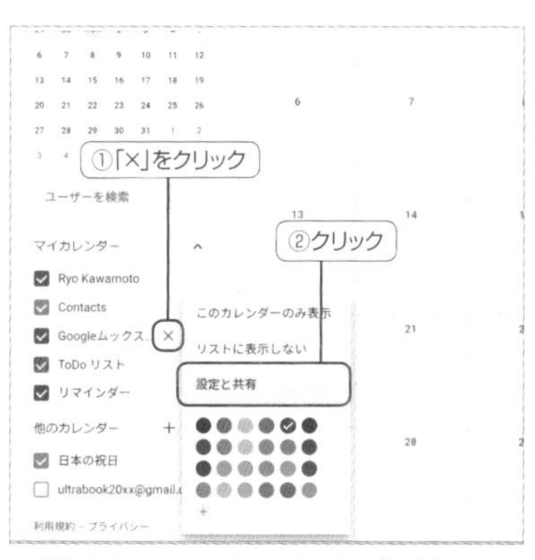

まず共有するカレンダーの右にある「×」をクリックします。次にメニューから「設定と共有」をクリックします。

2 共有設定画面

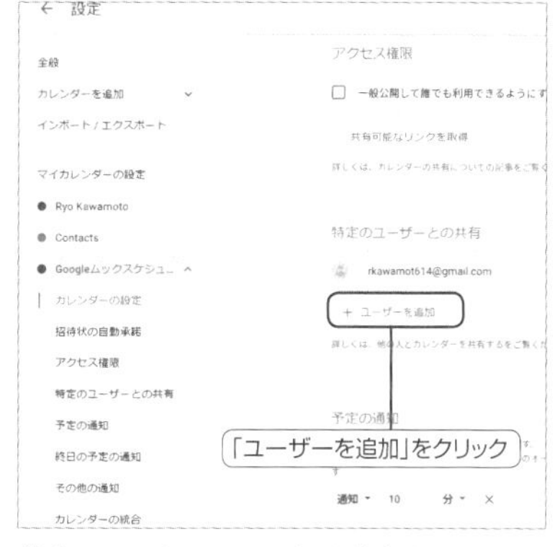

特定のユーザーとカレンダーを共有するには、下にスクロールして「ユーザーを追加」をクリックします。

3 相手のメールアドレスを入力する

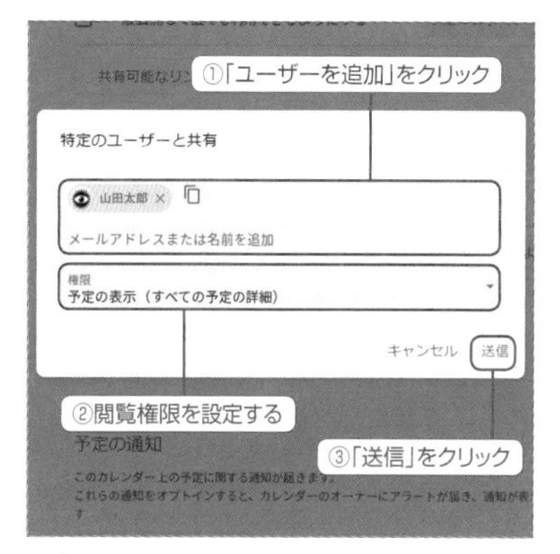

共有相手のメールアドレスを入力し、カレンダーの閲覧権限を設定して、「送信」をクリックしましょう。

忘れないように予定を事前に通知する

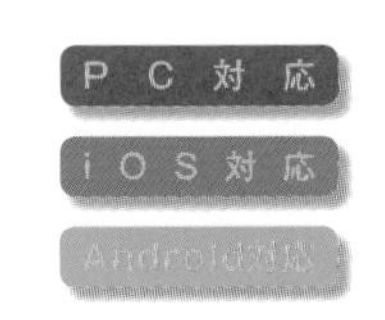

Googleカレンダーは登録した予定の時間にメールやポップアップで通知してくれる機能を搭載しています。スケジュールごとに通知設定をカスタマイズも可能です。パソコンだけでなくスマホにも通知してくれます。

パソコン版Googleカレンダーの通知設定

1 予定をクリックして編集ボタンをクリック

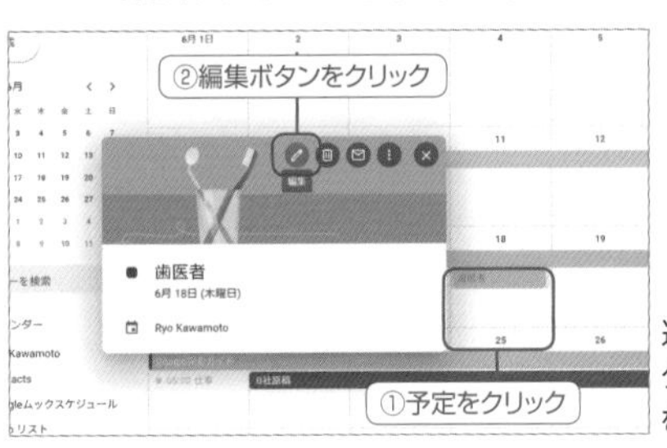

通知知てほしい予定をクリックし、編集ボタンをクリック。

2 通知の設定をする

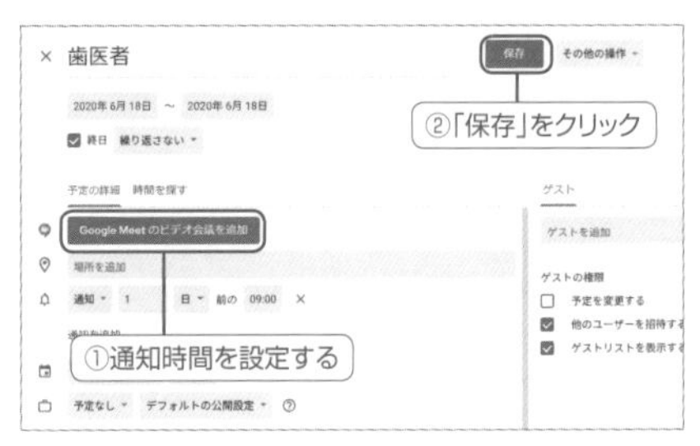

予定設定画面が表示される。通知設定画面で「通知を追加」をクリックして、通知してもらいたい時間を設定して「保存」をクリックする。

3 複数の通知設定

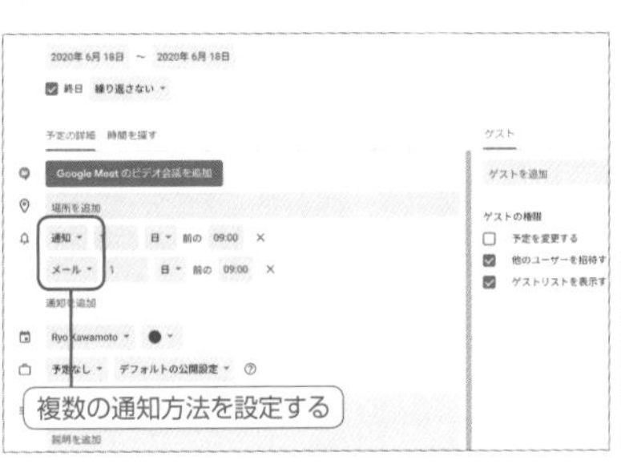

通知は複数設定できる。通知方法もブラウザ上に表示する方法とメールで通知する方法が選択できる。

4 予定の時間に通知される

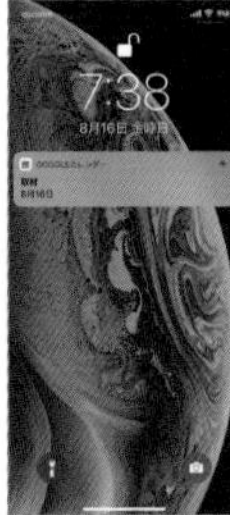

予定時刻になると通知される。通常の通知はPCの通知欄に、メール通知はメールで通知してくれる。

Android版Googleカレンダーの通知設定

1 設定メニューから「設定」を開く

まずは設定メニューの「設定」をタップします。次に「全般」をタップします。

2 「通知」にチェックを入れる

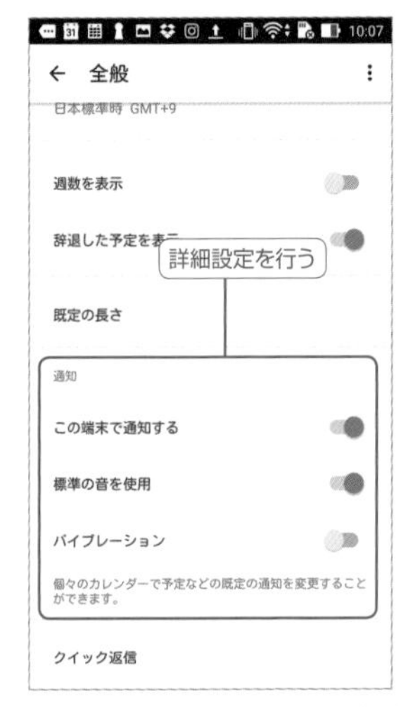

「通知」にチェックを入れて、通知方法や通知時間などを設定すると通知設定は完了です。

3 ステータスバーに通知される

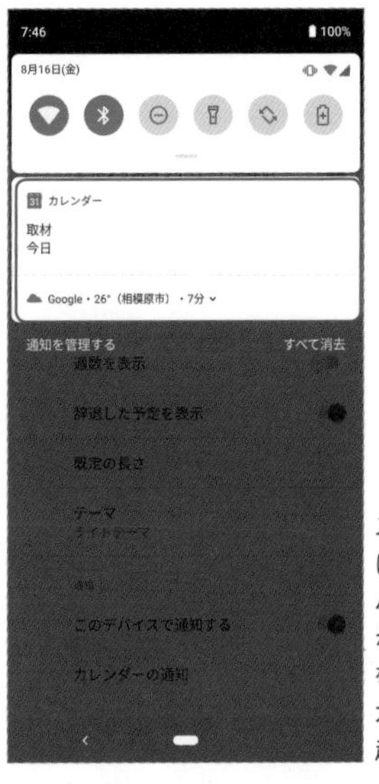

スマホの通知はステータスバーに表示されます。通知をタップするとカレンダーが起動します。

予定を色分けして見やすくしよう

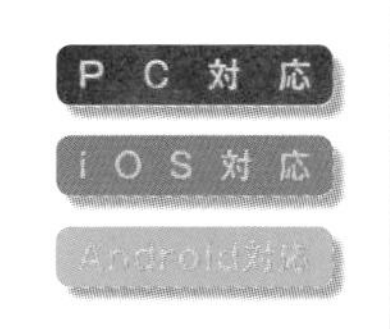

パソコン版のGoogleカレンダーは登録した日付に予定が複数重なっていたり、複数のカレンダーを表示する場合は予定ごとに色分けができます。プロジェクト内容ごとにカレンダーや各予定を色分けしておくとわかりやすくなります。

1 カラーパレットの中から色を選ぶ

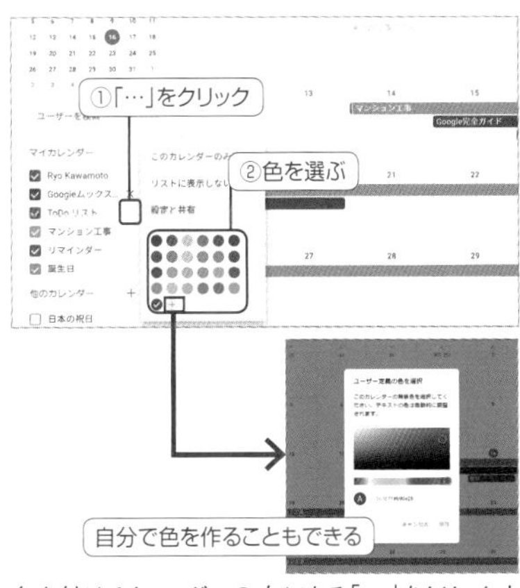

色を付けるカレンダーの右にある「…」をクリックするとメニューが表示されるので、カラーパレットの中から色を選んでクリックするとカレンダーが着色されます。

2 個別に色分けも可能

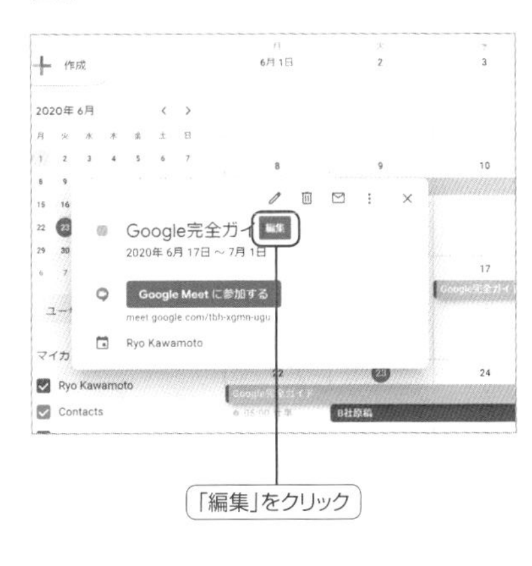

予定別に色分けを行う場合は、色を付ける予定をクリックして、「編集」をクリックします。

3 編集画面より色を選ぶ

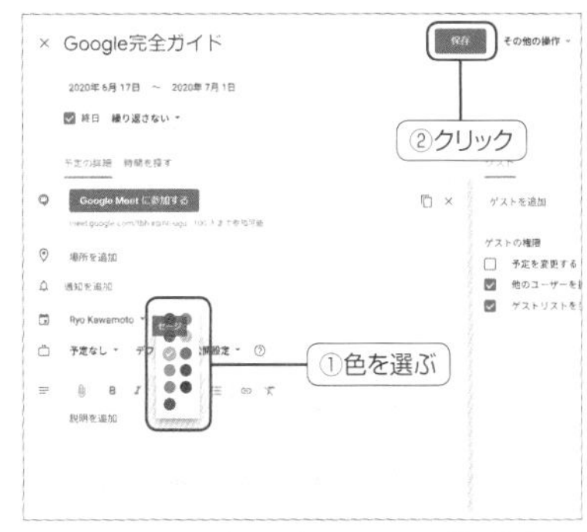

カラーパレットの中から色を選んで、「保存」をクリックすると予定が着色されます。

特定の予定を検索する

予定をピンポイントで閲覧したい時は、検索ボックスにキーワードを入力すると、特定の予定だけ表示することができます。スマホ版はメニュー画面から検索機能を利用することができます。

1 検索ボックスにキーワードを入力する

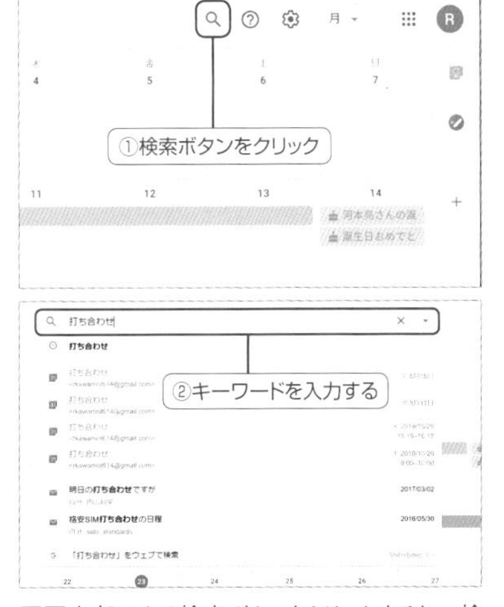

画面上部にある検索ボタンをクリックすると、検索ボックスが表示されます。キーワードを入力しましょう。

2 検索結果の一覧が表示される

キーワードに該当する検索結果の一覧が表示されます。予定をクリックすると予定を編集できます

3 パソコン版ではより詳細な検索ができる

検索ボックスの右にある「▼」をクリックすると、より詳細な検索ができます。残念ながら、スマホ版には未対応で、パソコン版のみの機能です。

31

友人、同僚や家族とカレンダーを共有する

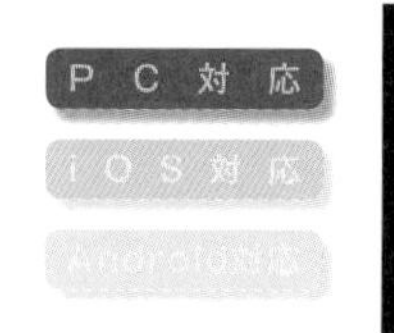

パソコン版のGoogleカレンダーは友人や家族が使っているGoogleカレンダーを簡単にインポートして表示できます。カレンダーを共有するには事前に共有設定で公開にしておく必要があります。

1 共有設定を変更する

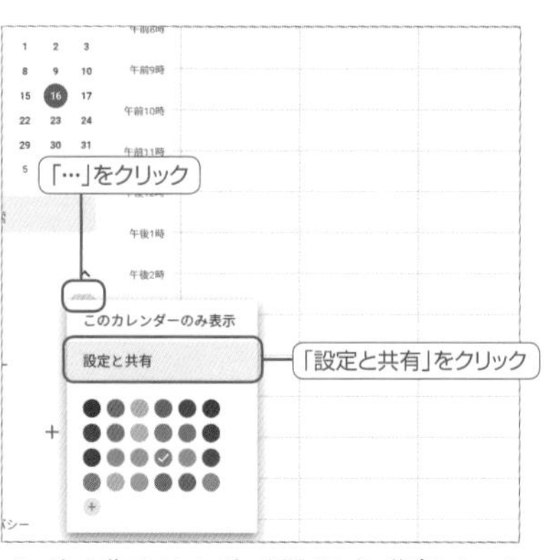

インポート先のカレンダーを開きます。共有したいカレンダー横にある「…」をタップして「設定と共有」を選択します。

2 アクセス権限を有効にする

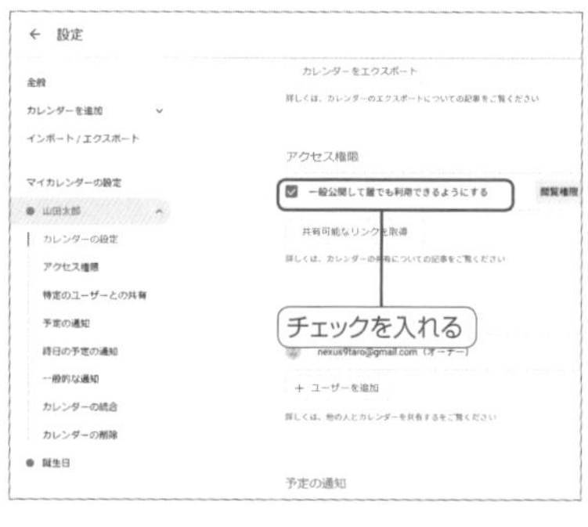

設定画面が表示されます。アクセス権限の「一般公開して誰でも利用できるようにする」にチェックを入れましょう。

3 ほかの人のカレンダーも一緒に表示される

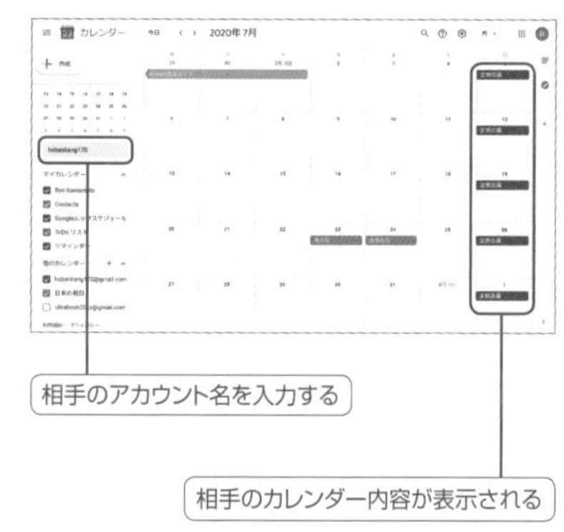

ほかのGoogleアカウントでカレンダーをログインして、左側にある検索ボックスにアクセスを有効にしたアカウント名を入力するとカレンダーが自動的に反映されます。

カレンダーからそのまま地図を表示する

PC対応
iOS対応
Android対応

入力する予定で外出することがある場合は外出先の住所を登録しておきましょう。スケジュールの詳細画面で住所を登録しておくとGoogleマップで検索をかけずに地図を表示することができます。

1 登録する予定の「編集」をクリック

地図を追加したい予定をクリックして、「編集」ボタンをクリックします。

2 登録する予定の住所を入力する

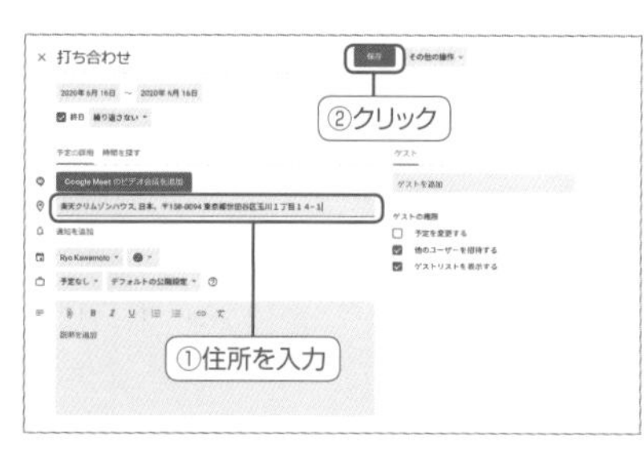

詳細設定の画面の「場所」の入力ボックスに住所を入力して、「保存」をクリックします。これで予定の住所の登録は完了です。

3 登録した予定の「地図」をクリック

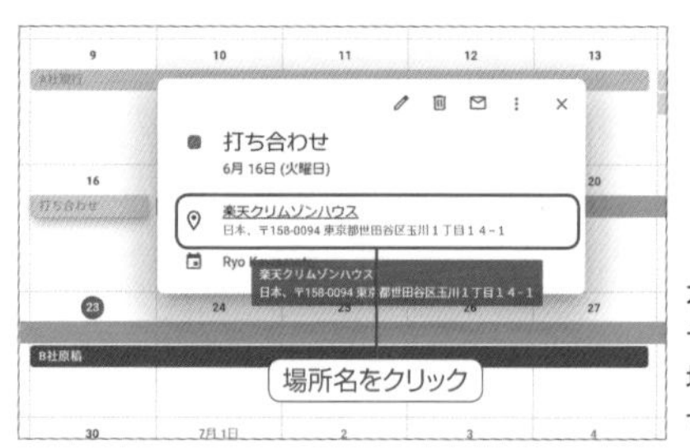

カレンダーに登録した予定をクリックして、場所名をクリックします。

4 登録した住所の地図が表示される

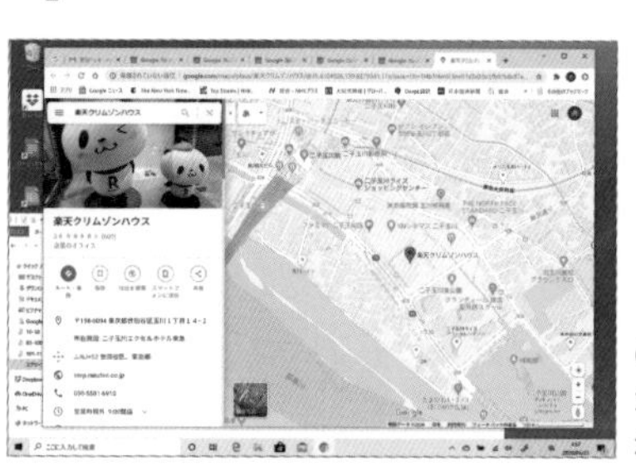

Googleマップが起動して、カレンダーに登録した住所が表示されます。

Gmailから予定を作成する

パソコン版のGoogleカレンダーはGmailと連携しているので、Gmailで受信したメールからGoogleカレンダーに予定を登録することができます。スマホ版Gmailにはこの機能はありません。

1 「その他」から「予定を作成」を選択する

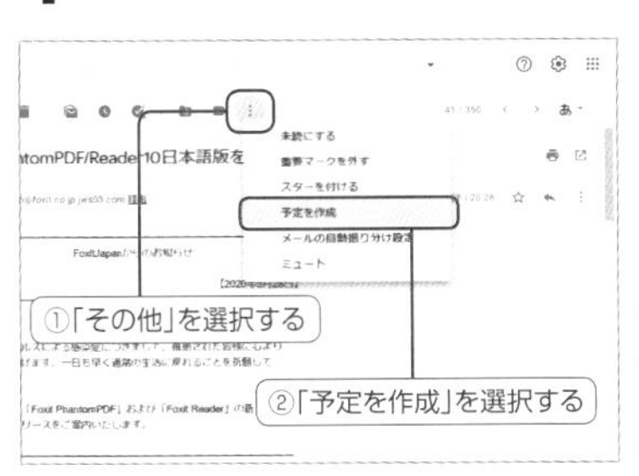

カレンダーに登録したいメールを開き、「その他」メニューを開き、「予定を作成」を選択する。

2 予定作成画面が表示される

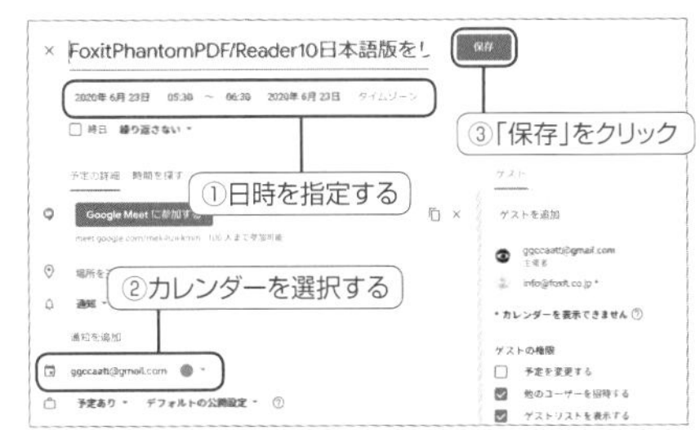

予定作成画面が表示されます。予定日時を指定し、カレンダーを選択します。最後に「保存」をクリックしよう。

3 カレンダーに予定が登録される

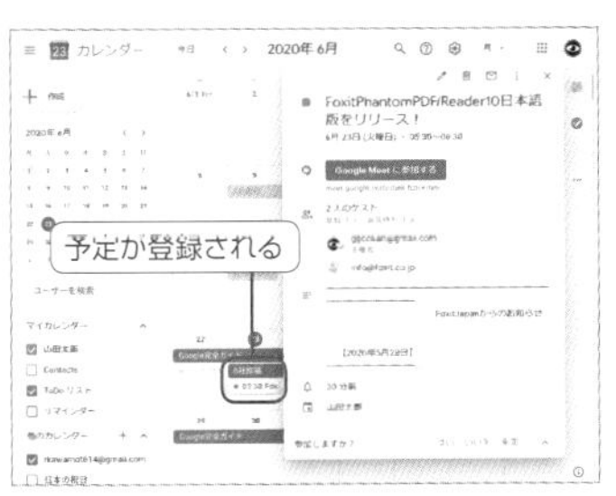

カレンダーに予定が登録される。カレンダーを開き、予定をクリックすると内容が表示されます。

4 GmailからGoogleカレンダーを開く

新しくなったGmailでは画面左にあるGoogleカレンダーアイコンをクリックすると、素早くGoogleカレンダーの内容を確認できます。

31

オフラインでGoogleカレンダーを利用する

スマホ版のGoogleカレンダーはオフライン状態でもカレンダーの内容を編集したり、予定を追加することができます。オンラインになると反映されます。なお、PC版はオフラインでの編集はできません。

1 スマホでオフラインで予定を作成する

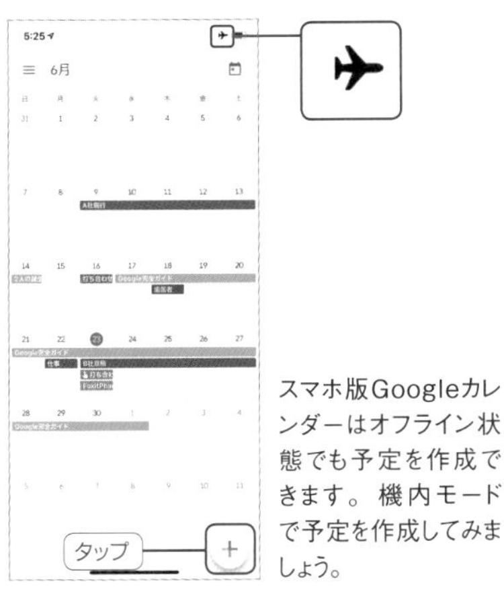

スマホ版Googleカレンダーはオフライン状態でも予定を作成できます。機内モードで予定を作成してみましょう。

2 予定を入力する

オフライン状態でも予定作成画面が表示されるので、予定を入力していきましょう。

3 PC版Googleカレンダーで予定を確認する

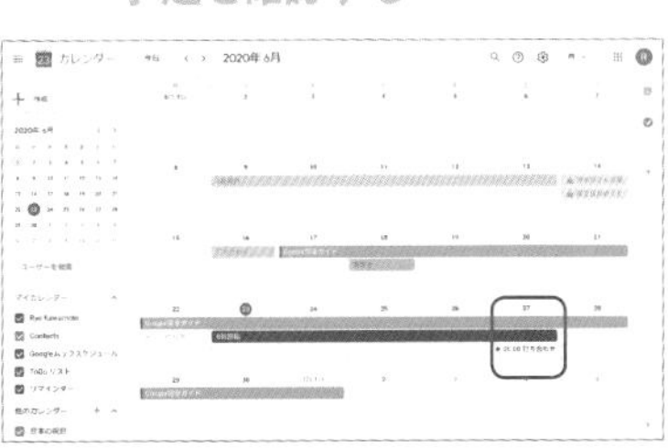

機内モードを解除してオンライン状態にしたら、PC版Googleカレンダーにアクセス。スマホで作成した予定が反映されている。

表示は「日/週/月/カスタム/リスト」に変更可能

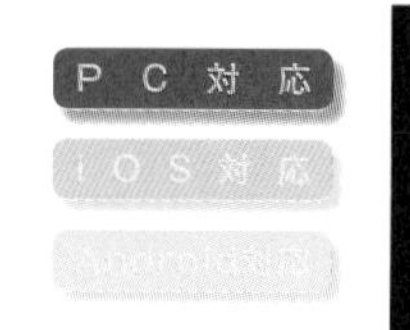

Googleカレンダーの標準状態では、起動直後の表示形式が「週」になっています。これを別の表示形式にすることができます。表示形式は、日/週/月/カスタムビュー（4日）/予定リストの5つから選択することができます。カスタムビューの日にちも変更できますが、変更できるのはPC版のみです。

1 表示形式を変更する

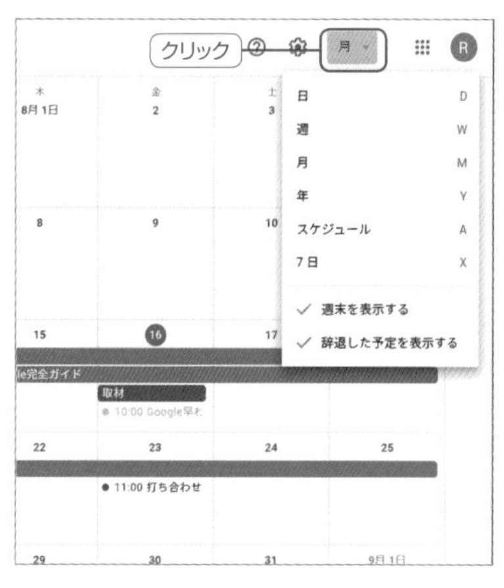

カレンダー右上の表示形式のプルダウンメニューを開いて、表示形式を選択しましょう。

2 「設定」から細かく変更する

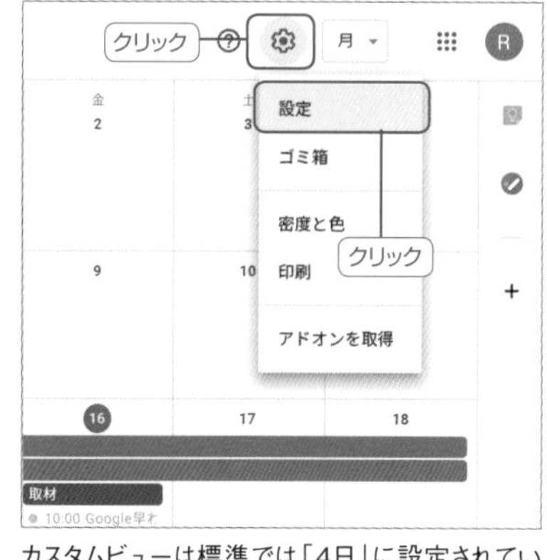

カスタムビューは標準では「4日」に設定されていますが、変更することができます。Googleカレンダー右上にある設定アイコンをクリックして「設定」をクリックします。

3 カスタムビューの設定を変更する

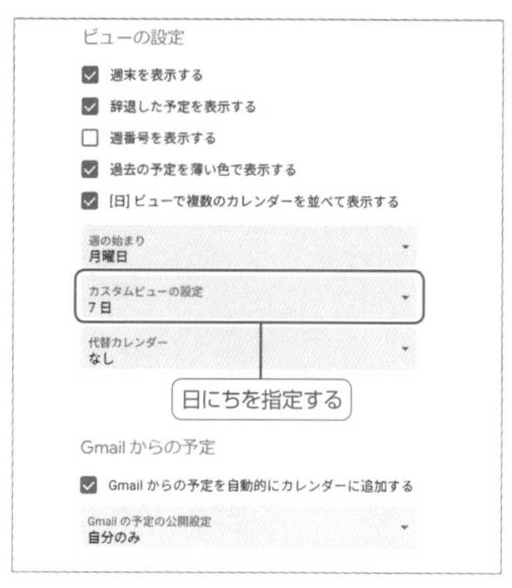

「ビューの設定」の「カスタムビューの設定」のプルダウンメニューを開き、日付を指定しましょう。

「20:00時に東京駅」で時刻も入力できる

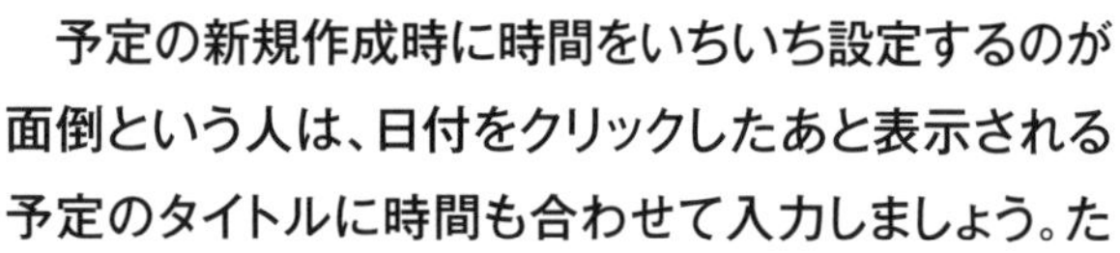

予定の新規作成時に時間をいちいち設定するのが面倒という人は、日付をクリックしたあと表示される予定のタイトルに時間も合わせて入力しましょう。たとえば「19:00に水族館で待ち合わせ」と予定のタイトルを入力すると、19時からの予定として登録することができます。

1 時間を直接入力する

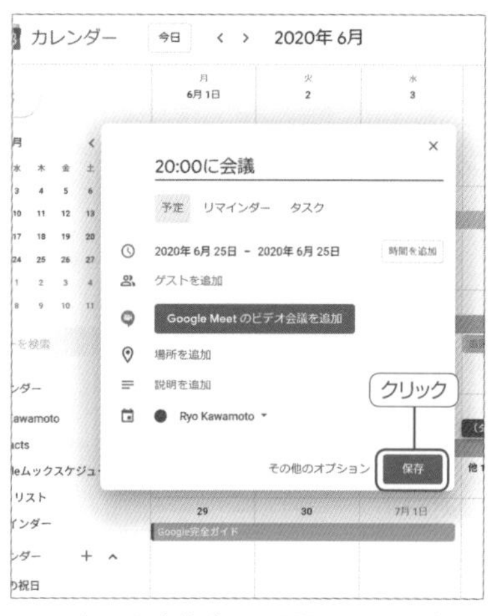

カレンダーで予定作成画面を開き、たとえばタイトルの前に「20:00」と時刻を入力します。

2 きちんと時間が入力される

すると時刻入力画面を開かなくても、きちんと時刻が設定されています。

3 30分未満の予定を素早く入力

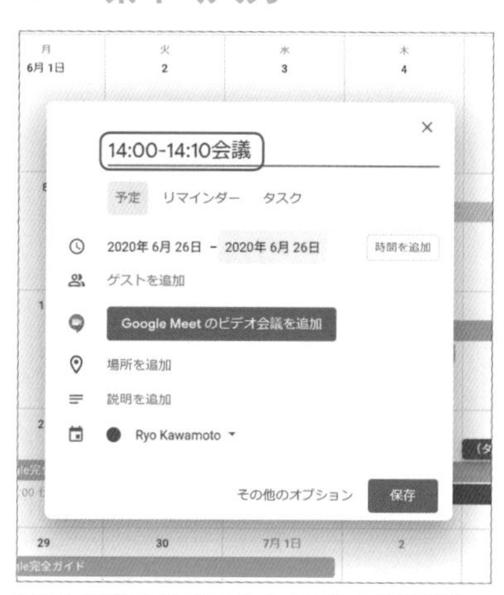

30分未満の予定を入力するときは「面談14:00-14:10」といったようにタイトルと開始と終了時刻を入力しましょう。

毎週、毎月の定期的な予定を登録する

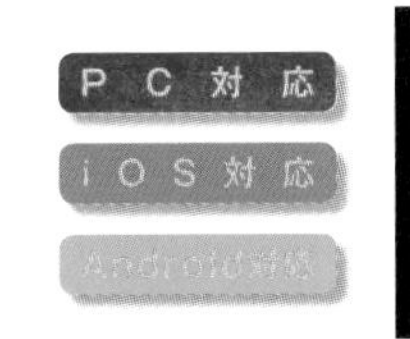

「毎週月曜日の朝10時は定例会議」といった定期的な予定がある場合は、繰り返し機能を使いましょう。有効にすると自動的に予定が入力されるようになり、繰り返し同じ予定を入力する必要がなくなります。繰り返しの間隔や曜日、終了日など細かく設定もできます。

1 繰り返し入力する予定をクリック

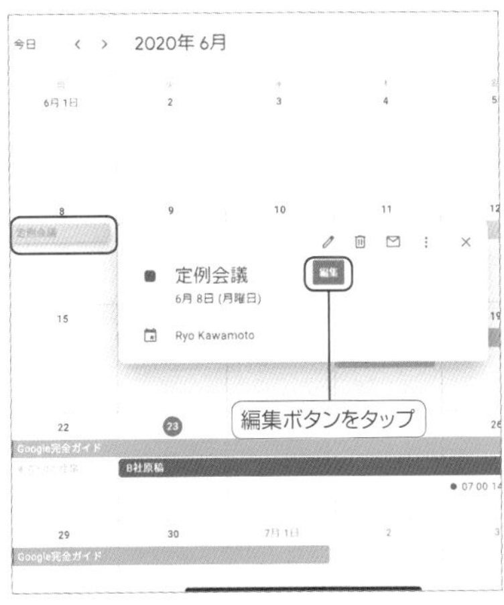

毎週繰り返し行う予定がある場合は、その予定をクリックし、「編集」ボタンをタップします。

2 繰り返し設定を行う

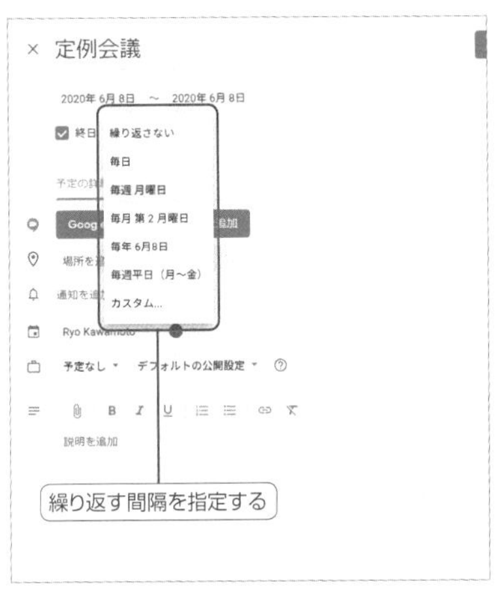

予定入力画面の繰り返し設定のプルダウンメニューを開き、繰り返す間隔を指定しましょう。

3 繰り返し設定完了

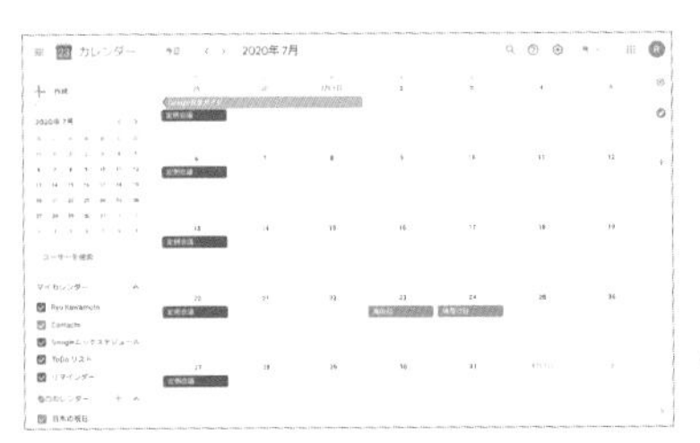

指定した間隔で自動的に予定が入力されていきます。なお、予定を削除したい場合は編集画面で「繰り返し」のチェックを外せばよいです。

予定の日時をドラッグ&ドロップで変更する

カレンダーに入力した予定を変更する際、編集画面で設定し直すよりも簡単な方法があります。入力した日にちのマスをそのまま変更したいマスにドラッグ&ドロップしましょう。また日/週モードであれば、マスの端をつまんでドラッグすると期間を簡単に変更できます。

1 ドラッグ&ドロップで移動

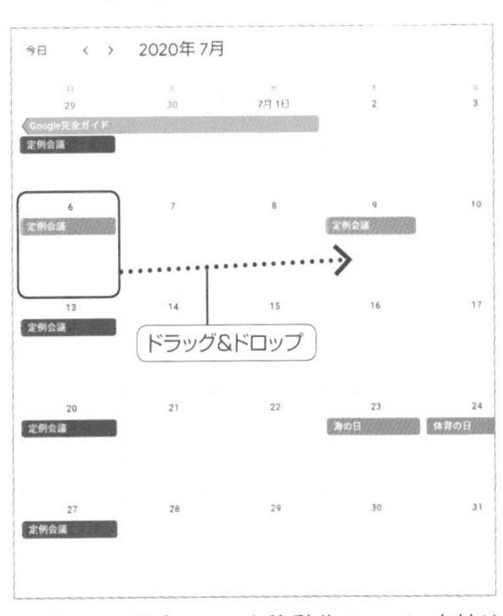

移動したい予定のマスを移動先のマスに直接ドラッグ&ドロップしましょう。

2 予定の上部をつまんで変更

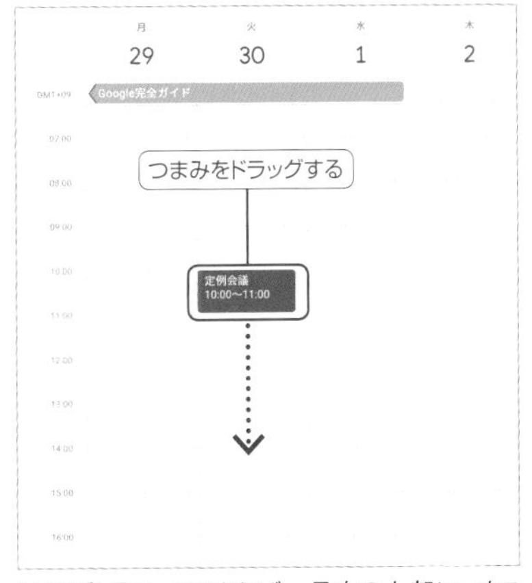

日/週表示モードであれば、予定の上部にマウスカーソルを合わせると現れるつまみを上下にドラッグしましょう。

3 予定時間を変更

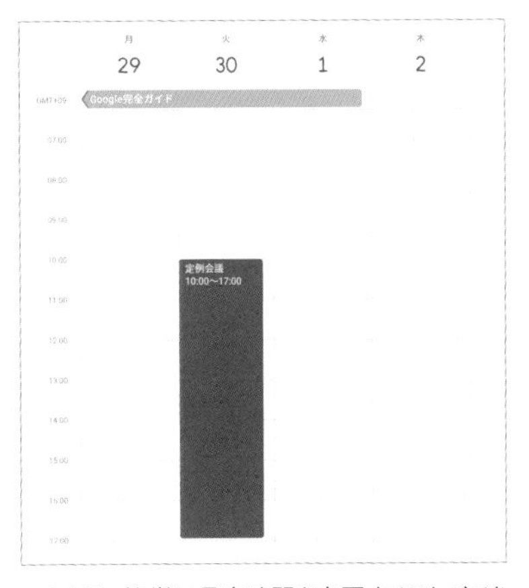

このように簡単に予定時間を変更することができます。

今日やるべきことを ToDoリストに登録して管理しよう

PC対応 iOS対応 Android対応

Googleカレンダーでは、今日やるべきことをリスト管理するToDoリスト機能が搭載されています。利用するには、マイカレンダーにある「ToDoリスト」にチェックを入れましょう。Googleカレンダー右側からToDoリストパネルが表示されるので、今日やるべきことを登録していきましょう。

1 ToDoリストを有効にする

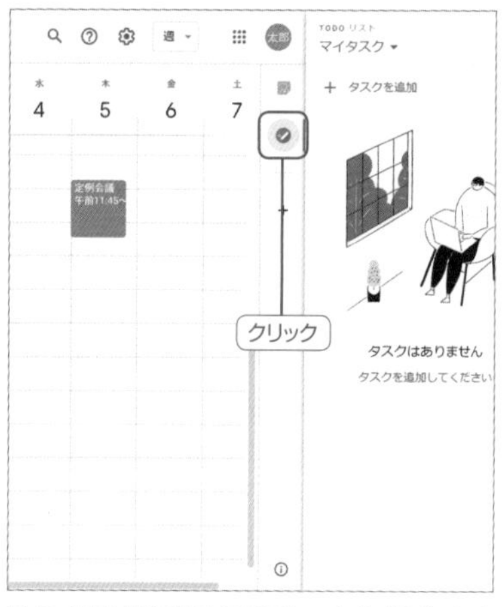

ToDoリストを有効にするには、右サイドバーにあるTodoボタンをクリックしましょう。

2 ToDoリストを追加する

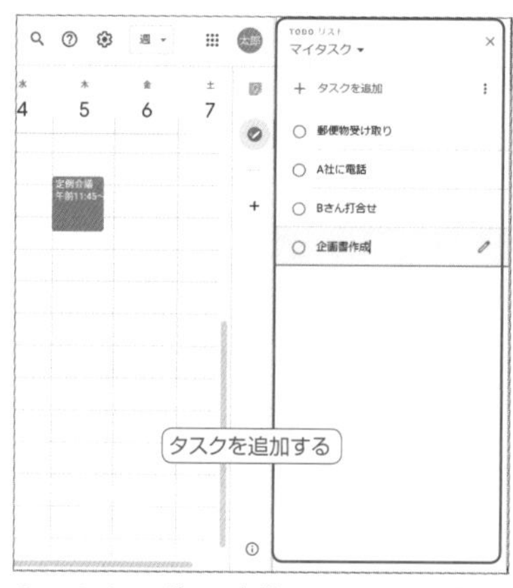

Googleカレンダーの右側にToDoリストパネルが表示されるので、タスクを作成していこう。Enterキーをクリックすると新しいタスクを追加できる。

3 タスクにチェックを入れる

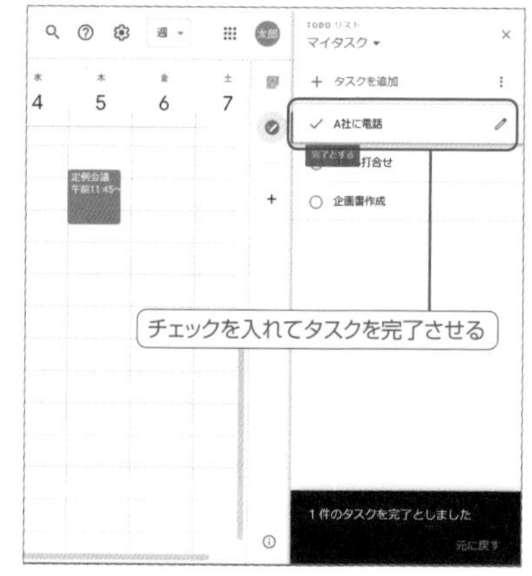

タスク作成後、タスクを達成したらチェックボックスをクリックすると、打ち消し線を入れてタスクを完了状態にできる。

今日やるべきことを リマインダー機能で通知する

ToDoリストは今日やるべき事を終えたらチェックしていく機能ですが、リマインダー機能を使えば今日やるべきことを指定した時刻に通知してくれます。忘れ物防止に便利です。PCの場合、リマインダー機能を利用するにはマイカレンダー内にある「リマインダー」にチェックを入れておきましょう。

1 リマインダーに切り替える

リマインダーを利用するには、「マイカレンダー」の内にある「リマインダー」にチェックを入れましょう。

2 リマインダーを設定する

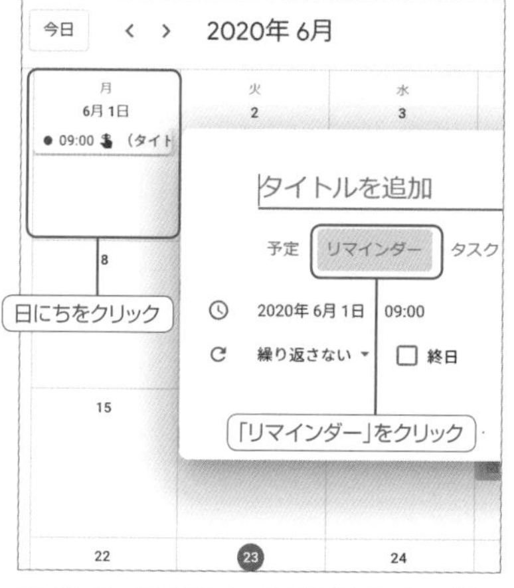

リマインダーを設定したい日にちをクリック。「リマインダー」をクリックしてタスク名を入力しましょう。

3 タスク名と時刻を入力する

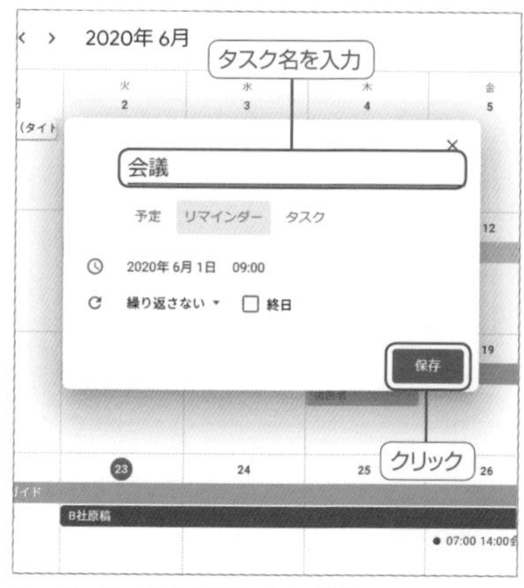

リマインダー設定画面に切り替わるので、タスク名と通知時刻を設定しましょう。最後に「保存」をクリックします。

Google Meetで Web会議をしよう!

SECTION

Google Meetの素晴らしさ!

テレワークが当たり前の時代になった今、欠かすことができないサービスといえばビデオ会議です。Google MeetはGoogleが提供しているビデオ会議サービスで、本来は有料のG Suiteユーザーでないと利用できませんでしたが、2020年4月からGoogleアカウントさえあれば誰でも利用できるようになりました。Google Meetでは最大250人が同時に参加してビデオ会議ができます。無料の場合、会議時間には60分の制限がありますが、2020年9月30日までは時間制限なしで高品質なビデオ会議ができます。PCからでもスマーフォトン(iOS、Android)からでも利用できます。

パソコン

スマートフォン

新型コロナウイルスの影響でビデオ会議サービスは当たり前になりました。他の競合サービスよりもセキュリティが高いので、個人情報や企業情報がしっかり守れます。

基本用語

ミーティング
Google Meetでビデオ会議することを「ミーティング」と呼びます。「ミーティング」に参加するには招待メールを送る必要があり、Google Meet用に発行された会議URLにブラウザでアクセスする必要があります。

チャット
Google Meetではビデオ会議のほかにテキストによるチャット機能も搭載しています。議事録のような形で会議内容をテキスト化したいときに利用するといいでしょう。

レイアウト
標準は自動設定ですが「サイドバー」「スポットライト」「タイル表示」などさまざまレイアウト表示が利用できます。

ミュート
ビデオ会議中にハウリングが起こる場合や、周囲の雑音が聞こえる場合は、ハウリングを起こしている他の参加者のマイクをミュートしましょう。

カメラをオフ
通話を切らず一時的にカメラをオフにしたいときや、顔を隠して電話のように音声だけでビデオ会議したいときに利用しましょう。相手にはGoogleのプロフィールアイコンだけが表示されます。

Google Meetはここが便利!

PC対応　iOS対応　Android対応

Google Meetは無料のアプリでGoogleアカウントを持っていれば、誰でも簡単にビデオ会議（ミーティング）を開始することができます。カレンダーとリンクすることもでき、会議のスケジュール管理も容易です。また、スマートフォン（Android・iOS）でもアプリが用意されていて、こちらも無料で使うことができます。スマートフォンのカメラと内蔵のマイクを利用するため、パソコン版で必要となるWebカメラやマイクなどの準備も不要となります。

機能がシンプル

画面を占領するアイコンなどがないため、誰が話しているのか視覚的に判断しやすく、会議に集中することができます。

無料で使える

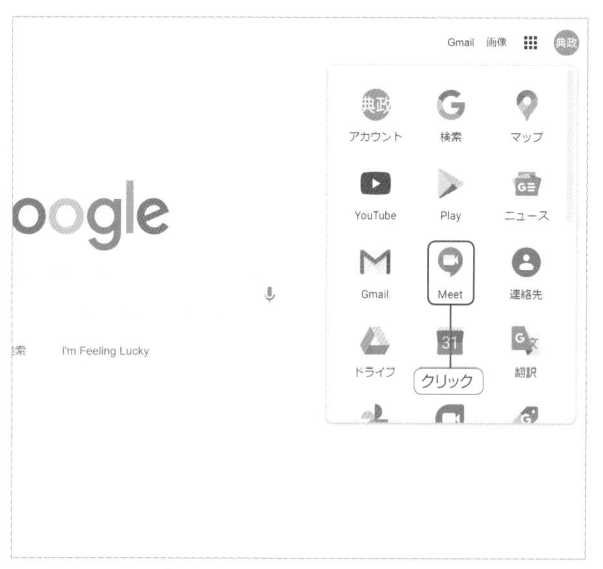

Googleアカウントを作るだけで、Google Meetを利用できます。アプリを開き、Meetのアイコンをクリックして開始することができます。

GmailやGoogleカレンダーと連携

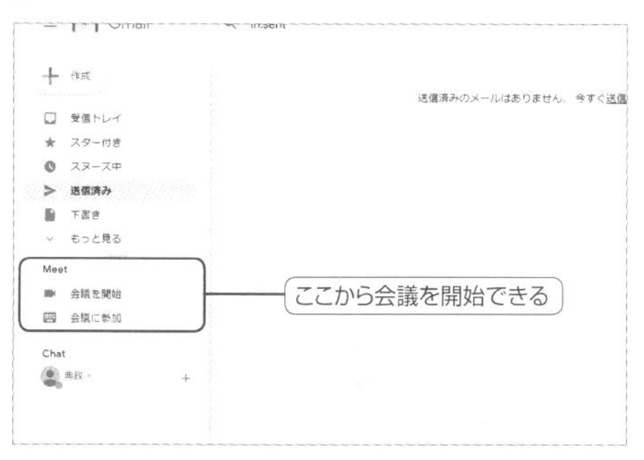

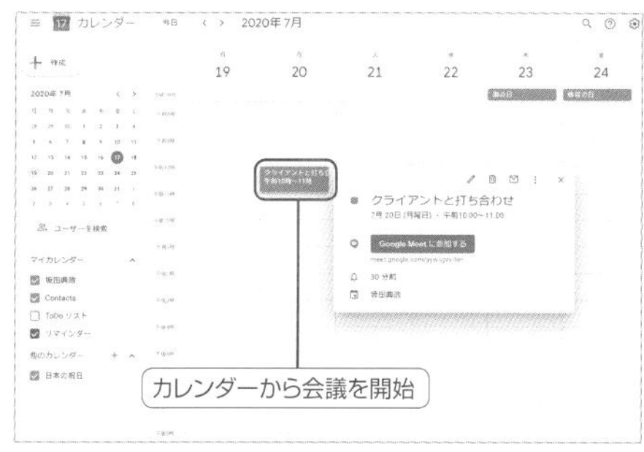

パソコン版ではGmailとGoogleカレンダーから、スマートフォン版ではGoogleカレンダーからでも会議を開始することができます。

セキュリティ対策が取られている

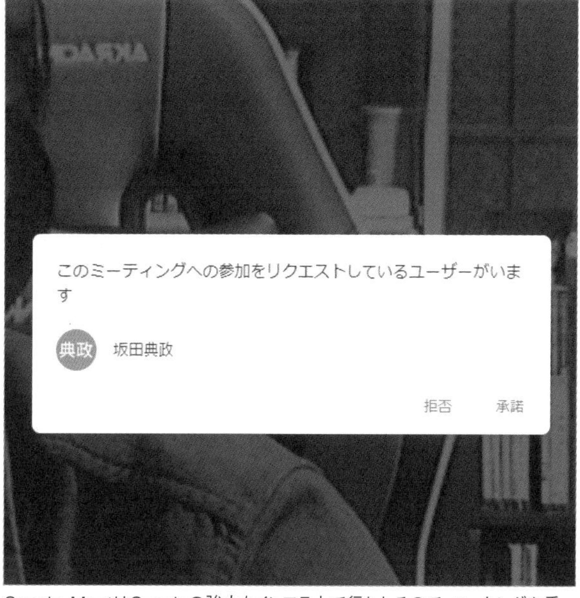

Google MeetはGoogleの強力なインフラ上で行われるので、ハッキングや乗っ取り等の対策も万全です。会議を開始した人から招待を受け、さらに承認がないと参加できないので、知らない人が入ってくることもありません。

Google Meetで会議を開く

アプリを起動すればパソコン、スマートフォン問わず、すぐに会議を開始できます。Googleカレンダーにあらかじめ予定した会議の時間であれば、その会議を開始するボタンも表示されます。会議には、招待URLやコード（スマートフォンの場合）で他の人を招待しましょう。

パソコンで会議を開始する

1 アイコンをクリックする

Chromeブラウザで Googleアカウントにログインし、アプリメニューを開き「Meet」というアイコンをクリックします。

2 開始ボタンをクリックする

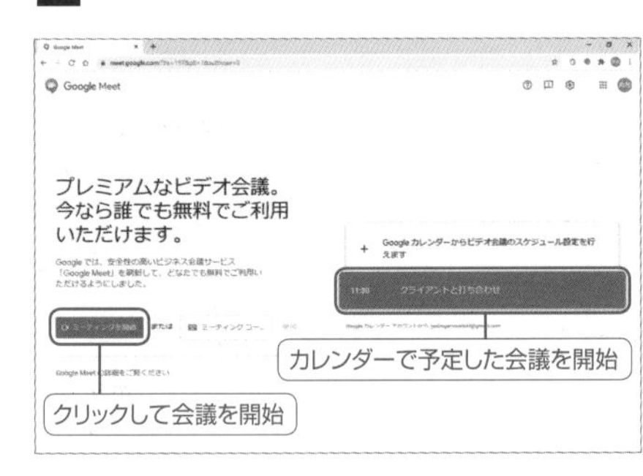

直ぐに会議を開始することができます。カレンダーで設定した会議がある場合は、左に表示されたアイコンをクリック。

3 会議に参加する

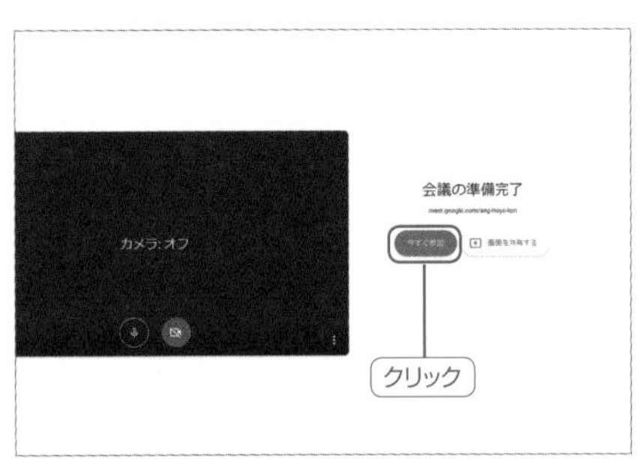

会議の準備が整ったら、「今すぐ参加」をクリックします。マイクやカメラのオンオフも事前に切り替えることができます。

4 会議が開始される

この画面が表示されれば、あなたが開いたの会議はすでに開始されています。
必要があればこの画面からユーザーを招待できます。

スマートフォンで会議を開始する

1 アプリを開始する

スマートフォンのアプリ一覧から「Meet」アイコンをタップします。

2 新しい会議を作成

新しく会議を始めます。あらかじめスケジュールしておいた会議がある場合も直ぐに参加できます。

3 会議を開始する

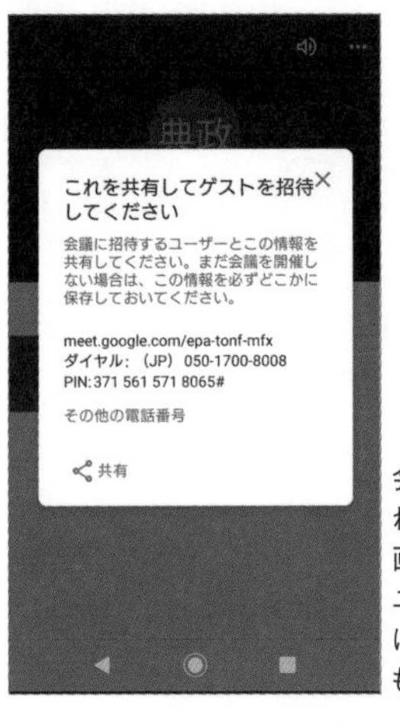

会議が開始されました。この画面から他のユーザーを会議に招待することもできます。

招待URLから会議に参加する

1 パソコンで招待URLを送る方法

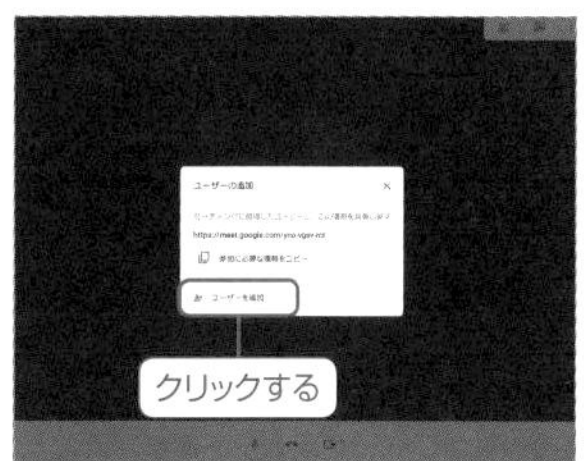

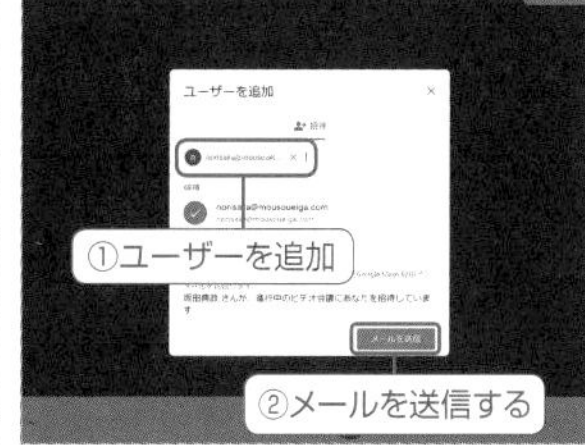

「ユーザーを追加」をクリックすると連絡先が表示されます。招待したい人の連絡先を選択後に「送信」をクリックすると、招待URLが連絡先のメールアドレスに送信されます。

2 スマートフォンで招待URLを送る方法

会議作成後の画面で「共有」をタップしてGmailなどで参加者に送信しましょう。「i」アイコンをタップすると確認することができます。

3 招待URLから参加する

パソコン版は「参加をリクエスト」をクリック。招待したユーザーに承認されると会議に参加できます。スマートフォン版では「会議に参加」をタップします。

コードを入力して会議に参加する

1 スマートフォンでコードを確認

「!」をタップするとコードを確認できます。メールやSNSなどを利用してコードを伝えましょう。

2 パソコンでコードを入力する

送られてきたコードを最初の画面で入力します。コードの「-(ハイフン)」は入力しなくても大丈夫です。

3 スマートフォンでコードを入力する

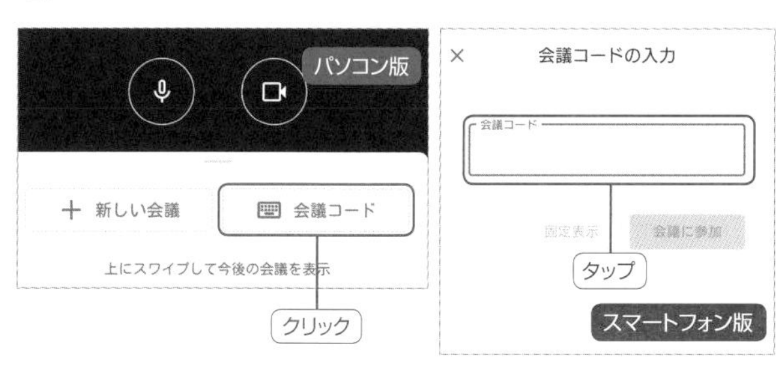

パソコン版と同様に、最初の画面でコードを入力します。「会議コード」ボタンをタップしてコードを入力しましょう。

4 会議に参加する

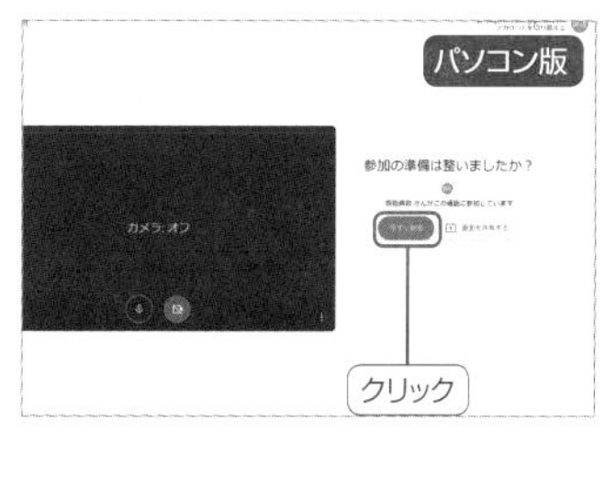

コードを入力し終えたら会議に参加しましょう。コードを知っている人しか入れないため、安全に会議をすることができます。

一目でわかるGoogleMeetの基本画面

Google Meetで会議（ミーティング）に参加すると、シンプルなインターフェイス上に参加しているメンバーの動画が表示されます。パソコン版・スマートフォン版ともに操作は簡単なので、チャレンジしてみましょう。

PC対応　iOS対応　Android対応

パソコン編

操作ボタン
現在の会議から退出したり、マイクやカメラのオン・オフができます

全員を表示
ミーティングメンバーの確認やミュート・削除ができます

ミーティングの詳細
招待URLや添付ファイルを表示します

全員とチャット
メンバー全員との全体チャットをすることができます

その他のオプション
画面のレイアウトを変更したり、字幕をオンにすることができます

共有メニュー
動画や画像を共有できます。プレゼンをする際に便利です

スマートフォン編

操作ボタン
現在の会議から退出したり、マイクやカメラのオン・オフができます

その他のオプション
カメラの切り替えや字幕の表示、画面の固定表示（共有）を開始します

全員を表示
現在の会議に参加しているメンバーの確認やミュート・削除ができます

スピーカーボタン
スピーカー・電話など会議での通話方法を変更できます

全員とチャット
メンバー全員との全体チャットをすることができます

ミーティングの詳細
コードや添付ファイルを表示します

基本操作と終了方法

会議中の画面ではあまり操作する部分はありませんが、ミュートや削除したいメンバーがいればメニューから実行できます。また会議の終了（退出）方法について解説します。うっかり会議内容を外に漏らしてしまったり、プライベートな部分を映してしまわないよう確実に終了させましょう。

パソコンでの操作

1 メンバーを表示

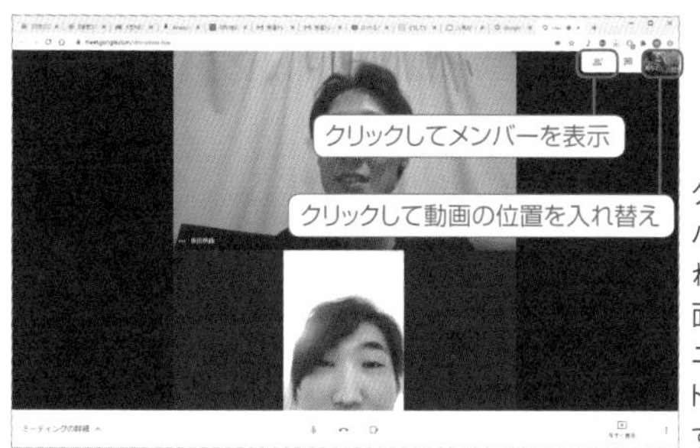

クリックして各メンバーの動画を入れ替える他に、画面右上の個別メニューからミュート・削除が可能です。

2 ユーザーをクリックしてメニューを表示

メニューを開いたらメンバーをクリックします。ミュート・削除を実行するためのメニューが表示されます。

3 終了ボタンを表示させる

会議から退出する場合は、まずマウスポインタを動かして終了ボタンを表示させます。終了ボタンをクリックすると、会議から退出することができます。

4 会議から退出する

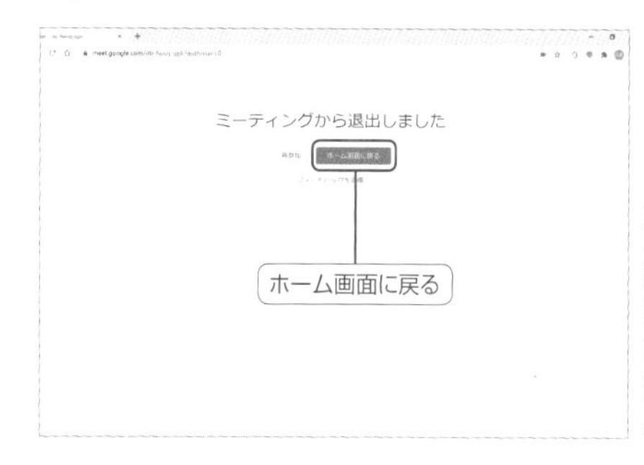

パソコン版の場合は、画像のような画面が表示されます。この画面からホーム画面に戻ったり、再び同じ会議に参加することができます。

スマートフォンでの操作

1 メンバーの名前をタップ

画面下部の各メンバーをタップすると、パソコン版と同様に個別にミュートや削除を行うことができます。

2 終了アイコンをタップ

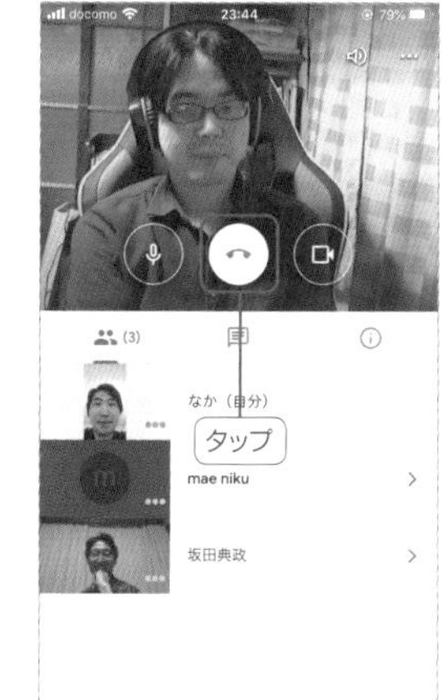

画面をタップしてアイコンを表示させます。そして終了アイコンをタップすることで、会議から退出することができます。

3 会議から退出する

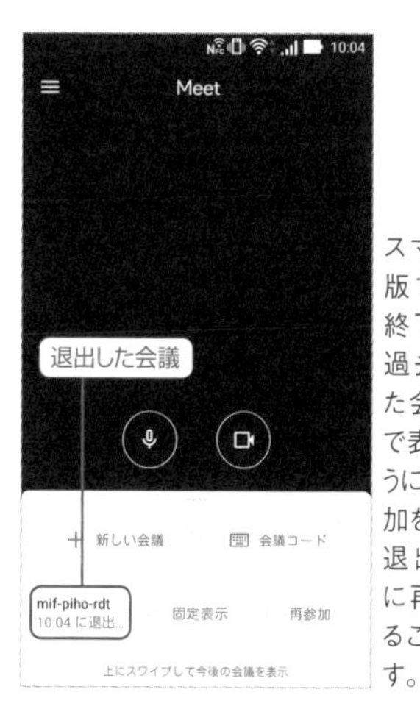

スマートフォン版では会議を終了させると、過去に退出した会議が一覧で表示されるようになります。参加を選択すると、退出した会議に再び参加することができます。

Googleカレンダーを利用してファイルを共有しよう

Googleカレンダーのファイル添付機能を利用して、会議に参加しているメンバーにファイルを共有してみましょう。あらかじめGoogleカレンダーで予定を入力しておく必要があるので、会議の予定はGmailなどで参加者に知らせておくか、カレンダーを共有しておきましょう。

Googleカレンダーの予定に会議と添付ファイルを追加

1 Googleカレンダーに会議を追加する

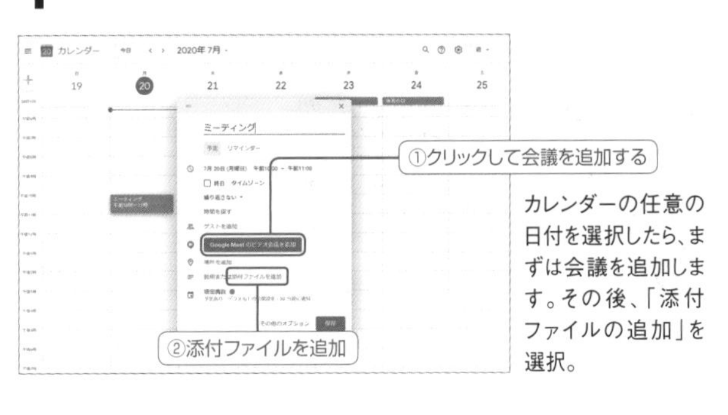

カレンダーの任意の日付を選択したら、まずは会議を追加します。その後、「添付ファイルの追加」を選択。

2 ファイルを添付する

ファイルを選択したらアップロードボタンをクリックします。

3 会議を保存する

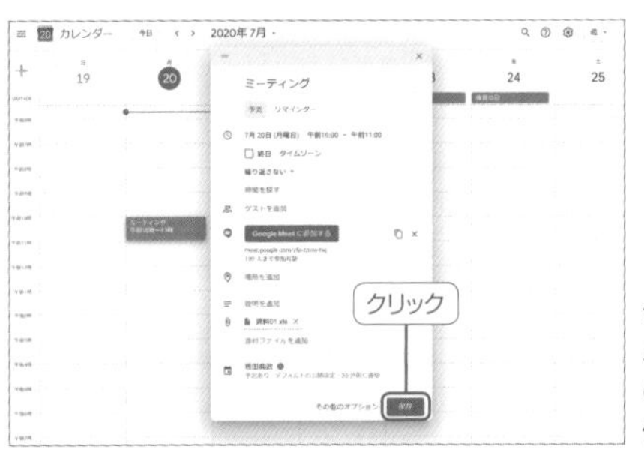

会議の追加とファイルが添付されているのが確認できたら、保存をクリックします。

4 スケジュール表を確認する

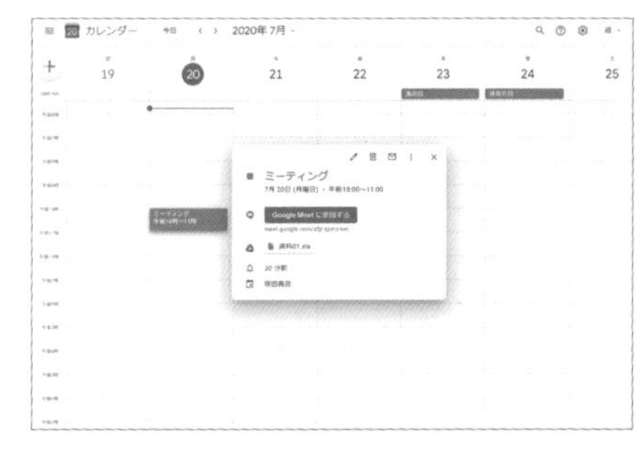

スケジュールされた会議をクリックし、会議の追加とファイルの添付が確認できたら完了です。

会議中にファイルを参照する

1 パソコン版での参照方法

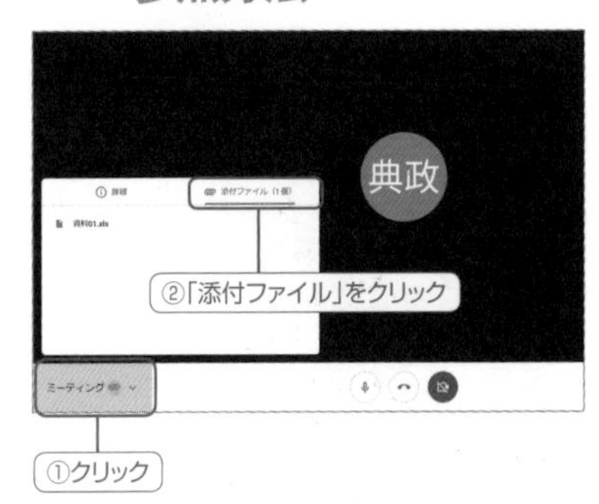

「ミーティング」をクリックして「添付ファイル」の項目から、カレンダーに登録した添付ファイルを参照することができます。

2 スマートフォン版での参照方法

スマートフォンの場合は「!」をタップすることで添付ファイルを参照できます。

3 ファイルを参照する

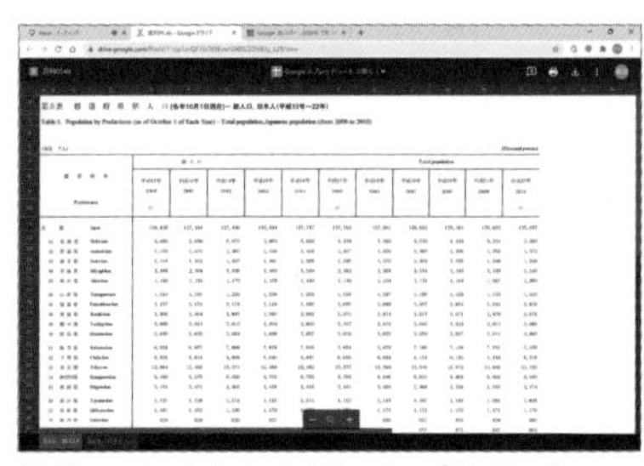

添付ファイルをクリックまたはタップすると、そのファイルを開くことができるアプリが起動してファイルの内容を見ることができます。

チャット機能を使おう

Google Meetは通話だけでなく、テキストチャットを行うことも可能です。動画での通信に問題がある場合や、インターネット環境が良くない場合はチャットで会議のメンバーと連絡を取ってみましょう。

パソコンでチャットを行う

1 チャットを開く

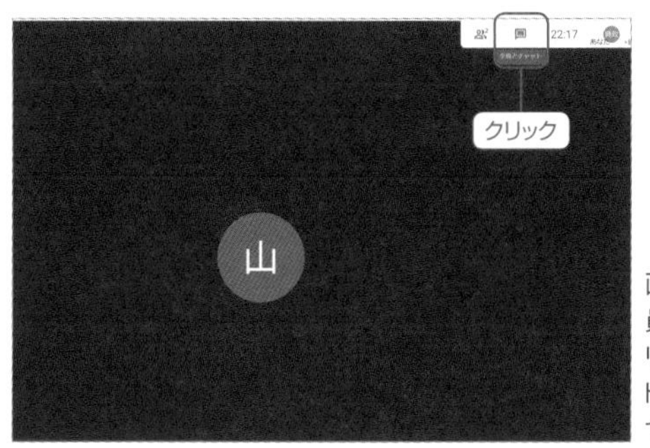

画面右上の「全員とチャット」をクリックして、チャット画面を開きます。

2 チャット画面でテキストを入力

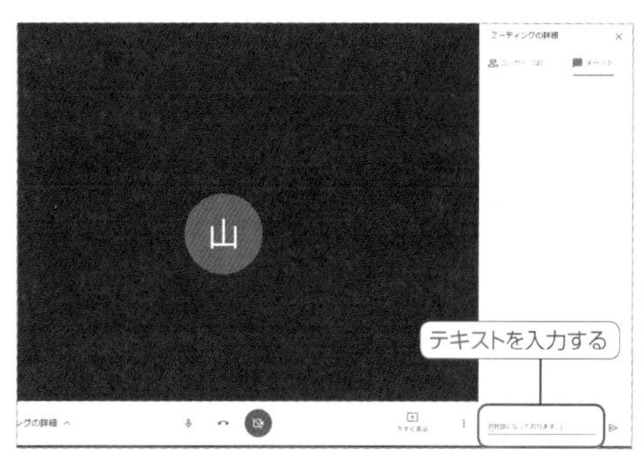

画像のようにテキストを入力して、右端の矢印アイコンをクリックして送信します。

3 テキストが送信されたのを確認する

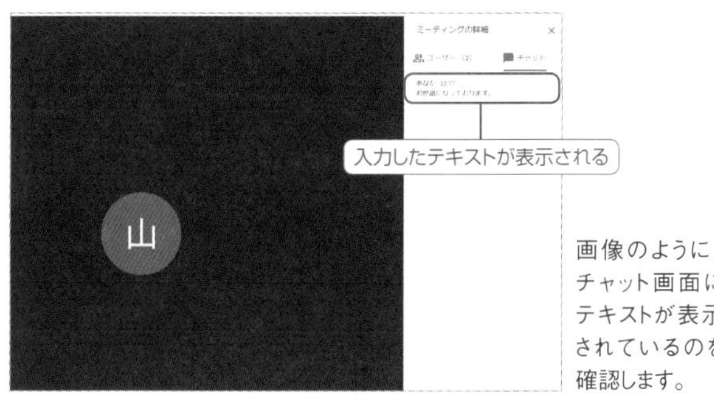

画像のように、チャット画面にテキストが表示されているのを確認します。

4 相手から返信が届く

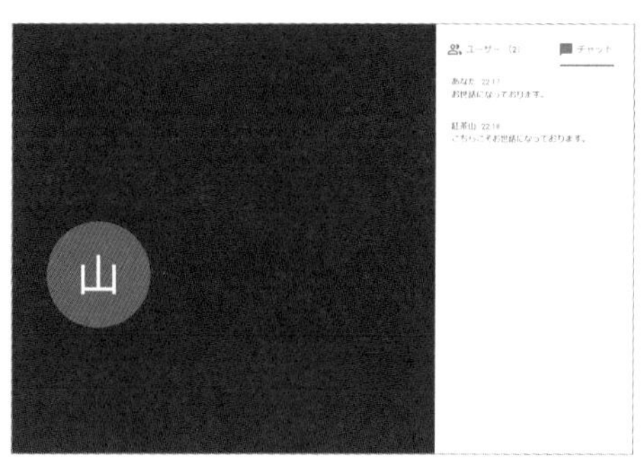

相手から返信が届きました。このようにチャットで会話することも可能です。

スマートフォンでチャットを行う

1 チャット画面を開く

画面中央のアイコンをタップし、チャット画面を開きます。

2 テキストを入力する

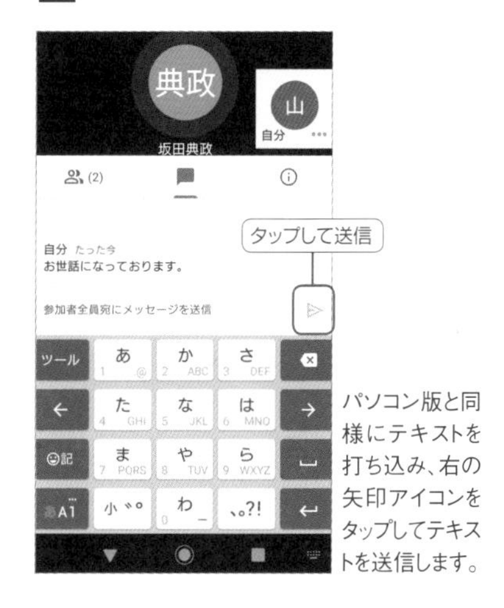

パソコン版と同様にテキストを打ち込み、右の矢印アイコンをタップしてテキストを送信します。

3 チャットで会話する

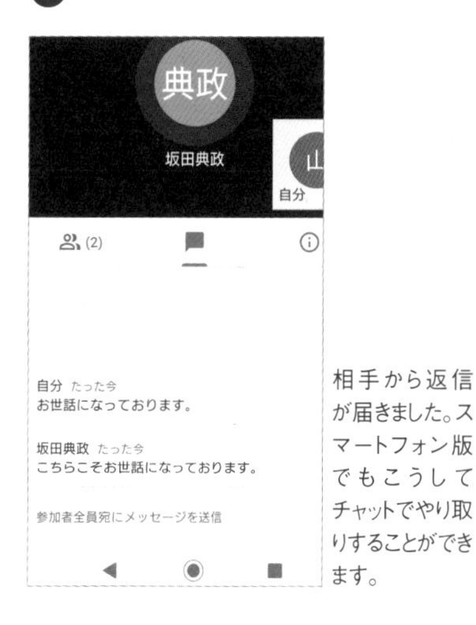

相手から返信が届きました。スマートフォン版でもこうしてチャットでやり取りすることができます。

画面共有機能を使おう

パソコン版では、全画面・現在開いているChromeのタブ・ウィンドウ（起動中のアプリ）を会議のメンバーと共有できます。スマートフォンでも、リアルタイムに現在操作している画面を共有することができます。

パソコンで全画面を共有する

1 共有メニューを開く

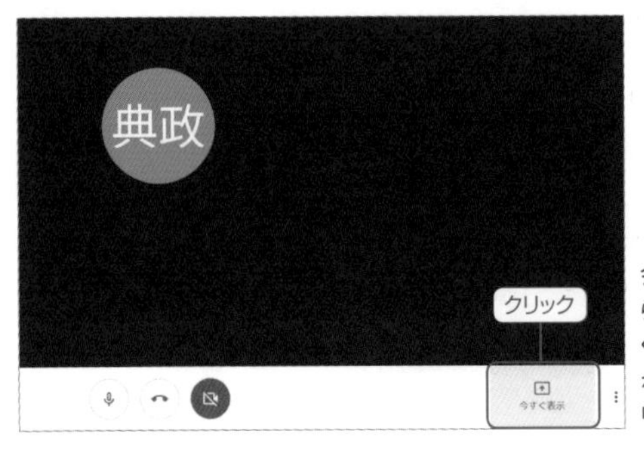

会議を開始したら、まずは「今すぐ表示」と書かれたボタンをクリックします。

2 あなたの全画面を選ぶ

共有メニューを開いたら、「あなたの全画面」を選択します。

3 共有部分を選択する

共有部分を選択したら、「共有」アイコンをクリックし画面全体を共有します。

4 共有を確認する

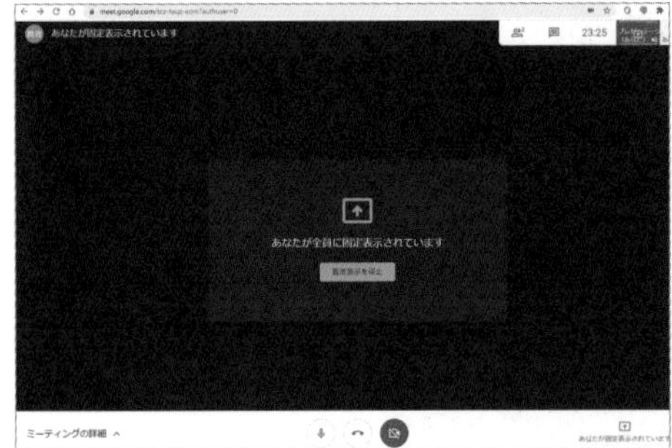

この画面が表示されたら、パソコンの画面全体が他のメンバーに表示されます。プレゼンを行うなど、機能を存分に生かしましょう。

パソコンでChromeのタブを共有する

1 Chromeタブをクリックする

全画面共有の時と同様に共有タブを開き、今度は「Chromeタブ」をクリックします

2 Chromeタブを共有する

現在開いているChromeブラウザのタブが一覧表示されるので、共有したいタブを選び、共有アイコンをクリックします

3 タブが共有されているか確認する

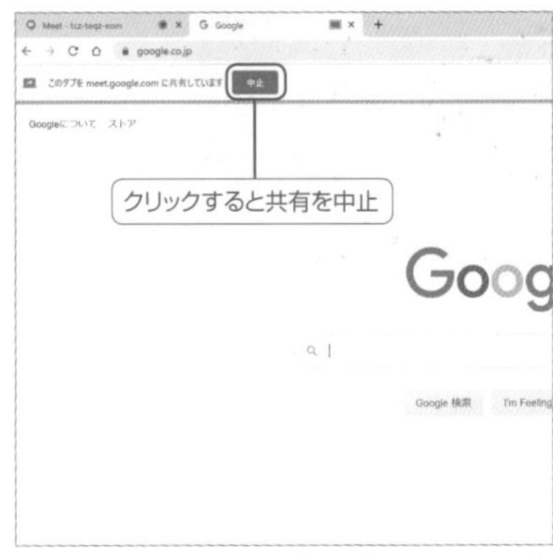

画像のように表示されれば、タブがメンバーに共有されている状態です。中止をクリックすることで、いつでも中止できます。

パソコンでウインドウを共有する

1 共有メニューからウィンドウを選択する

会議を開始し共有メニューを開いたら、「ウィンドウ」を選択します。

2 現在開いているウィンドウから選択

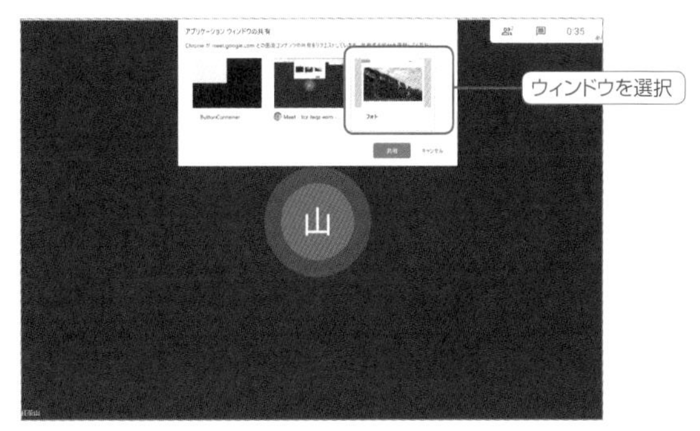

「アプリケーションウィンドウの共有」が表示されます。現在起動しているウィンドウが一覧表示されます。

3 共有をクリックする

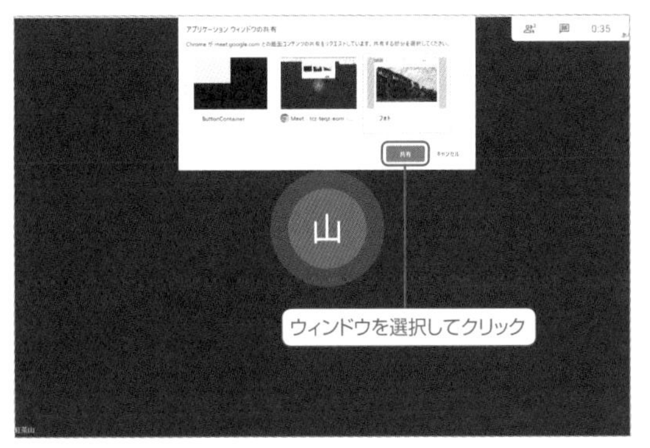

他のメンバーと共有したいウィンドウを選択したら、「共有」をクリックします。

4 メンバーに選択したウィンドウが表示される

ウィンドウの共有が成功すると、メンバーにはこのように表示されます。コンテンツを積極的に共有してみましょう。

スマートフォンの画面を共有する

1 設定を開いて固定表示を選択

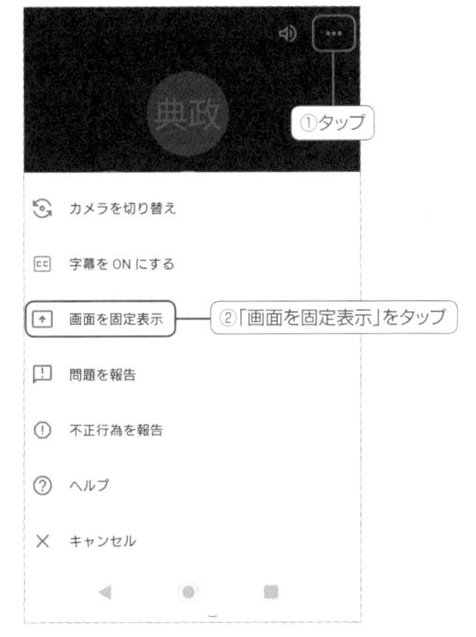

右端のアイコンをタップし画像のような表示が出たら、「画面を固定表示」をタップします。

2 固定表示を開始する

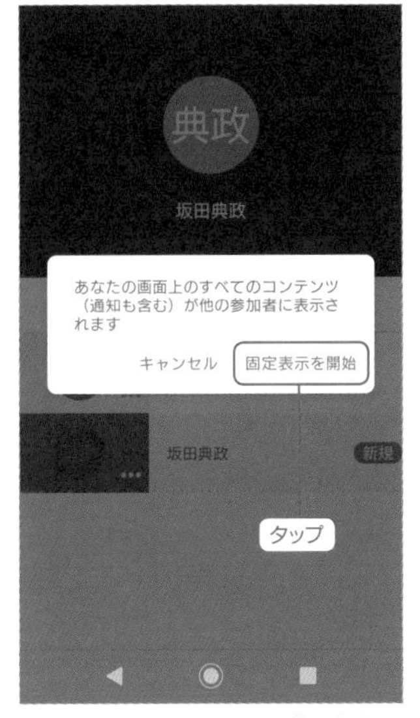

画像のように表示されたら、「固定表示を開始」をタップしてスマートフォン画面の共有を開始します。

3 スマートフォンの画面を表示する

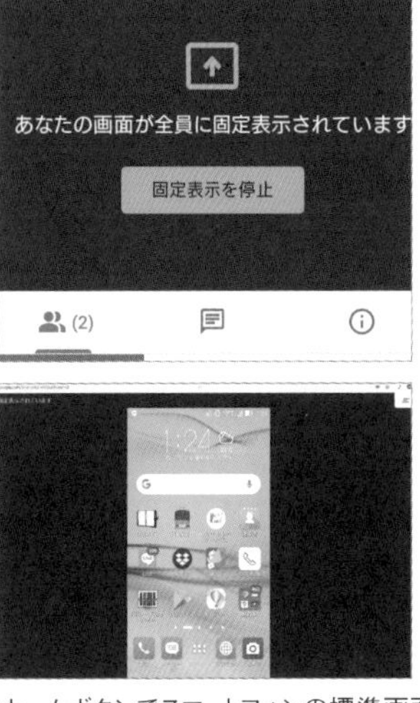

ホームボタンでスマートフォンの標準画面に戻り、共有したい画面を表示させましょう。会議画面に戻り「固定表示を停止」をタップすると元の画面に戻ります。

字幕機能を使おう

会議中の音声を字幕表示することができます。話の内容が把握しにくい場合に便利な機能なので活用してみましょう。現在は英語しか対応していませんが、日本語に対応した場合に向けてチェックしておきましょう。

パソコンで字幕機能を使う

1 右下のアイコンをクリックする

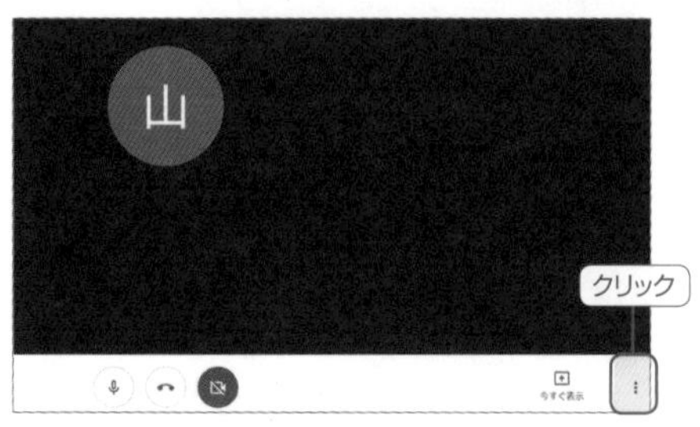

まずは画面右下の「その他のオプション」ボタンをクリックし、設定画面を開きます。

2 字幕を表示させる

設定を開いたら「字幕をオンにする」をクリックして、字幕を表示させます。

3 字幕の作成を確認

字幕をオンにしたら試しに話してみましょう。自動で字幕が作成されます。

4 字幕で会議を進行する

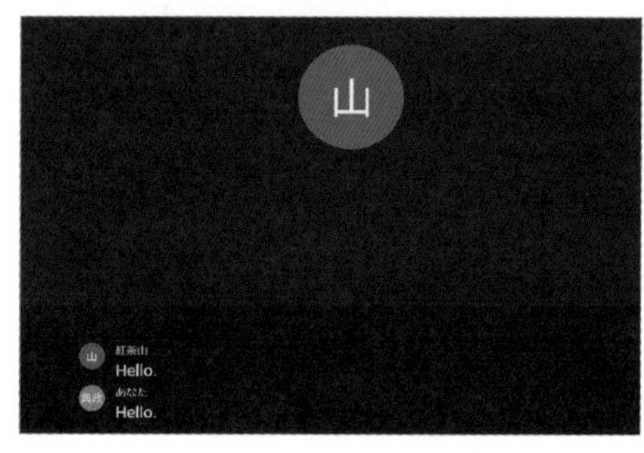

メンバーの声も全て自動で字幕化されて表示されます。音声を聞けない状況でも安心です。

スマートフォンで字幕機能を使う

1 設定を開く

画面右上のアイコンをタップし、設定を開きます。

2 字幕をONにする

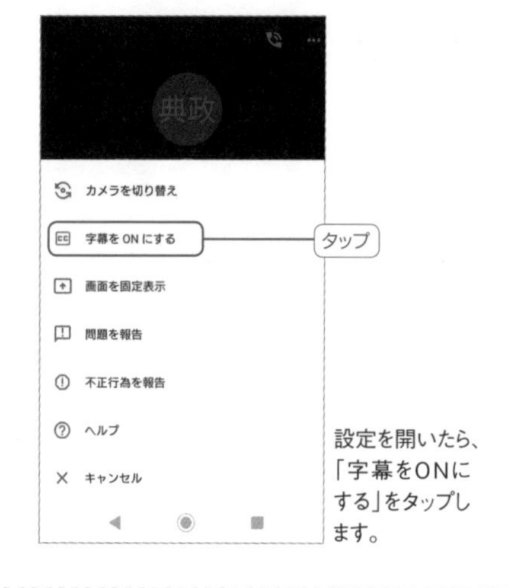

設定を開いたら、「字幕をONにする」をタップします。

3 会話が字幕で表示される

字幕が自動作成されるかどうか、実際に会話して試してみましょう。

その他の設定を利用する

これまでに紹介した機能以外にも役立つ機能があります。これらの機能で会議を円滑に進めましょう。なお、動画を高解像度にした場合は利用しているインターネット環境によっては応答が遅くなる場合があります。

パソコンで動画の解像度を変更する

1 その他の設定を開く

画面右下の「その他のオプション」をクリックします。

2 設定を選択する

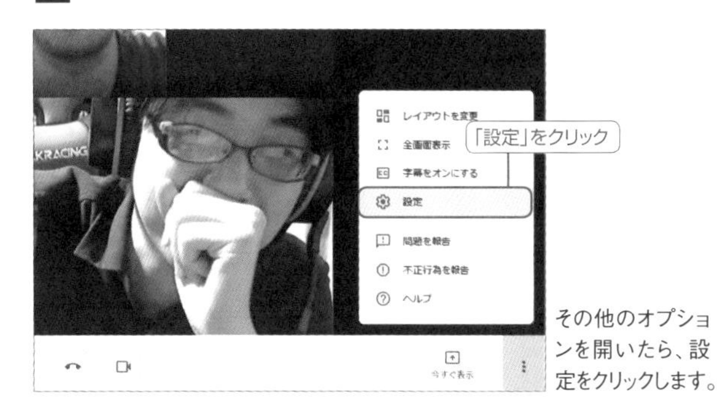

その他のオプションを開いたら、設定をクリックします。

3 動画の設定を開く

設定を開いたら動画の項目を選択し、解像度の設定を表示します。

4 解像度を変更する

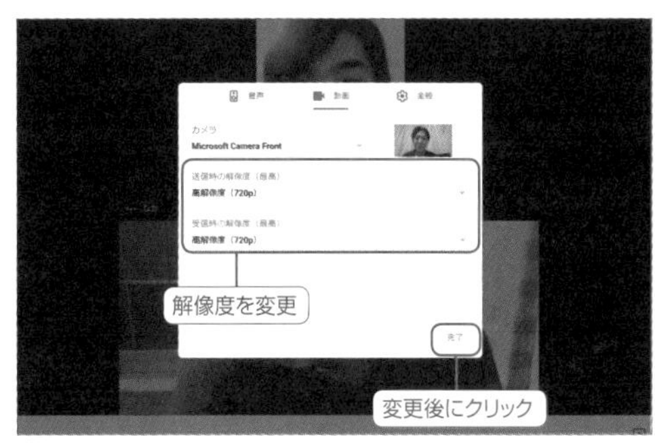

標準の360pまたは高解像度の720pが選択できます。完了をクリックすれば解像度が変更されます。

パソコンで会議画面を全画面化する

1 その他のオプションを開く

右下の「その他のオプション」を選択します。

2 全画面表示を選択

「その他のオプション」を開いたら、「全画面表示」を選択します。

3 会議が全画面表示に

会議が全画面に表示されます。終了する際はEscキーを押すか、「その他のオプション」をクリックして「全画面表示を終了」を選択します。

パソコンで会議画面のレイアウトを変える

1 その他のオプションを選択

会議画面のレイアウトを変更するには、まず「その他のオプション」を選択します。

2 レイアウト変更を選択

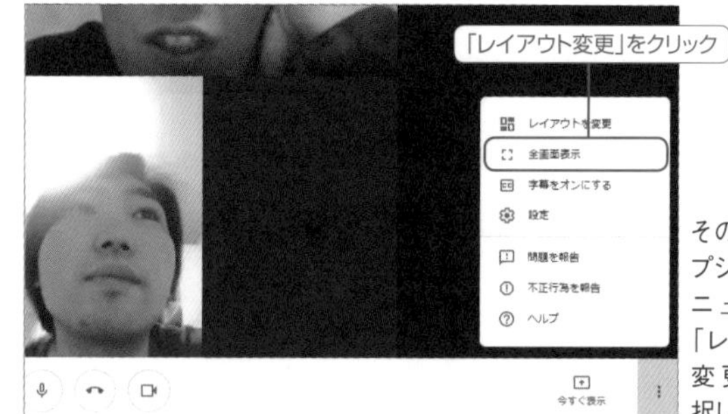

その他のオプションのメニューから「レイアウト変更」を選択します。

3 レイアウトを選択

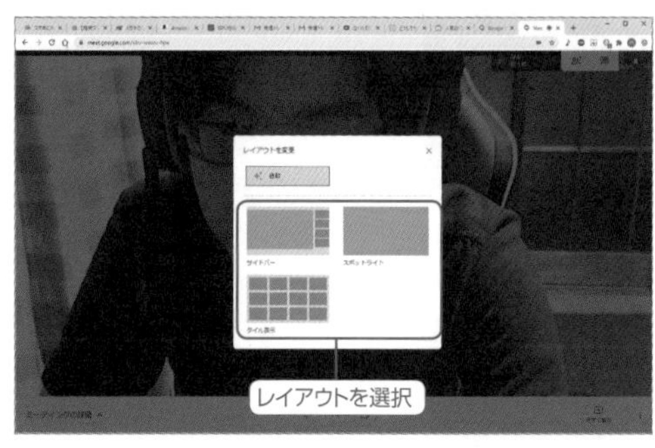

レイアウトの一覧が表示されるので、好きなレイアウトを選択しましょう。

4 画面のレイアウトが変更される

レイアウトが変更されました。自分にとって使いやすいレイアウトを探してみましょう。

インカメラ/アウトカメラの切り替えを行う

1 パソコンでカメラを切り替え

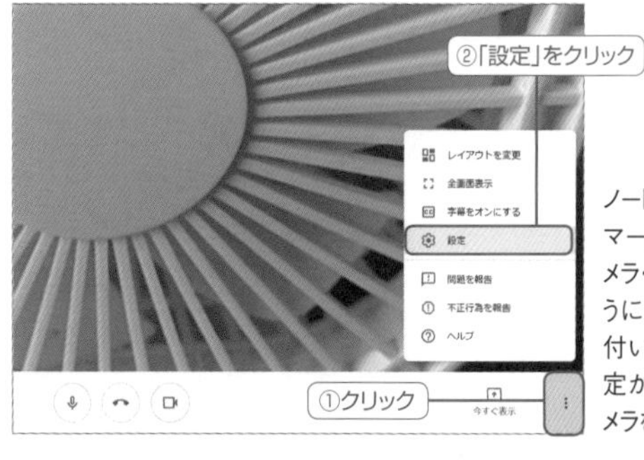

ノートパソコンなど、スマートフォンのインカメラ・アウトカメラのように複数のカメラが付いている場合、設定から会議に使うカメラを選択できます。

2 カメラを選択する

「動画」→「カメラ」をクリックして、フロントまたはリアカメラを選択します。使用するカメラを選択したら、完了をクリックします。

3 スマートフォンでカメラを切り替え

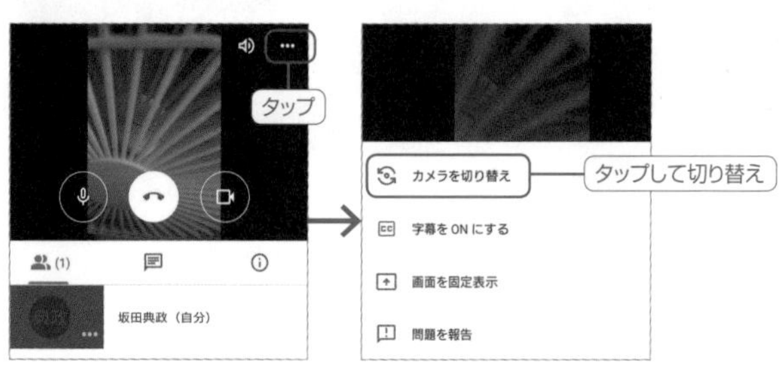

スマートフォンで会議を行っている場合は、設定から「カメラを切り替え」をタップします。

4 カメラが変更される

このようにインカメラに切り替えることができました。スマートフォンの場合は手軽に切り替えることができます。

Google Keep

Google ニュース

Google フォト

Google 翻訳

最新のサービスを利用しよう!

SECTION

Google Payの素晴らしさ!

ポイントも貯まる便利な支払い

P C 対 応　i O S 対 応　Android対応

Google Payは複数の電子マネーを1つにまとめることができるアプリです。Suicaやnanaco、楽天Edyなど5つの電子マネーをGoogle Payに登録しておけば、スマホをかざすだけでスムーズに支払い処理が行なえます。小銭はもちろん元の電子マネーのカードも持ち歩く必要がなくなります。それでいて各電子マネーに付帯するポイントもきちんと貯まります。Google Payは現在おもにSuica対応の交通機関、各電子マネー対応のコンビニや店舗で利用できます。

1 Google Payが使える実店舗

Google Payは、各電子マネー(Suica、nanaco、楽天Edy、WAON、QUICPay)に対応するすべてのお店で利用できます。上記は、使用できる店舗の一例です。

2 Google Payが使えるアプリやウェブサイト

実店舗以外にもインターネット上でGoogle Payは利用できます。Playストアをはじめ YouTubeやタクシーアプリ「ジャパンタクシー」の支払いやBookLiveの支払いにも利用できます。

まずはPCでGoogle Payを登録してみよう

Google Payはパソコン上から登録·利用ができます。PlayストアやGoogleのサービスで課金をする際にGoogle Payは便利です。Google Payのサイトにアクセスしたら「お支払い方法」を選択して、利用しているクレジットカードを登録しましょう。

1 Google Payのページにアクセスする

PC版でGoogle Payを利用するには(https://pay.google.com/)にアクセスして、上メニューから「お支払い方法」を選択し、「お支払い方法を追加」をクリックします。

2 クレジットカードを登録する

PC版のGoogle Payはクレジットカードの登録のみできます。クレジットカード情報を入力しましょう。

3 利用明細を確認する

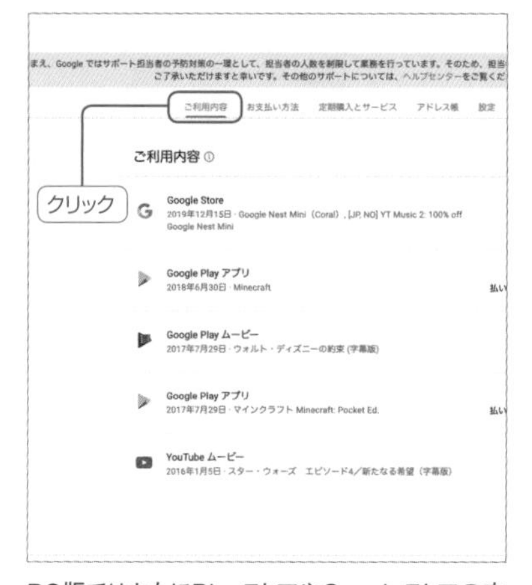

PC版ではおもにPlayストアやGoogleストアの支払いに利用されます。利用明細は「ご利用内容」で確認できます。

Androidスマホ版Google Payに電子マネーを登録してみよう

Google Playの利便性をより体感するならスマホのGoogle Payアプリを使いましょう。街中の自動販売機、交通機関、コンビニや飲食店でスマホをかざすだけで支払いが完了します。財布を持ち歩く必要はありません。Suicaであれば端末上から直接新規カードを作成して使うことができます。

1 Google Payを起動する

Google Payアプリをダウンロードして起動します。「使ってみる」をタップします。

2 利用している電子マネーを選択する

利用可能な電子マネーが表示されます。今回はSuicaを登録してみましょう。Suicaをタップします。

3 メールアドレスとパスワードを設定する

利用しているメールアドレスを入力し、またSuica用のパスワードを新しく設定します。

4 新しいSuicaが作成される

新しいSuicaカードが作成されました。チャージをするには中央にある「チャージ」ボタンをタップします。

5 Suicaのチャージ方法を設定する

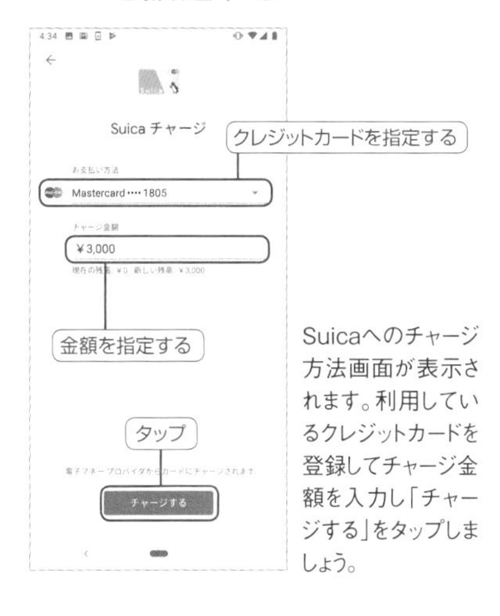

Suicaへのチャージ方法画面が表示されます。利用しているクレジットカードを登録してチャージ金額を入力し「チャージする」をタップしましょう。

6 Suicaの登録が完了

メイン画面に戻るとSuicaが登録されています。準備はこれで完了です。

実際にGoogle Payで購入してみよう

1 自動販売機で利用する

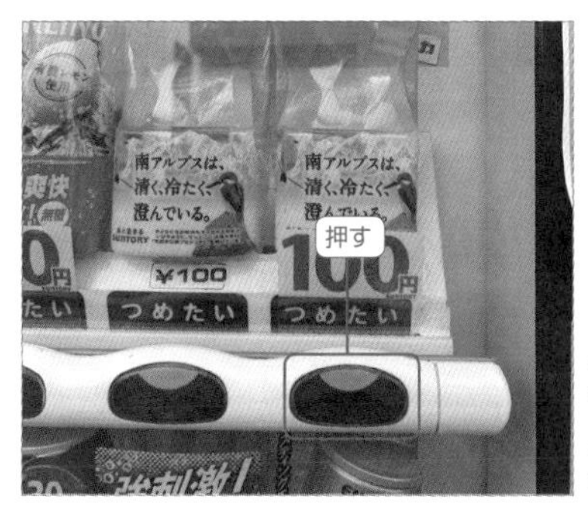

Suica対応の自動販売機でGoogle Payを利用してみましょう。まず購入したい商品のボタンを押します。

2 スマホを読み取り機にかざす

あとはSuicaの読み取り機の部分にスマホをかざすだけです。これで決済が完了します。

G Pay

気になることは Google Keepにメモしよう

Google KeepはGoogleが提供しているクラウドベースのメモアプリです。作成したメモはクラウドを通じて携帯端末と即座に同期できます。パソコンと携帯端末のどちらからでもメモを取ることができます。また、ほかのGoogleサービスと連携性が高くGoogleドライブやGmail、Googleカレンダーのアドオンバーからメモ内容を呼び出すことができます。

パソコン版Google Keepを使ってみよう

1 アプリランチャーから起動する

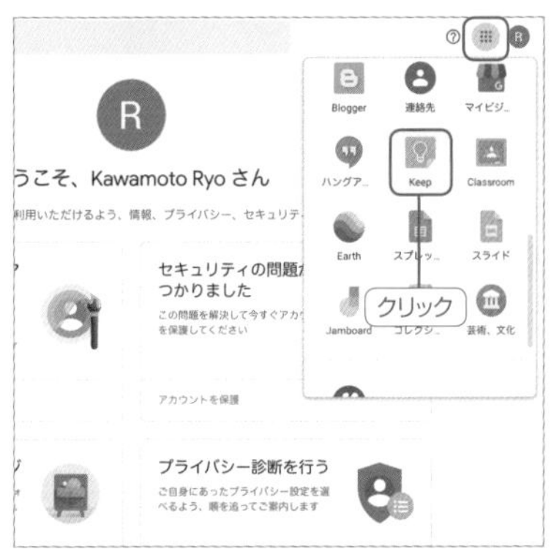

Googleのアカウントにログインしたら、右上のアプリランチャーをクリックしてGoogle Keepをクリックします。

2 メモを入力する

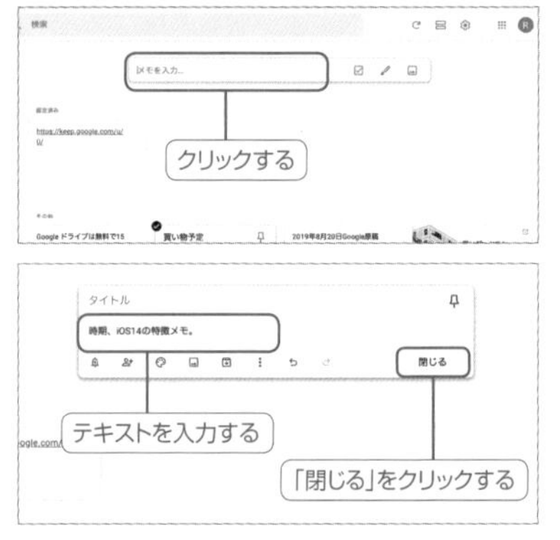

Google Keepの画面に切り替わります。画面中央の入力フォームをクリックしてメモしたい内容を入力しましょう。

3 メモの位置を移動する

メモが追加されます。作成したメモはドラッグで好きな位置に移動できます。

スマホ版Google Keepを使ってみよう

1 スマホ版アプリを起動する

スマホ版Google Keepを起動してメモを追加したい場合は右下の追加ボタンをタップします。

2 メモを入力する

入力画面が表示されます。メモを入力しましょう。左下の追加ボタンからチェックボックスを追加することもできます。

3 メモをドラッグする

メモが追加されます。作成したメモはドラッグで好きな位置に移動できます。

写真やチェックボックスを入力しよう

Google Keepで入力する内容はテキストだけでなく、写真を添付を添付することができます。携帯端末で写真を添付する場合は端末内にある写真に加えて、その場でカメラ撮影して添付できます。もちろんパソコン上にある写真でも添付できます。また、チェックボックス機能を搭載しています。ToDoリストや買い物リストを作成する場合はチェックボックスを利用しましょう。

1 パソコンで写真を添付する

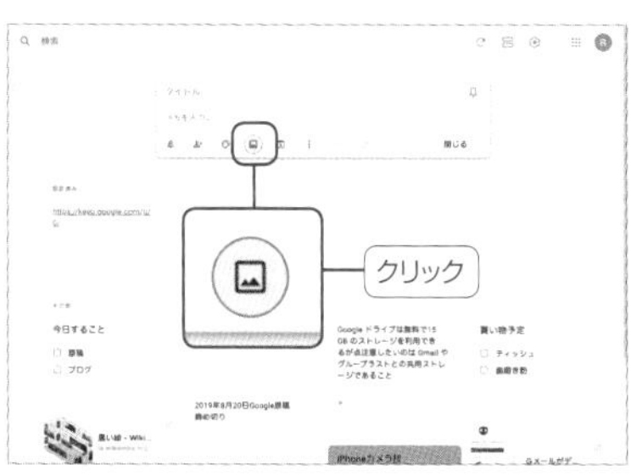

パソコン上にある写真をメモに添付するには、入力フォーム下部にある写真ボタンをクリックして、写真を選択します。

2 写真を削除する

写真がアップロードされます。なお10MB以上の写真は添付できないのでサイズに注意しましょう。写真を削除する場合は「削除」ボタンをクリックします。

3 スマホで写真をアップする

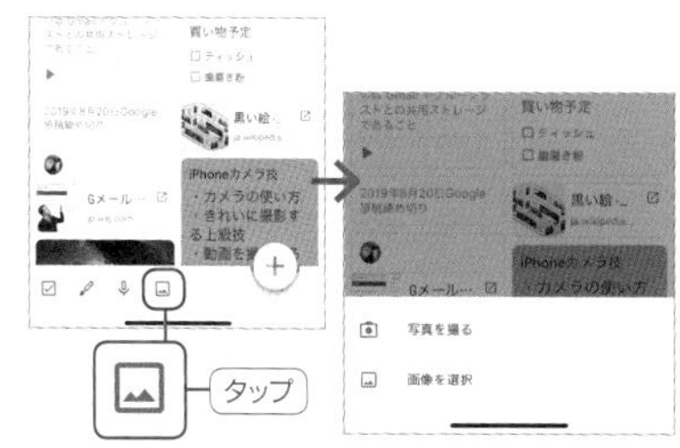

スマホ版Google Keepで写真をアップする場合は、左下の写真アイコンをタップして端末内の写真かカメラ撮影して写真をアップするか選択しましょう。

4 チェックボックスを追加する

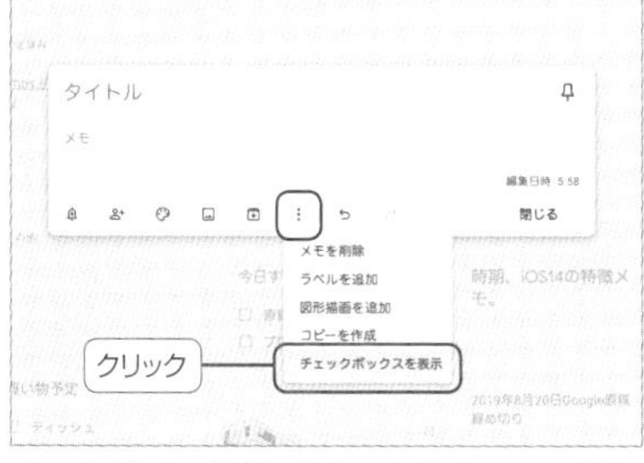

チェックボックスを追加するには、入力フォーム下の「︙」をクリックして「チェックボックスを表示」をクリック。

5 リストを作成する

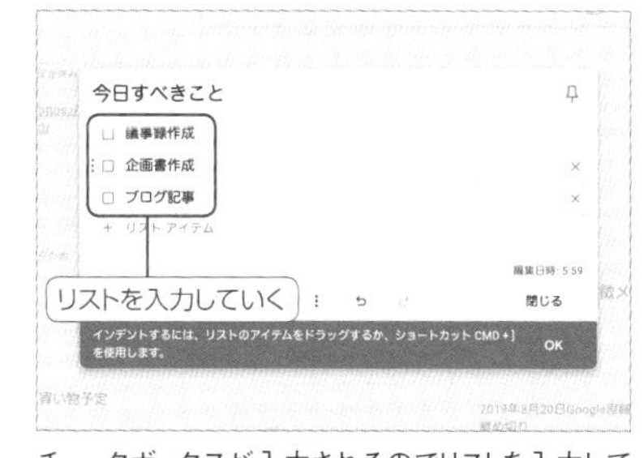

チェックボックスが入力されるのでリストを入力していきましょう。改行すると自動的にチェックボックスが追加されます。

6 リストにチェックを入れる

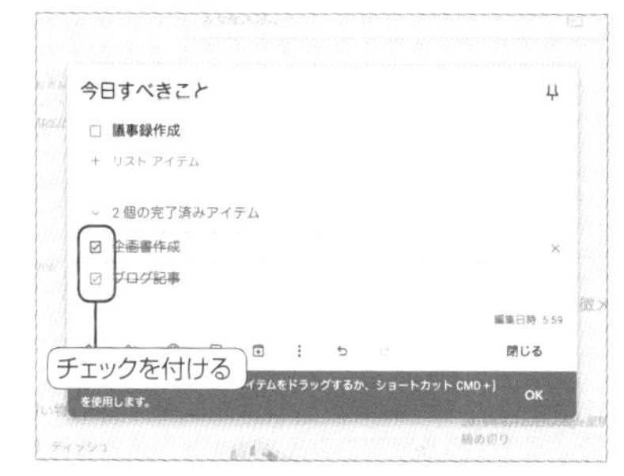

作成したタスクを実行したらチェックボックスをクリックします。チェックが付き下へ移動します。

ブラウザで表示しているページをGoogle Keepにメモする

Chromeブラウザで表示しているページURLをGoogle Keepにメモする場合、アドレスバーからURLを直接コピーするのもいいですが、Google Keepの拡張機能機能をインストールしておくことでクリック1つでメモできます。便利に効率が良いのでインストールしておきましょう。

1 拡張機能を追加する

Chromeを起動してchromeウェブストアの拡張機能のページを開く。「Chromeに追加」をクリックしましょう。

2 拡張機能ボタンをクリックする

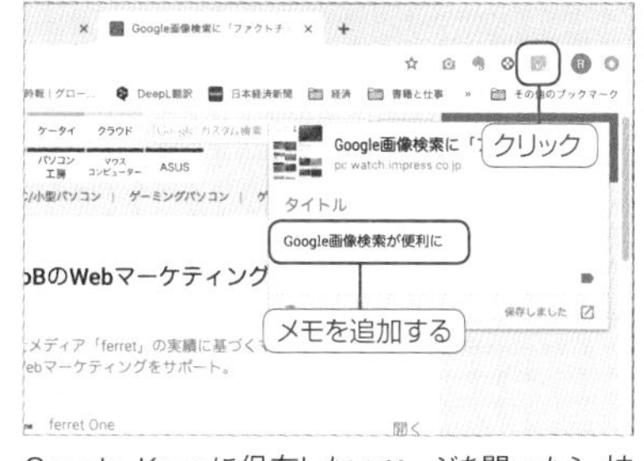

Google Keepに保存したいページを開いたら、拡張機能ボタンをクリックします。URLをそのままメモするだけでなくテキストでメモを追加もできます。

3 Google Keepに保存される

Google Keepに戻ると、URLと入力したテキストとともにメモが保存されています。ページ内容もサムネイル形式でチェックできます。

リマインダー機能で通知してもらおう

会議や会合の日時など当日思い出さないといけないメモをとるのにGoogle Keepは便利です。リマインダー機能を搭載しており、各メモに対して設定した日時にアラームを鳴らすことができます。

また、場所を指定してアラームを鳴らすことができます。立ち寄る予定の場所を設定しておけば、到着と同時に携帯端末で知らせてくれます。

1 リマインダーを設定する

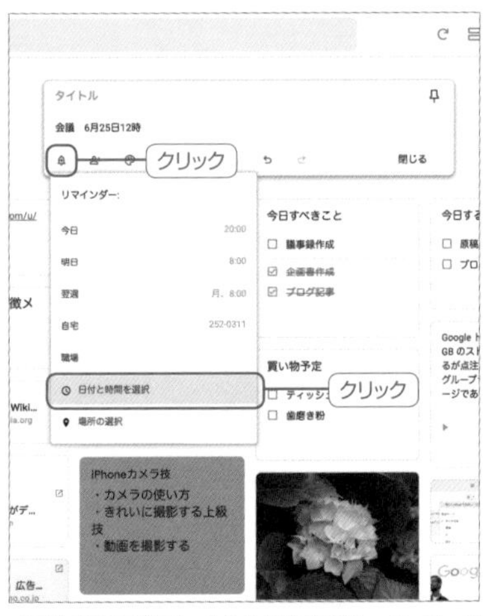

メモ作成画面を開いたら左下にあるリマインダーボタンをクリック。メニューが表示されます。ここでは、時間をカスタムで設定してみましょう。

2 通知日時を指定する

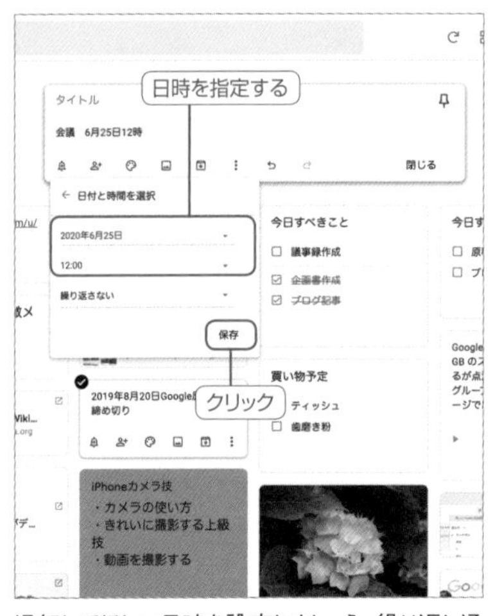

通知してほしい日時を設定しましょう。繰り返し通知設定もできます。設定したら「保存」をクリックします。

3 スマホで通知を確認する

iOS、AndroidともにGoogle Keepをインストールして同期しておけば、指定した時間になると通知してくれます。パソコンの場合はChromeブラウザ上でポップアップ通知してくれます。

共有機能でメモをほかの人と共有しよう

Google Keepで作成したメモは、Gmailアカウントを所有しているほかのユーザーと共有することができます。共有設定画面で相手のGmailのメールアドレスを入力するだけで即座に共有され、相手のGoogle Keepの画面に表示されます。

なお、共有を解除したい場合は、共有画面で「解除」ボタンをクリックするだけです。自分と相手のどちらからでも解除できます。

1 共有ボタンをクリックする

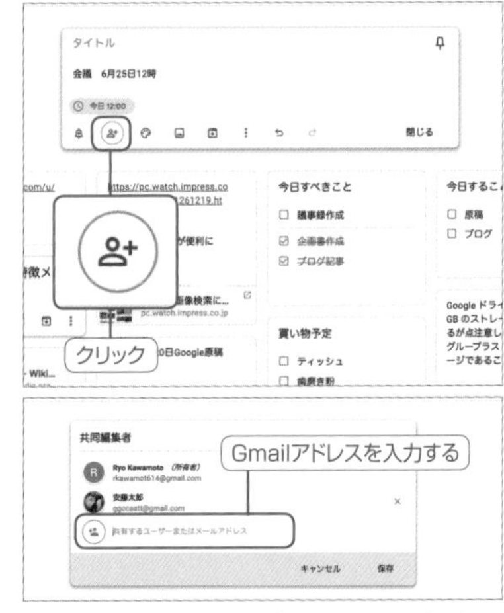

共有したいメモを開き、下部メニューの共有ボタンをクリック。共有したい相手のGmailアドレスを入力しましょう。

2 共有相手の画面

共有相手のGoogle Keep画面です。メモ画面の下に共有中のユーザーの名前とアイコンが表示されます。

3 共有を解除する

共有を解除したい場合は、メモを開き共有アイコンをタップして共有を解除したいユーザー名よのバツをクリックしましょう。

手書きでメモを作成する

外出先でふとロゴやマーク、記号などをスケッチメモしたくなった場合は、手書き機能を利用しましょう。スマホやタブレット版のGoogle Keepを使えば手書きでメモを作成することができます。標準では黒色のペンですがカラーやペンのの大きさを自由に変えることができます。また、作成した手書き内容を編集することもできます。パソコン版ではマウス操作でドローイングを作成できます。

1 手書きメモを作成する

パソコン版はメモ作成画面下の「︙」から「図形描画を追加」をクリック。スマホ版は左下のペンアイコンをタップします。

2 手書きでメモを取る

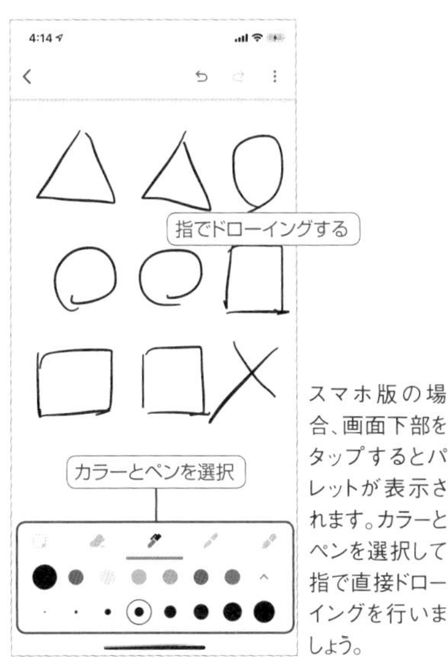

スマホ版の場合、画面下部をタップするとパレットが表示されます。カラーとペンを選択して指で直接ドローイングを行いましょう。

3 手書きでメモを編集する

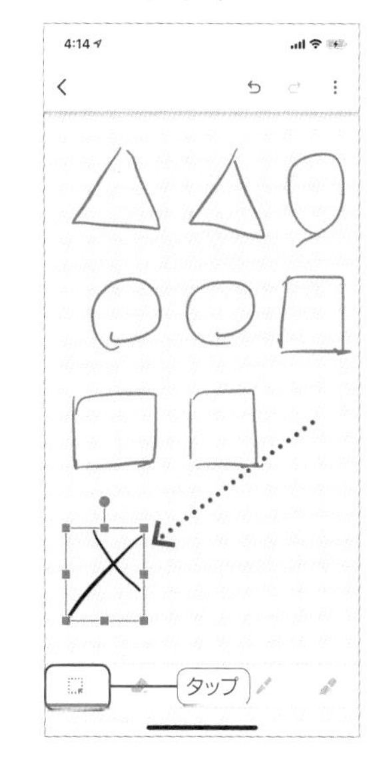

メニュー左端にある選択範囲ボタンを選択したあと、編集したい部分を囲い込みドラッグするとその部分を移動できます。

作成したメモを整理する

メモをどんどん作成していくと、以前作成したメモがどこにあるかわかりづらくなります。Google Keepにはさまざまな整理機能が搭載されているので、これらを使っていきましょう。メモごとに背景カラーを設定できます。重要なメモは目立つカラーにしましょう。また、Gmailと同じようにラベルを使って作成したメモをカテゴリ分類できます。検索フォームから入力したメモ内容を検索するのもいいでしょう。

1 メモの背景を変更する

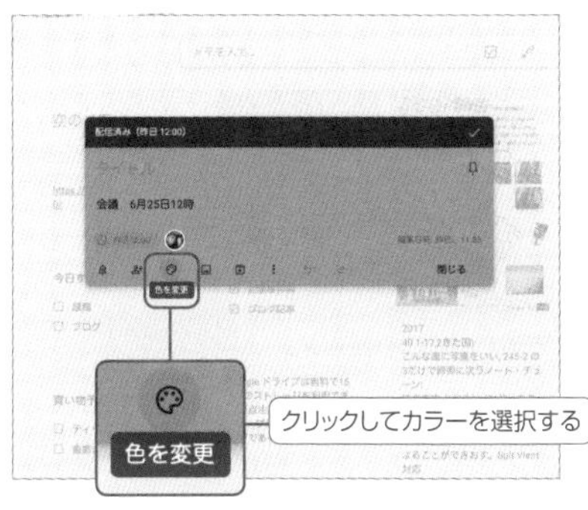

メモの背景カラーを変更するには、メモを開いて下部メニューの「色を変更」をクリックしてカラーを選択しましょう。

2 ラベルを追加する

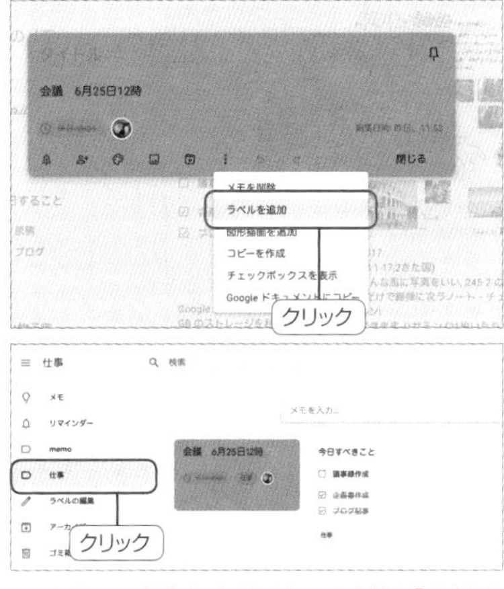

メモにラベルを追加するには、メモを開き「︙」から「ラベルを追加」をクリックしてラベルを設定しましょう。左メニューのラベル一覧からラベルを付けたメモを一覧表示できます。

3 検索でメモを探す

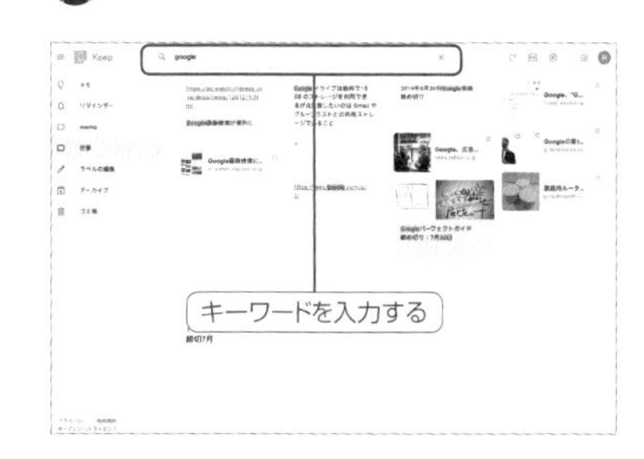

上部にある検索ボックスにキーワードを入力してメモを探すこともできます。

Googleサイトを使って社内ポータルサイトを作成する

共有サイトを社内業務の適用に活用する

企業内でプロジェクトやチームのノウハウ、ルールをまとめた情報を共有したい場合、プロジェクト自体の進行度などを管理したいという状況があります。これらはドキュメント文書で共有するよりも、Web上に専用サイトを作ったほうが簡単で、常に最新情報を確認できます。「Googleサイト」サービスを使って、共同編集できる社内ポータルサイトを作成していきましょう。なお、スマホからでは編集できません。

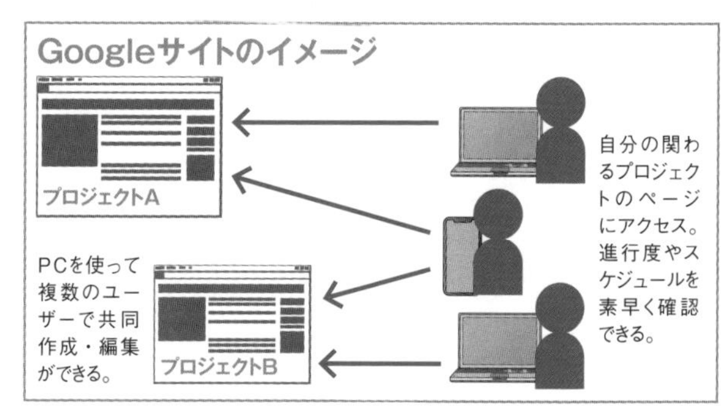

プロジェクトメンバーたちで1つのポータルサイトを管理して共同編集する。

Googleサイトを開設してみよう

1 Googleサイトにアクセスする

Googleサイト（https://sites.google.com/ ）にPCでアクセス。「サイトを作成してみましょう」をクリックして、新規作成ボタンをクリックします。

2 タイトルを入力

新規ページが作成されます。左上のアイコン横にページタイトル。中央の大きな見出しにもページタイトルを入力しましょう。

3 テキストを入力する

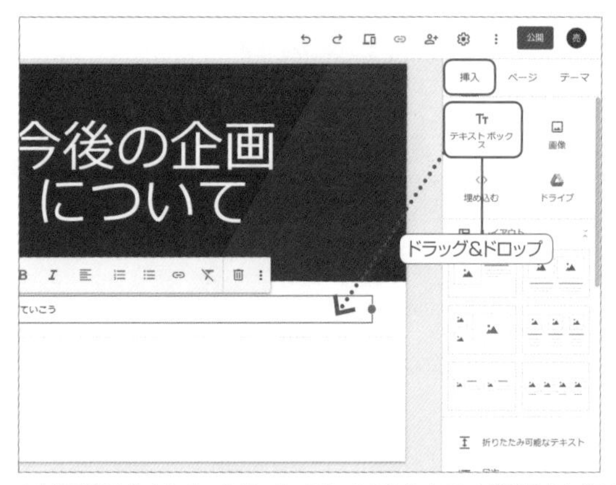

あとは情報を入力していきましょう。テキストを入力するには「挿入」タブの「テキストボックス」をテキストを入力したい部分にドラッグしましょう。

4 画像をアップロードする

テキストだけでなく画像をアップロードすることもできます。「挿入」から「画像」をクリックして写真を選択すれば、写真をアップロードできます。

作成したサイトを外部へ公開する

サイトを作成しただけではまだ自分だけしか閲覧できません。公開設定画面でURLを作成して公開状態にしましょう。作成したURLにアクセスすれば誰でもサイトが閲覧できるようになります。なお、作成したURLは標準だとGoogleに登録されてしまいます。公開設定でGoogleに登録させないようにすることもできます。

1 「公開」をクリック

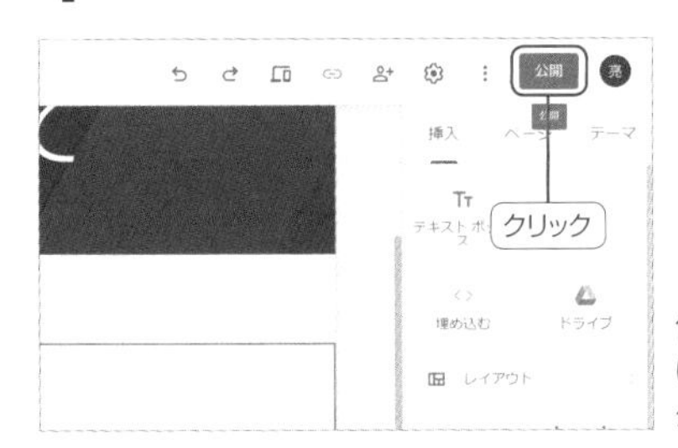

作成したサイトを公開するには、右上にある「公開」ボタンをクリックします。

2 公開URLを作成する

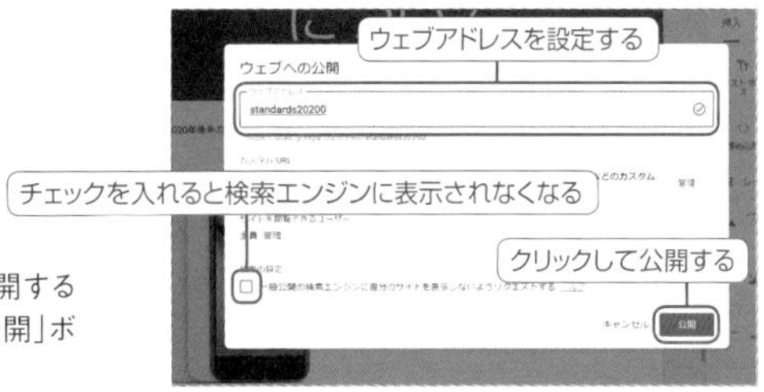

公開設定画面が表示されます。「ウェブアドレス」に任意の文字列を設定します。検索エンジンに登録したくない場合はチェックを入れて「公開」をクリックします。

3 公開したサイトを表示する

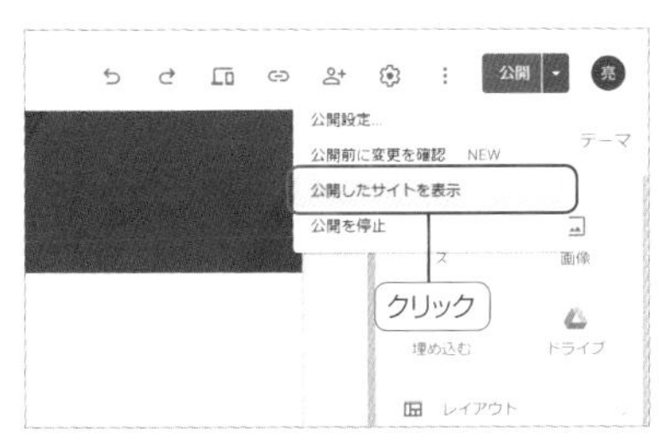

公開したサイトがほかの人にどのように見えるか確認するには、右上の「公開」のメニューを開き「公開したサイトを表示」をクリック。

4 サイトのURLを確認する

実際のサイトが開きます。アドレスバーに表示されるURLがほかの人がアクセスするためのURLです。

ほかのユーザーと共同編集する

作成したサイトはGmailアカウントを保有している他のユーザーと共同で編集することもできます。共有設定画面で共有したい相手のGmailを登録して招待しましょう。なお、Googleスプレッドシートなどの共有編集と同じく、共同編集中は相手の画面にアイコンや編集中の場所が表示されます。

1 「共有」ボタンをクリック

サイトの編集画面で上部メニューから共有アイコンをクリックします。

2 相手のGmailアドレスを追加する

共有設定画面が表示されます。中央の入力フォームに共同編集する相手のGmailアドレスを入力しましょう。

3 編集権限を指定する

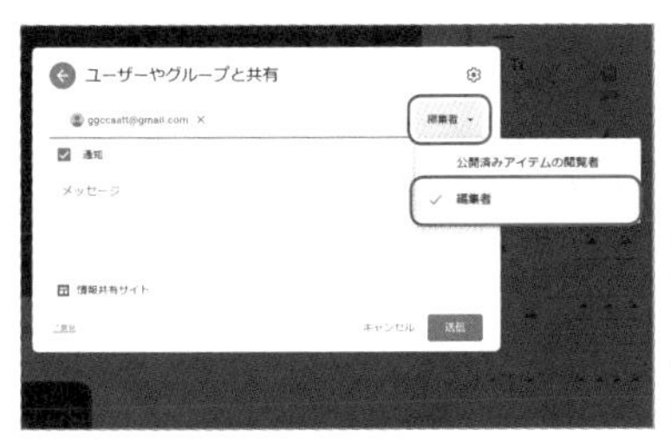

メールアドレス横のメニューを開き「編集者」にチェックを入れましょう。最後に「送信」をクリックすれば、相手も共同編集できます。

4 編集中の相手のアイコンが表示される

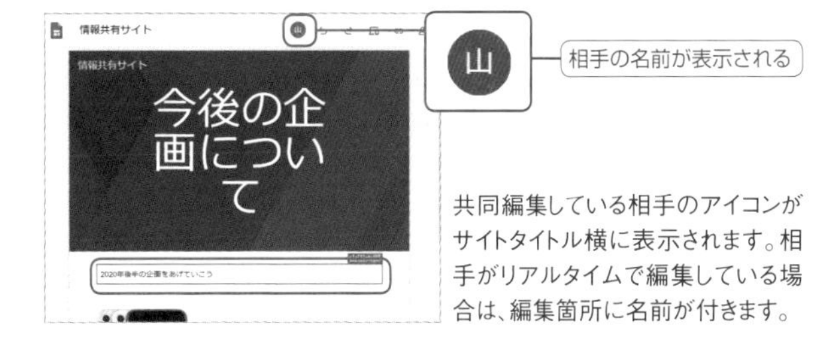

共同編集している相手のアイコンがサイトタイトル横に表示されます。相手がリアルタイムで編集している場合は、編集箇所に名前が付きます。

Googleニュースでニュースを集める

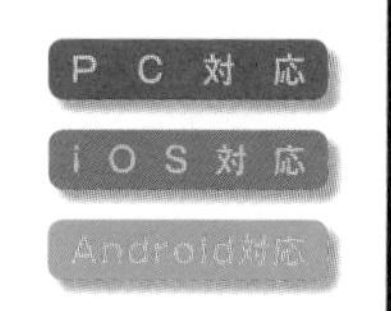

膨大な配信先から興味のあるジャンルを自動選別してくれる

毎日配信される膨大なニュース記事を効率的に自分の趣味や目的に合った記事を収集したい場合は「Google News」を使いましょう。Googleアカウントにログインしていれば、自分の関心に基づいて、その時々の国内、海外、地域のニュースを厳選して表示してくれます。表示される記事は、信頼性の高い大手メディアからのものなので質も高く安心して閲覧できます。

ひと目でわかるGoogleニュース（PC版）

①キーワード検索でニュースを探すことができます。トピック、場所、ニュース提供元名を入力しましょう。クリックすると今注目のトピックが表示されます。

②「▲」をクリックするとより細かな検索条件を指定できます。

③今日本で注目されているニュースを一覧表示できます。

④ユーザーの趣味に応じた記事を表示してくれます。

⑤フォローしたトピックに関するニュースを一覧表示できます。

⑥保存した検索キーワードに関するニュースを素早くチェックできます。

⑦コロナウイルスに関する最新情報をまとめてチェックできます。

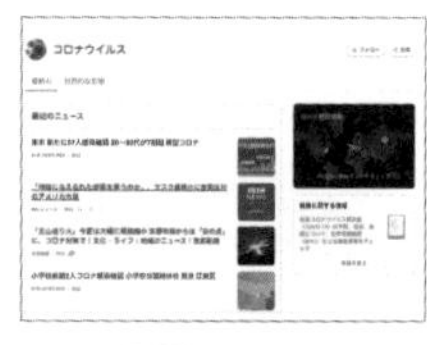

⑧カテゴリごとにニュースを閲覧できます。

⑨GPSを取得して地元の天気情報を表示されます。

⑩Googleおすすめのピックアップ記事が表示されます。

ひと目でわかるGoogleニュース（スマホ版）

❶ニュース記事をキーワード検索できます。

❷最新のコロナニュースが一覧表示されます。

❸ユーザーの趣味に応じた記事を表示してくれます。

❹今注目のニュースを一覧表示できます。

❺フォローしているトピックをチェックできます。

❻特定のニュース配信元からのニュースのみ閲覧できます。

重要なニュースを表示し不要な記事を表示しないようにする

Googleニュースは、ユーザーに好みに応じたニュース記事を厳選して表示してくれますが、中には興味ないジャンルの記事もあります。そのような記事は以降、できるだけ表示させないように調整しましょう。一方、好みの記事を見つけて今後も似たような記事が配信された場合は、積極的に表示させることもできます。

1 興味ある記事を増やそう

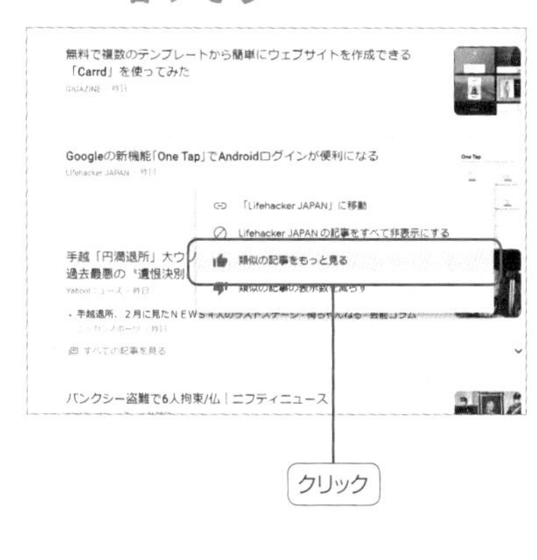

興味あるジャンルの記事があり、今後似たような記事の表示を増やしたい場合は、記事下のメニューボタンをクリックして「類似の記事をもっと見る」をクリックしましょう。

2 似たような記事の表示を減らす

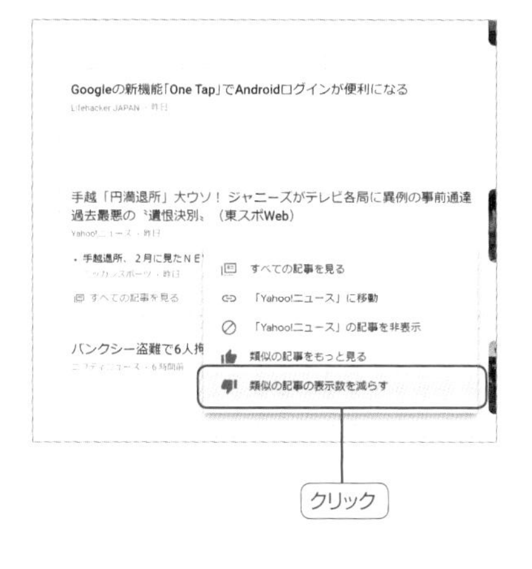

逆に似たような記事を今後表示させたくない場合は、「類似の記事の表示数を減らす」をクリックしましょう。以後、表示されづらくなります。

3 特定の配信元をブロックする

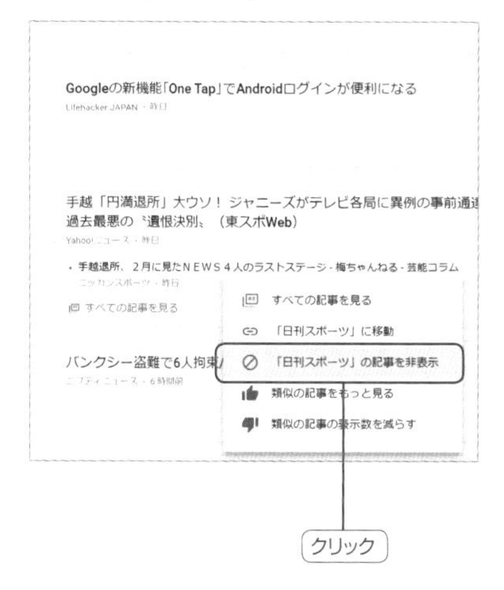

特定の配信元から配信される記事をすべて非表示にしたい場合は、メニューボタンから「「○○」の記事を非表示」をクリックしましょう。

検索条件の保存やトピックをフォローしよう

いつもチェックしているトピックがある場合はフォローしましょう。フォローしたトピックはメニューの「フォロー中」から素早くアクセスできます。また、いつも検索するキーワードも保存しましょう。トピックと同じく「フォロー中」から保存した検索条件にすぐにアクセスできます。

1 トピックをフォローする

検索フォームなどからトピックを検索します。トピックを開き右上にある「フォロー」ボタンをクリックしましょう。

2 トピックを開く

左メニューから「フォロー中」を選択します。フォローしたトピックが表示され、クリックするとそのトピックに関する記事が表示されます。

3 検索条件を保存する

トピックが見当たらない場合は、検索キーワード入力後に検索条件を保存しましょう。左メニューの「保存済み検索条件」から保存した検索条件にアクセスできます。

Googleフォトの素晴らしさ!
写真の保存、整理、閲覧、共有が簡単

PC対応　iOS対応　Android対応

Googleフォトではすべての端末から写真を自動でネット上に保存することができるサービスです。

写真は自動的に人物や場所などで分類されますし、写真に関するキーワードで検索できるので、思い出の写真を簡単に探すことができるでしょう。

Googleフォトを使ってバックアップするように設定しておけば、スマホを紛失・故障した場合でも、写真などを失くさないで済むので、安心です。

また、Googleフォトには、バックアップ以外にも、アルバム作成機能や画像編集機能など豊富な機能があります。ネット上で直接加工するので、加工した写真は所有しているどの端末からでも閲覧することができます。

Googleフォトを使っている人とは簡単に共有できますが、グーグルアカウントがない人にも共有用URLを作成して公開して共有可能です。その後共有URLを削除も可能です。

iPhoneの「アルバム」画面

パソコンの「アルバム」画面

一目でわかるGoogleフォトの基本画面

Googleフォトはパソコン版とスマホ版が用意されていますが、見た目はほとんど同じです。しかし、各メニューの機能においてはけっこうな差異があります。スマホ版Googleフォトにはスマホ版ならではの便利機能が搭載されています。

PC対応　iOS対応　Android対応

パソコン編

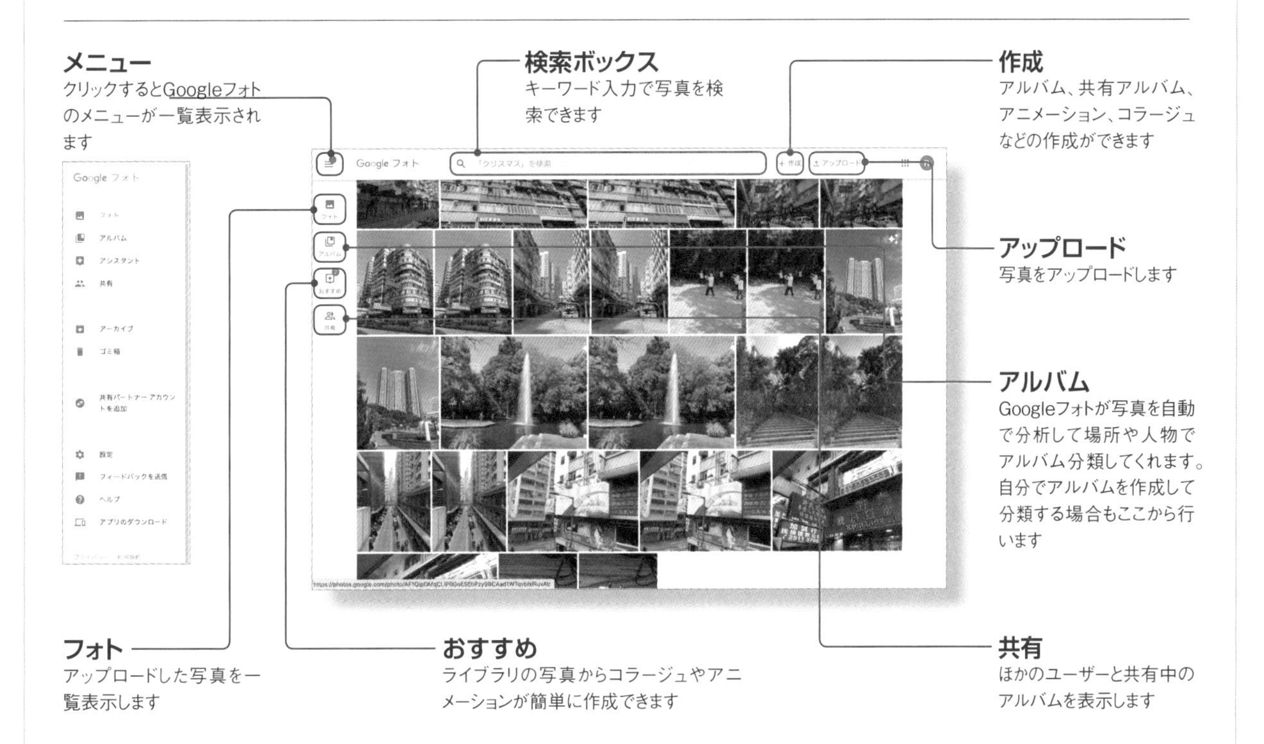

スマートフォン編

あらゆる写真をバックアップしてくれる「Googleフォト」を利用しよう

Googleフォトでは Googleが指定する解像度で圧縮することで、無制限で写真をアップロードすることができます。圧縮といっても写真は1600万画素以内、動画は1080p以内なのでかなりの高画質で劣化はほとんど見られません。どんどんアップロードしましょう。

1 「設定」をクリック

無制限で写真をアップロードするには、写真のアップロード設定を変更する必要があります。メニューを開き「設定」をクリックします。

2 「高画質」にチェックを入れる

アップロードサイズで「高画質」にチェックを入れておきましょう。これで容量無制限でアップロードできます。

3 ブラウザにドラッグ&ドロップ

写真をアップロードするには、「フォト」画面を開いて、ブラウザ上に直接ファイルをドラッグ&ドロップするだけです。

スマホで選択した写真だけをアップロードする

スマホ版Googleフォトではインストールすると端末内の写真がすべてアップロードされるようになっています。スマホの写真を個別にアップロードしたい場合は設定画面で「バックアップと同期」をオフにしましょう。続いてメニューの「端末とフォルダ」から個別に写真をアップロードしましょう。

1 設定メニューを開く

スマホ版Googleフォトの設定メニューを開き「設定」をタップします。

2 バックアップと同期をオフにする

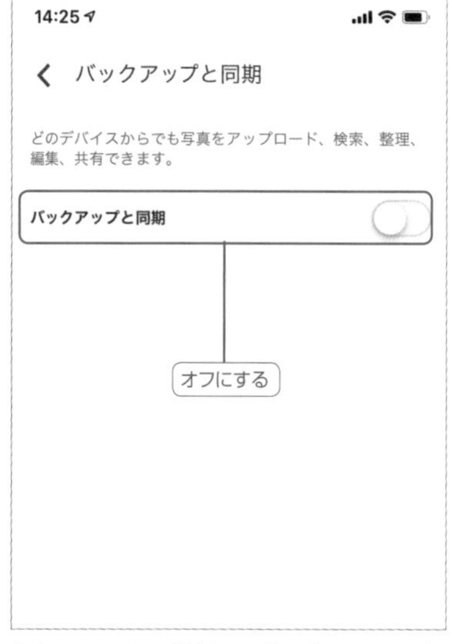

「バックアップと同期」をタップして「バックアップと同期」をオフにしましょう。

3 個別にアップロードする

あとは「フォト」画面で写真を選択してアップロードボタンをタップして、アップロードしましょう。

クラウド上の写真を他のユーザーへ渡す

Googleフォトに保存している写真は、ほかのユーザーと共有することができます。共有したい写真を選択して共有ボタンをクリックしましょう。共有方法が表示されるので共有方法を選択しましょう。SNSに投稿したり公開URLを作成するなどメニューは豊富です。ここでは、公開URLを作成した共有方法を紹介します。

1 写真を開く

共有したい写真を開いたら、画面右上にある共有ボタンをクリックします。

2 共有方法を選択する

さまざまな共有方法が表示されます。ここでは「リンクを作成」を選択します。

3 作成した公開URLをコピーする

公開のURLが作成されます。このURLをほかのユーザーに教えると、写真にアクセスすることができます。

複数の写真をまとめてダウンロードする

PC対応
iOS対応
Android対応

Googleフォトのアルバム写真をまとめてダウンロードしたい場合は、選択ボタンにチェックを入れて右上のオプションボタンをクリックしましょう。「すべてダウンロード」でダウンロードできます。ダウンロード時はZIP形式でまとめてもくれます。

1 写真を選択する

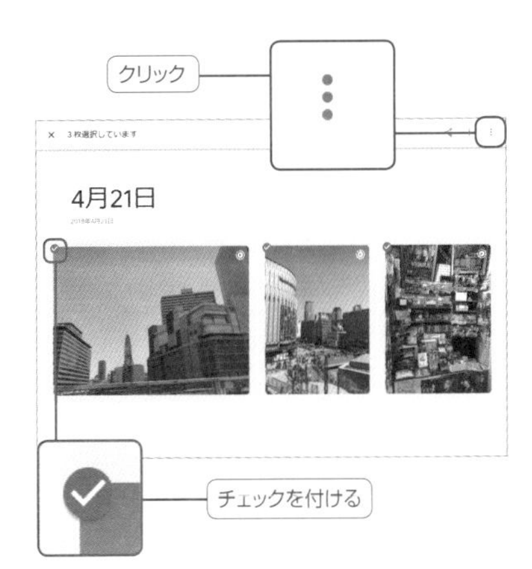

ダウンロードしたい写真の左上にある選択ボタンをクリックしてチェックを入れます。その後右上にあるオプションボタンをクリックします。

2 まとめてダウンロードする

表示されるメニューから「ダウンロード」をクリックしましょう。ダウンロード先選択画面が表示されたら、保存先を選択しましょう。ダウンロードされます。

3 アルバムをダウンロード

アルバムを丸ごとダウンロードする場合は、アルバムを開いてオプションボタンをクリックして「すべてダウンロード」をクリックしましょう。

Google翻訳の素晴らしさ!

100言語以上を翻訳してくれる

PC対応　iOS対応　Android対応

Google翻訳はテキストの一部分、もしくはウェブページ全体を別の言語に翻訳するサービスです。中国語から日本語や、日本語から英語など100カ国以上の言語を相互翻訳することができます。海外のサイトをブラウジングする機会が多い人なら必須のサービスとなるでしょう。

1 URLを貼り付ける

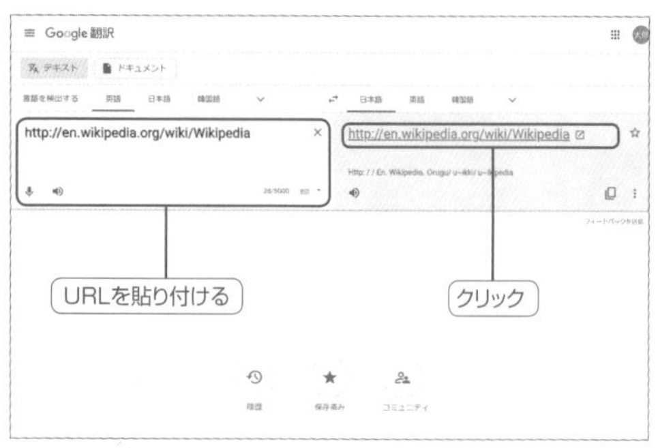

Google翻訳のサイトにアクセスしたら、左側の入力フォームに翻訳したいサイトのURLを貼り付けます。右側のフォームにURLが表示されるのでクリックします。

2 翻訳されたページが表示する

翻訳された状態にあるページが表示されます。右上の「原文」をクリックすると原文を表示できます。

3 テキストの一部のみを翻訳

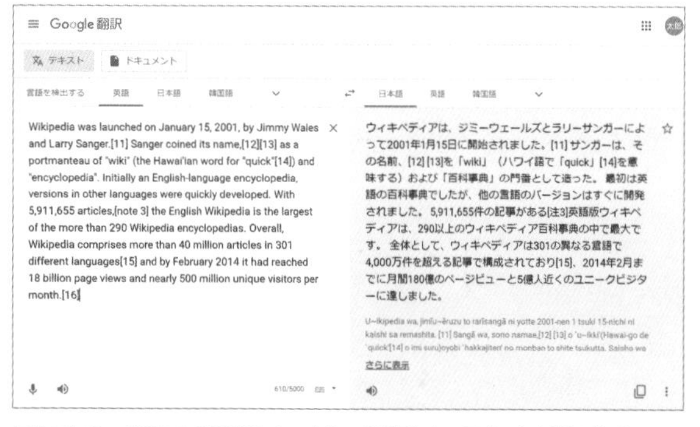

テキストの一部のみを翻訳したいなら、翻訳したいテキストを側の入力フォームに入力しましょう。右側に翻訳した内容を表示してくれます。

4 言語設定を手動で指定する

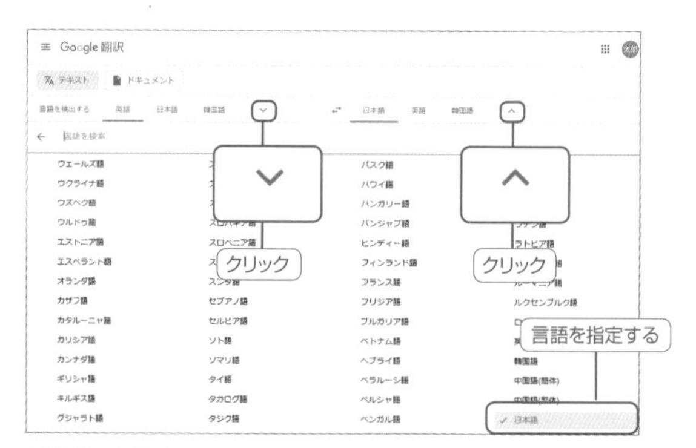

翻訳元と翻訳先の言語を手動で変更したい場合は、言語ボタン横にあるプルダウンメニューを開いて言語を指定しましょう。

5 翻訳したテキストをコピーする

指定した言語で翻訳することができます。なお、翻訳した内容は入力フォーム下にあるコピーアイコンをクリックしてコピーできます。

6 翻訳元と翻訳先の言語を入れ替える

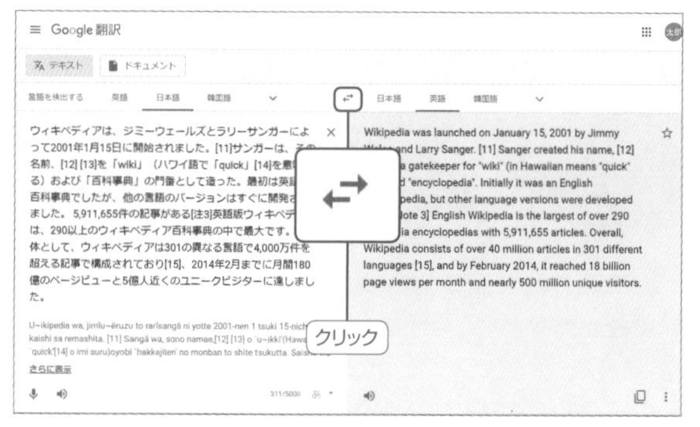

中央にある言語入れ替えボタンをクリックすると、翻訳元と翻訳先の言語を入れ替えることができます。

よく使うフレーズはブックマークしよう

PC対応
iOS対応
Android対応

英語のメールを使うときなどに頻繁に使うフレーズは、Google翻訳で調べたあとブックマークに登録しておきましょう。次回、以降ブックマークから簡単にコピーすることができます。パソコン版ではブックマークに登録したフレーズはGoogleスプレッドシートにエクスポートすることもできます。外国語の単語・熟語作成に便利です。

1 ブックマークに登録する

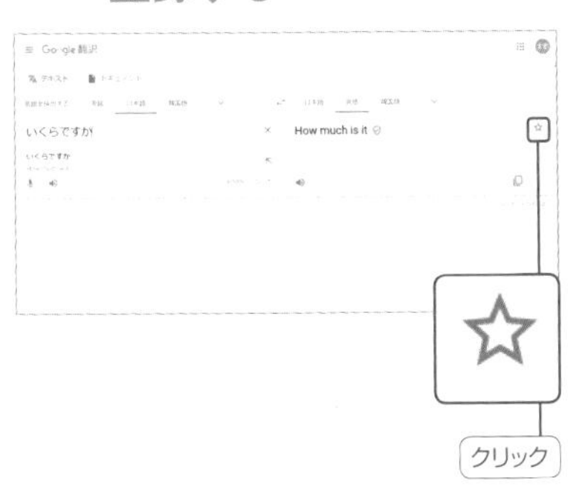

翻訳後、保存しておきたいフレーズは入力フォーム右にあるブックマークボタンをクリックしましょう。

2 ブックマークを開く

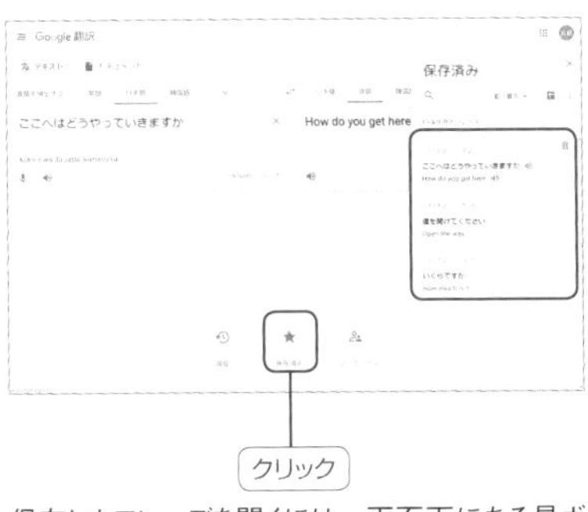

保存したフレーズを開くには、画面下にある星ボタンをクリックします。画面右側から保存したフレーズが表示されます。

3 Googleスプレッドシートに出力する

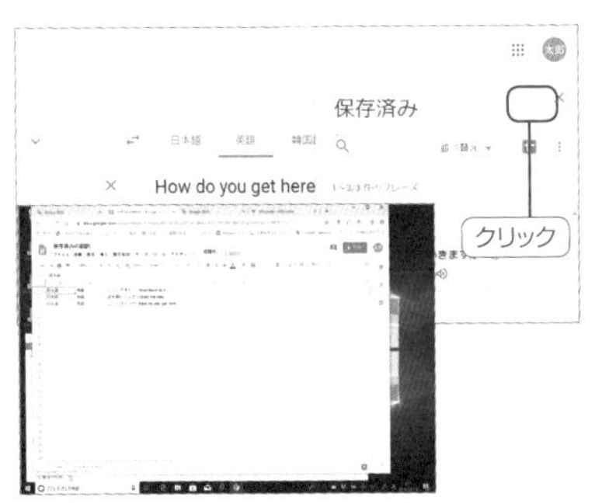

右上にあるGoogleスプレッドシートアイコンをクリックしましょう。するとGoogleスプレッドシートが起動して内容がエクスポートされます。

スマホ版ならカメラでかざすだけで翻訳できる

PC対応
iOS対応
Android対応

Google翻訳はスマホ版も用意されています。パソコン版よりも便利で外出中に利用するのがおすすめです。カメラで翻訳したい英文をかざすだけで日本語にリアルタイムで翻訳表示してくれます。特に海外旅行時に特に役立つでしょう。ただし日本語にリアルタイム翻訳できる言語は現在は英語のみです。

1 音声入力で翻訳可能

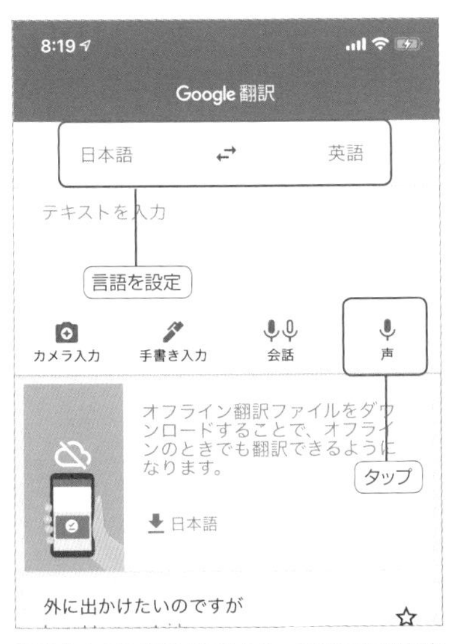

音声入力での翻訳ができます。翻訳元と翻訳先の言語を指定したらマイクボタンをタップします。

2 クリップボードにコピーする

翻訳表示された文章はコピーボタンをタップすることでクリップボードにコピーできます。

3 カメラでリアルタイム翻訳

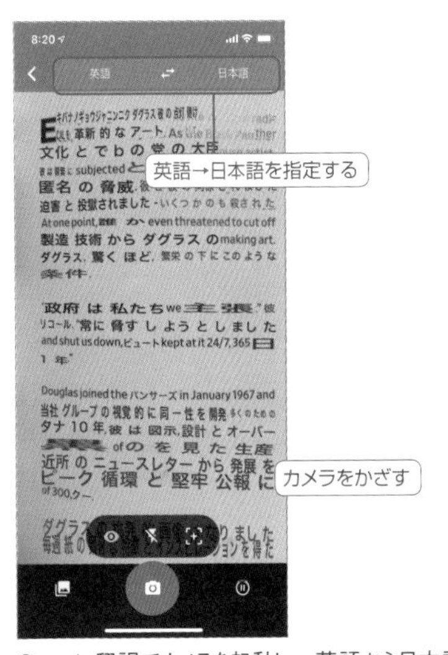

Google翻訳でカメラを起動し、英語から日本語への翻訳を指定し、カメラを英語テキストに向けるとリアルタイムで日本語に翻訳してくれます。

Google 無料サービス 早わかりガイド（令和3年最新版）

2020年8月25日発行

執筆
河本 亮
ゴールデンアックス

表紙&本文デザイン
高橋コウイチ（wf）

本文DTP
西村光賢

イラスト
浦崎安臣 (Studio UCO)

発売所
スタンダーズ株式会社
〒160-0008 東京都新宿区
四谷三栄町12-4 竹田ビル3F
営業部 ☎03-6380-6132

印刷所
中央精版印刷株式会社

編集発行人
佐藤孔建